JN045700

文化権力と日本の近代

伝統と正統性、その創造と統制・隠滅

Cultural Power and Modern Japan : Creation, Control, Manipulation of Tradition and Legitimacy

徐　禎完
鈴木　彰
編

Suh Johng Wan
Suzuki Akira

徐　禎完
榊原千鶴
宋　錫源
松澤俊二
呉　佩珍
李　鍾淑

鈴木　彰
湯本優希
ファン　エーワイク・アーフケ
平田英夫
菊野雅之

文学通信

文化権力と日本の近代——伝統と正統性、その創造・統制・隠滅◉目次

第2部　読者・文壇・教育の動向と相関性

はじめに

本書刊行にあたって

徐 禎完／鈴木 彰

一、文学と歴史が交わる領域へのアプローチ

この『文化権力と日本の近代』は、翰林大学校日本学研究所の〈ポスト帝国の文化権力と東アジア〉プロジェクト（韓国研究財団［National Research Foundation of Korea］、人文韓国プラス［Humanities Korea Plus/HK+］、基礎学問分野）の一環として、筆者と鈴木彰さんが二〇二〇年一一月二八日に一回目の〈東アジア文化権力研究学術フォーラム「伝統と正統性、その創造と統制・隠滅」〉を開催したことから始まった。コロナ・パンデミックの暗雲が拡散しつつあった二〇二〇年三月五日、サバティカルで韓国に滞在中だった鈴木彰さんが帰国される直前、二人で一日ソウル郊外をまわりながら研究上の関心事を話し合っているうちに、「近代と伝統・古典（カノン）」という共通の問題意識を確認してその場で意気投合し、「伝統と正統性、その創造と統制・隠滅」をテーマとした活動を始めることにしたのである。コロナ・パンデミックという地球規模の苦境のなかで、それから約九ヶ月後に一回目のフォーラムを開催した。以後、年に二度のペースでこのフォーラムを

続け、二〇二二年一〇月二九日の五回目のフォーラムまでの成果をまとめたのが本書である。

この「文化権力」という概念・用語は、二〇〇八年に〈帝国日本の文化権力：学知と文化媒体〉なる研究アジェンダで韓国研究財団の重点研究所プロジェクトに挑戦した際に周囲の研究者の意見と反応を窺いながら創ったものであり、その起点は筆者の専門の「能」であった。筆者は一九八〇年代に日本の大学院で能の研究をしていたが、当時、世の中では（学界のことである）「世阿弥的な美意識」だとか「世阿弥らしい作能であり表現である」などという評価をしばしば耳にした。しかし、文芸理念には関心がなく能の変遷史に関心があった筆者には、そのへんの知識や感覚が足りなかったのであろうが、十分に納得できる言説ではなかった。現行曲を以て「世阿弥的」というからには、世阿弥時代の詞章や演出と現行曲とのあいだに相違がなく、まったく同じものであることが確認できていないかぎり、「そのこと」は言えないのではないか、という疑問が根底にあったからである。

とともに、「五百年以上続いた能」から「六百年以上続いた能」へと、悠久な能の歴史の時間軸がどんどん延びては「優れた芸能」という付加価値がどんどん膨らんでいくことを、近代の能や謡関連の文献を通して見ていたが、民衆・観衆の支持と関心によって成り立つ芸能である能が、いくら世阿弥が天才だからといって、五〇〇年も六〇〇年も時代と歴史を超越して権力より永らえるということが不自然に思えてならなかった。「世阿弥は佐渡に流された」という一言は、結局いくら世阿弥が天才であったにせよ、権力と芸能・芸能民との関係の本質を端的に表していると思うからである。イ・ジュンギ主演の韓国映画に『王の男』（二〇〇五）がある。映画の中の話ではあるが、権力と芸能民との基本的関係を端的に表していると筆者は見ている。

このようなことから、筆者の当時の博士論文は、多少なりとも改作という作意が確認される曲を対象に、世阿弥時代の能本と室町末期から江戸初期までの主要謡本の本文と演出を校合しては対照することで、曲ごとの改作と変遷の流れとの関係を追究することを目的とするものになった。このように、権力と芸能、権力と文化、文芸なることばが、何十年も頭の隅で、ある時は潜在し、ある時は飛び交っていた。それを、二〇〇八年に引っ張り出して、文化と権力、あるいは権力と文化が織りなす磁場に形成・生成される動態というものを「文化権力」ということばに詰めて使い始めたのである。

当時は今よりもっと不安定な理解であったが（今でもまだ難しい）、文学・芸能などを含めた文化というものは、権力から無関係の状態で、自らの美しい世界に閉じこもって、理念や美意識のみを追究したり構築したりすることはきわめて困難であるという理解に立つ。とくに国民国家体制の下で、近代にいたって国家を飾る「花」としてその威厳を表象する「文化装置」として作動する場合はとくに然りである。この文化権力の動態はきわめて多様で、例えば支配される側の中でもヒエラルキーが形成され、その内部で支配あるいは影響関係が形成されたりする。本書のもととなった「伝統と正統性、その創造と統制・隠滅」という学術フォーラムはここから始まっているのである。

エリック・ホブズボウムの『創られた伝統』と同じ方向を見つめているのかもしれないが、ホブズボウムの理論が、社会学者などがよくいう「地形図を描く」ことで全体像を捉える作業であるならば、筆者が目指すのはしっかりした地形図を描くための精密な実地調査をするところにあるとでも言えようか。資料による実証的アプローチによって、大日本帝国の植民地支配や膨張主義から、敗戦後の日本国を経て今日に至るまでの国民国家という体制による権力と芸能文化の在りようと、その展開を見据えることによって、一方では権力や時代・社会の素顔を、他方では芸術性を認められたことで「伝統」や「古典」として認知されその座に昇った芸能の素顔を掘り出すことができるのではないかと考えている。

ところで、このフォーラムの特徴の一つは、それぞれの回での報告者はその回の発表で終わるのではなく、以降の回にも参加して「伝統と正統性、その創造と統制・隠滅」という問題に継続的に取り組むという勉強会のような体裁をとったことであろう。このような問題意識をもってどのような研究を進めることができ、またどこまで問題を掘り下げることができるのかという挑戦に真摯に臨んでいた。「東アジア」という同質性は同時に異なる国家・異文化の異質性でもあるというなかで、できるだけ多様なジャンルや領域を対象とすることでこのテーマの普遍性あるいは拡張性を打診しながらの試みであった。

例えば、文学や芸術分野の研究もそうであるが、今日の学問は、それぞれの学問分類による領域の仕分けの中での研究になっている。それはそれで有効で必要なアプローチであることに異論はない。しかしながら、人類や時代の営みそのものを見極めるということに忠実な視点による研究も必要ではなかろうか。近代以降に仕分けられた学問分類の境界を越えて時代や権力に決して自由であり得ない文学や芸能の動態を見据える作業は、ある意味では文学性や芸術性の真髄を見抜くことにもなり得るからである。近代の国民国家体制の下で、国民国家の偉観を表象する文化装置として「伝統」なるものが作動するなか、権力や時代に翻弄され統制され隠滅され、あるいは迎合することでその「道」を保存するための選択を迫られる文化権力なる磁場に注目することは、文学や芸術が「時代」を生き抜いてきたリアルな文学史・芸能史の一面を照射する作業となる。この作業によって、作品や作家を中心とする内部徴証に頼る研究では、国民国家体制のバリアーに覆われてよく見えなかった文学性・芸術性を抽出することができるのではないか。近代という時代と権力に認知されて国民国家の偉観を表象する文化装置としての「伝統」や「古典」となる以前の素顔の文学性や芸術性への確認であり発見と言えよう。そこに対比されるものには、例えば国民国家や民族を背景とするナショナリズム的な粉飾の類のものもあろう。「創造・統制」だけでなく「変容」をも含める「manipulation」と訳した「隠滅」を並べる所以でもある。このような問題意識への試みが〈東アジア文化権力研究学術フォーラム「伝統と正統性、その創造と統制・隠滅」〉であり、その最初の成果がこの一冊である。「文化権力」なるものへの視座の定着、国境を越えた東アジアのより多様なジャンルへの考察をはじめ、今後の課題は頗る多い。拡大と深化の余地を残すフォーラムであり本書であるが、と同時に、このような文学研究・芸能研究も在りうることを証明することで、文学と歴史が交わる領域への興味深く有用な一つのアプローチとして発展しては定着することを願う。

（徐　禎完）

二、本書の構成と各論文の概要

続いて、本書の構成と各論文の概要を紹介しておく。

本書は二部構成からなる。**第1部「近代国家「日本」と文化権力」**には、六人の執筆者による論稿を配した。

徐禎完「1　近代日本と能楽　文化権力としての芸能と国民国家」は、近代能楽史・植民地能楽史を文化権力という視点から検討する試みの一環にあるもので、明治政府の歌舞音曲に関する認識を起点として、国民統合に向けた諸動向、能楽関係者たちが発した言説、能楽の大衆化をめぐる動向などの観点から、国家と芸能の関係のありようを実証的に検証し、能楽を「六〇〇年以上続いた日本の伝統芸能」とする理解の実態を問い直している。

榊原千鶴「2　日本の近代化にみる女性と政（まつりごと）　朝鮮の女訓書を手がかりとして」は、皇后が儒教的女性観のもとにありつつ、現実としては政に関わることになった存在であったことに注目し、朝鮮時代の女訓書を参照しつつ、日本の近代化における皇后美子の役割を検討する。そして、『明治孝節録』と『婦女鑑』の検討から、美子が国民教育の分野で主体的に政に関与したことなどを指摘するとともに、そうした動きが一面で、家父長制に基づく国民形成から「逸脱」する価値観を提示する可能性があったことをも解き明かしている。

宋錫源「3　国民国家の形成における「天皇崇拝」」は、近代における「新しい伝統」創出の動きのうち、天皇の政治的中心性にかかわる問題をとりあげる。徳川政権・幕藩体制にかわる近代国民国家づくりについて、天皇が政治の表舞台に登場することになった背景や、その過程でおこなわれた「新しい伝統」づくりの諸相を論じている。とりわけ、明治天皇の「神聖性」の確立について、現実政治と宗教の活用という面から分析している。

松澤俊二「4　勅題の応用とそれによるコミュニケーションの問題　歌会始の外縁に注目して」は、和歌詠進に焦点をあわせた従来の歌会始に関する研究で看過されてきた歌会始の外縁、すなわち文芸や諸芸、生活における多様な勅題表現の検討を通して、社会における勅題の広がりと、人々と勅題との多様な関わりかたについて、興味深い実態を掘り起こしている。漢詩・俳句・都々逸・狂歌・狂句などの文芸、絵画や写真、菓子、料理、着物など、さまざまな領域で勅題を応用する人々の営みとその志向が具体的に解き明かされ、「〈臣民〉と呼ばれた一人一人のリアリティ」を再考する必要性を提言している。

呉佩珍「5　明治「敗者史観」と植民地台湾　「北白川宮」言説を中心に」は、従来の台湾植民地研究に欠落していた「敗者」史観という視点を導入し、北白川宮（能久親王・輪王寺宮）の明治維新史・台湾植民地史における位置づけの再検討を試みている。主に森鷗外『能久親王事蹟』や松林伯知『北白川宮殿下』で描かれる北白川宮像の創られかたの解読を踏まえて、「佐幕敗者」である北白川宮がのちに台湾統治の象徴とされた経緯と、各種メディアにおけるその表象の変化とを丹念に追い、南北朝史への理解なども共振する歴史理解の具体相に光を当てた論稿である。

李鍾淑「6　日本植民地時代の朝鮮伝統チュムの変化と隠滅」（日本語翻訳　呉鉉烈・監修　徐禎完）は、朝鮮時代の妓女と舞童がおこなった「チュム」が、配役のある劇舞形式から、さまざまな独舞という新たな形式・形態へと変化していったことについて、これが植民地時代に生じた動きであることの事情や意味を検討する。警視庁による妓生制度への介入、朝鮮総督府による舞童制度の導入などの影響を含めて、その変容の具体相と背景が論述され、チュムの歴史における植民地期への評価がなされている。

第2部「読者・文壇・教育の動向と相関性」には、五つの論稿を収めた。

鈴木　彰「7　織田完之と近代の平将門観　『国宝将門記伝』刊行の前提、画期としての明治三十四年」は、明治三〇年代後半から大正期にかけて、平将門は決して朝敵・叛逆者ではないとする弁護論を展開した織田完之による将門の雪冤・顕彰運動について、これまで看過されてきた資料を視野に入れつつ検討する。織田が出版した最初の将門関係の著作である『国宝将門記伝』の刊行（明治三八年）にいたる諸状況を、織田の手元にあった資料の解読を通して、その独特な将門観の形成過程にも目配りしながら掘り起こす。その際、のちの将門雪冤・顕彰運動に連なる将門観の形成について、明治三四年という年が大きな画期になっていることを論じる。

湯本優希「8　明治期の文章活動における文壇とその裾野の相互作用　読者が表現者となるとき」は、明治期を特徴づける〈作文〉をめぐる動きに注目する。いわゆる文壇のみならず、包括的に同時代の人々の幅広い文章活動をとらえることで、そうした動きが文壇とどのような相関関係を成り立たせていたのかについての展望を試みる。多数の作文に関わる書籍、とりわけ美辞麗句集の刊行をめぐって、それに対する小島烏水・田山花袋の批判言説の質を検討し、〈文壇〉にある作家とアマチュアの関係、〈作文〉という文化の盛行に反応する出版社と作家・〈文壇〉のあいだで成り立っていた力学を読み解いている。

ファン　エーワイク・アーフケ「9　子どもの心に訴える国家的英雄の創造と変容　少年の秀吉を中心に」は、近代日本の形成過程で必要とされた国民像、とくに子どもに向けて求められたものとのかかわりから豊臣秀吉像に注目する。近世から明治初期に続く日吉丸像を踏まえて、教育勅語や当時の教育学の理念も視野に入れながら、小学校教科書と少年雑誌・叢書にみる日吉丸像の要所を読み解き、比較分析している。小学校教科書と少年雑誌・児童書の内容は単純に同一視できるものではなく、それぞれが含む思想性の比較に挑んでいる点が意義深い。

平田英夫「10　『日本歌学全書』とその周辺」は、明治二〇年代から三〇年代にかけての和歌の消長を追うという問題意識のもと、『日本歌学全書』ほかの和歌関係の全書・全集類を通して、明治前期の和歌の位相に迫るものである。とくに、佐々木弘綱・信綱が編纂した『日本歌学全書』正編・続編の収録状況等を俯瞰し、細部にまで分析を加えることで、各編の特徴をあぶり出すとともに、歌の家としての佐々木家の人々の意識のありようを提示している。同全書等との比較からなされた、和歌作品をほとんど含まない『袖珍名著文庫』への評価も示唆的である。

菊野雅之「11　今・ここにある古典学習から考える　「言語文化」を土台にして」は、現在の国語教育、古典をめぐる学習現場の状況を確認することで、戦後の〈古典教育〉の何が変容しつつあるのかを把握しようとするものである。平成三〇年告示高等学校学習指導要領で古典は「言語文化」に配置されたが、その教科書のじっさいの様相を確認し、とくに比べ読み単元に表れた教材観の変化を指摘している。現在の〈今・ここにある〉状況から溯行するかたちで、近代日本における伝統と正統性をめぐる創造・統制・隠滅の動きを把握しようとする試み（の初発稿）といえる。

以上のように、第一部には主に国家・天皇／皇后・植民地といった近代日本の国家体制や社会構造に根ざした問題を扱う論稿を、第二部にはそうした近代日本社会における、文化権力と伝統・正統性をめぐる個別的な事象・動向を中心的に扱った論稿を収めている。ただし、各章の内容はそれぞれの枠からおのずと踏みだすものとなっており、部立てをこえたところで共振・共鳴する状況となっている。

「文化権力と日本の近代」に関する検討と議論は、本書では扱いきれなかった領域・分野・時期の問題を含めてなされるべきであり、さらに追究すべき課題を多く残している。本書の内容自体もまた、批判的な検証を経て、はじめて意味をもつことになる。編者としてはそうしたことを自覚しつつ、本書を通してまずは「文化権力」という視座の有効性を問い、今後、本書をきっかけとして、世界各地のさらに多くの方々とのかかわりのなかで議論を継続し、新たな問題を発見しつつ、豊かに思考を展開させていくことができるならば幸いである。

なお、本書刊行を引き受けてくださった文学通信の岡田圭介氏、本書の編集実務を担当してくださった渡辺哲史氏には、ここにいたるまで大変お世話になった。本書は、先に徐禎完氏も述べているように、二〇二〇年一一月から開始したオンラインでの学術フォーラム（全五回）の内容を基盤としている。コロナ禍と自分たちなりに向きあいながら続けてきた一連のフォーラムに各地から参加してくださったみなさま、オンライン会議での複雑な対応にいつも的確に対応してくださった翰林大学校日本学研究所の沈載賢氏をはじめとする関係者のみなさま、また口頭発表をもとにして問題意識の一端をまとめた論稿を寄せてくださった執筆者各位も含めて、本書に携わってくださったすべての方々に、末筆ながら、編者両名より心から御礼を申し上げたい。

（鈴木　彰）

第1部　近代国家「日本」と文化権力

1

近代日本と能楽
文化権力としての芸能と国民国家

徐　禎完

一、はじめに

世阿弥(ぜあみ)時代から独自の芸術性を昇華させながら六〇〇年以上続いている芸能が能楽である。その芸術性を疑う余地はない。しかしながら、一介の芸能が幾多もの権力の盛衰と転覆という政治的・歴史的変革を超えて権力よりも永らえるのはきわめて異例である。周知の足利義満(あしかがよしみつ)と世阿弥の関係や幕府の式楽を持ち出さずとも、この「永らえた」事実だけをもって、ここには権力と芸能との間に何らかの関係があったであろうことが容易に推測できる。

本章は「近代日本と能楽」という大枠の下で近代能楽史を文化権力という視点から追跡し考察する作業の一環としてある。具体的には、維新からアジア太平洋戦争を経て帝国が解体されるまでの間に繰り広げられた能楽に対する保護と育成、そしてそれに対極する規制と統制、さらには戦争という非常時に動員され、また協力する動態を通して、権力と能楽の錯綜する関係とその構図を照査し「近代」という時代における能楽の位相とその変容を確認することで今日の「伝統芸能」という座に至る過程とその意味の考察に臨む。このように能楽という芸能を以て「近代」という時代を凝視する本章は、能楽の歴史を、能界内部の話として平板に綴るのではなく、権力と芸能の関係、近代と伝統の関係という問題意識への問いとして設定する。

能には、世阿弥時代の「猿楽の能」が近代の大日本帝国の「能楽」となって今日の日本国に至るまで六〇〇年以上続いた歴史的事実がある。その一方で戦時期の能楽史が十分に語られていないことで「六〇〇年以上続いた」歴史の叙述に欠落の生じた「続いていない・語られていない」近代能楽（研究）史とそれに付随する植民地能楽史なるものがまたある。さらには、にもかかわらずイデオロギーのように定着した「六〇〇年以上続いた日本の伝統芸能、能楽」という言説の世界がある。

本章は、この言説の世界を実証的に追跡することでこの三者を統括し、国民国家とナショナリズムが深く関わった能楽を取り巻く「近代と伝統」という問題を掘り下げることを目的とする。「近代」という時代に「伝統」や「古典（カノン）」が創られてゆく過程を追跡することで近代史と芸能史を併せて考えようとする作業である。権力と能楽との距離関係とその錯綜の動態を通して近代という時代に「伝統」というものが形作られていく過程を文化権力の動態として捉えようとするところにその意味があると考える。そして、ここでいう「伝統」とは、「近代国家の正統性と偉観を表象し、その集団的矜持を後代に伝えるもの」が「伝統」であり、そのなかの文化装置の一つが「伝統芸能」であると見る。権力を極限化する戦時という非常時が「伝統」生成の大きな動力となるゆえんでもあり、と同時に、戦時は芸能衰微の機かあるいは権力への迎合あるいは隷属の機か、という問題もある。

ところで、今日、伝統芸能なるものは、国家やその機構の支援保護下にある場合が多い。[*1] 国民や大衆の支持と愛好だけでは自存の困難な伝統芸能は、果たして誰を代表するものなのか。または誰がいつ何を基準に特定の芸能に「伝統・古典」というタイトルを冠したのか。さらには「伝統・古典（カノン）」という座位に「帝国」と「ポスト帝国」の連続性と非連続性は介在しないのか、という疑問も生じる。本章によってこれら疑問への解答を提示することはできないかもしれないが、まずは、明治政府の音曲歌舞に対する認識の問題から検討を進めてみたい。

二、明治政府の音曲歌舞に対する認識

明治という新時代を迎えた新政府の能楽に対する認識は次に掲出したように「政府ノ職ニ非ズ」であり「徳川氏内家の職務用達」であった。

> 右ハ全体其業ヲ以従来禄高取来候処、一体政府ノ職ニ非ズ、全徳川氏内家ノ職務用達、且連歌師・能役者・囲碁師等ノ如キニ至テハ畢竟遊興具ニシテ、抑御一新ノ際旧幕臣ノ輩朝臣ニ被二召出一候儀ハ、政府ノ人タルヲ以テ御扶助相成候儀ト存候処
>
> （『公文録東京府之部二』一八七一）

これは一八六八年八月に新政府に仕えることを希望する能狂言役者に扶持を与えると通達し、喜多六平太（きたろっぺいた）など三八名が奉公願を提出したが、そのほかの者は廃業し帰農などの道を選んだこと、そして一八七一年一一月には「解雇」という形で秀吉時代の支配米や式楽時代の猿楽配当米などの固定給が消滅したことと関連する。一八七八年の青山御所の能舞台設置に表象される権力層による能再興の動きはこのような状況を前

提とするものであった。

ここで看過できないのは、政府の職に「非ぬ」徳川の家の職務用達から権力・指導層が先導する能の再興へと進む中間地点と見ることのできる一八七四年の教部省の布達「能狂言ヲ始メ音曲歌舞弊習ヲ洗除シ風化ノ一助ト為サシム」[*2]の内容である。

能狂言ヲ始メ音曲歌舞ノ類ハ人心風俗ニ関係スル處不少候ニ付左之通各管内営業ノ者共へ可相達事

一、能狂言以下演劇ノ類　御歴代ノ　皇上ヲ模擬シ　上ヲ褻涜シ奉リ候躰ノ儀之様厚注意可致事

一、演劇ノ類専ラ勧善懲悪ヲ主トスヘシ。淫風醜態ノ甚シキニ流レ風俗ヲ敗リ候様ニテハ不相済候間、弊習ヲ洗除シ漸々ニ風化ノ一助ニ相成候様可心掛事

一、演劇其他右ニ類スル遊芸ヲ以テ渡世致シ候ヲ制外者抔ト相唱へ候。従来ノ弊風有之不可然儀ニ候条自今ハ身分相応行儀相慎ミ営業可致事

この布達は単なる行政上の施政の問題にとどまるのではない。「音曲歌舞ノ類ハ人心風俗ニ関スル處不少候」のくだりは、「音曲歌舞＝芸能」というものが人心風俗に影響を及ぼす力があることを権力側が自覚した結果として読むことができる。現に各項目を見ると、「淫風醜態」や「弊諷」などの批判と警鐘は主に演劇に向けられており、能狂言に対しては天皇家に対する尊厳を守り不敬にならないよう警告することに主眼点が置かれているように読める。そして第三項は遊芸に携わる者を「制外者」と卑下する弊風があるが、新たな時代となった「自今」以降は、身分相応の行儀を以てお互い慎むよう警告している。[*3]相対的に優越的地位と優越感に染まっていた能楽への警鐘が重く受け止められる格好となっており、その基準として四民平等

を取り上げているのである。ここでの「能狂言」に江戸幕府での式楽のような地位と権威は読み取れない。また、一八七四年の教部省伺では、[*4] 雅楽をはじめとする能狂言とそのほかの俗楽に至る音楽歌舞は同じく人心風俗に深く関わってくるので「取締」が必要であるとし、よって「本省」の管轄に置きたいと申し出ている。

> 雅楽ヲ始能狂言其外俗楽ニ至ルマテ音曲歌舞ニ属スル者教化ノ一端ニテ人心風俗ノ関係不寡ニ付夫々取締相立懲勧ノ功相立候場ニ漸々相進ミ候様御座候間一切本省ノ管轄ニ被仰付度。但雅楽ハ式部寮御用有之候事ハ従前ノ通ニテ可然奉存候事
>
> （傍線、引用者による。以下同）

その内容は、雅楽が衰微してからは俗楽のみが盛んになりその風潮が淫蕩猥褻に走る様が甚だしく世教に大害あるとしたうえで、その理由は管轄する部署がないからとする。したがって、今後、教部省がこの取締を管掌すべきと主張している。芸能を取締の対象と見ている点に注意を払うべきである。

> 教部省建言ノ趣熟議仕候処雅楽ノ衰微セシヨリ以来、惟俗楽ノミ熾ンニ行ハレ其弊ヤ淫蕩猥褻ニ流レ風ヲ傷ヒ俗ヲ敗リ其世教ニ大害アル。実ニ甚シト云ヘシ。是畢竟之ヲ管轄スル処ナク勧懲ノ道相立サルニ由ル也。故ニ教部省見込ノ通其管轄ニ被　仰付可然存候事

そして、最終的には「音楽歌舞ノ類總テ其管轄被　仰付候事」と教部省の要請が受け入れられることになる。これに関しては、倉田喜弘氏の言う「国家に益なき遊芸」[*5] という視点と照り併せてみる必要があろう。氏は、以下のように述べている。

「遊芸」とは遊び事に関する芸能で、江戸時代から一般に使われている言葉である。ただ幕府の要職にある者は、能楽以外の遊芸に親しむことはなかった。武士の奢侈や風紀の乱れを防ぐためで、明治政府の高官連も遊芸には近づかなかった。ことに殖産興業・富国強兵を標榜する時代、遊芸は毛嫌されたといってもよく、その風潮が「国家に益なき遊芸」という表現になった。廃仏毀釈で明らかなように、伝統や文化が無視された時代なのである。

この倉田氏のご指摘であるが、大枠では同意するものの、最も重要な傍線部「伝統や文化が無視された時代」という解釈に対しては同意しかねる。確かに「能狂言ヲ始メ音曲歌舞ノ類」や「雅楽ヲ始能狂言其外俗楽ニ至ルマテ音曲歌舞ニ属スル者」などから芸能というものが重んじられているようには見えない。とくに庶民の遊び事である遊芸に対する禁止・規制の事例からは十分に首肯される部分である。にもかかわらず全面的同意ができない理由は「人心風俗ニ関係スル処不少候」にある。このくだりは、芸能や文化には人心風俗に与える力があることを発見し、その力は国家の統治や社会の統制に役立つものであることの認識を当時の権力者がしっかりと自覚していたことの反証であるからである。無視するのではなく、無視できない結果の「取締」の必要性であったと見るべきである。問題の核心は、「芸能の力」あるいは「文化の力」の発見、そしてその「力」に対する警戒と統制への自覚であった、と見るべきであろう。文化権力なる磁場が形成されつつあると見てよかろう。

「人心風俗」や「管轄」は、当時の権力側にとって芸能の方向と内容が「不都合」なものとの判断からの警告であり要求であった。では、その「不都合」とは何だったのか。それは天皇と近代、そして近代という新たな体制・時代への順応と国家への貢献であった。ここには「近代」という文明化された新たな時代とその頂点に君臨する「天皇」がまず在り、さらに「近代」の新たな体制（権力）と時代への順応・貢献が要求される芸能を含む国家の構成員が在る。要するに新たな権力（者）への忠誠とその権力（者）が目指す方向と目的の手段として芸能なるものが国家にとって動員する価値の問題なのである。これは国家に「属する」あるいは「貢献する」文化・芸能となることの要求である。倉田氏の「国家に益なき芸能」ではなくまさしく「国家に益ある芸能」である。幕府の式楽であった時代の能（猿楽）は、徳川の公儀としての尊厳を守り抜くことが最優先であった反面、天皇家に対してはとくに意識する必要はなかった。ところが、天皇制を頂点に権力の統制を図る帝国日本の構造上、天皇家の尊厳を毀損する内容に対しては厳しく統制する必要が生じた結果の「上ヲ褻涜シ奉リ候躰ノ儀之様厚注意可致事」なのである。具体的には、後の〈蝉丸(せみまる)〉や〈大原御幸(おはらごこう)〉などに対するいわゆる「不敬」問題がそれである。[*6]

一方の「近代という新たな体制・時代」に関しては、「演劇其他右ニ類スル遊芸ヲ以テ渡世致シ候ヲ制外者抔ト相唱へ候。従来ノ弊風有之不可然儀ニ候条自今ハ身分相応行儀相慎ミ営業可致事」に集約されていると見る。一見、遊芸保護のようにも見えるが、その実際はそうではなく、本旨の中核は「自今」にある。たとえば能役者が歌舞伎役者を「河原乞食」と卑下するなどの風潮があったが、近代化と文明化を成し遂げた「今」の時代では四民平等に背くような動き、つまり非近代的で非文明的なことは許されない、よって身分相応の行儀を以て慎んで営業すべきという戒めなのである。ここには近代国家としての帝国の偉観に相応しいものを要求する西洋への強い自意識をうかがうことができる。近代の芸能政策という面ではこの「今」から「近代」が始まったと見ることもできよう。

以降、能楽が帝国日本の国家芸能としての地位を確立していく事実に沿って考えれば、[*7]権力が芸能や文化の「力」なるものを認めては積極的に利用する段階へと進み、能楽界はそれに反応することで権力との新たな距離関係を構築する過程を確認することが植民地能楽史を含む近代能楽史の基礎作業になると言える。今日の「六〇〇年以上続いた能楽」という言説はまさしくこのような作業の積み重ねの結果として在るべきである。

三、国家と芸能：「幽玄の花」と「国家を飾る花」

近代以降、能楽の最初の海外公演でもあった京釜（けいふ）鉄道開通式典祝賀能は、公的な場で近代国家帝国日本の偉観を表象する芸能すなわち「国家芸能」としての旗揚げの場であった。日露戦争中の大韓帝国の漢城（京城）でのデビューであり、日本海軍がロシア艦隊を撃破した前日のことであり、漢城に統監府が設置された年のことである。*8 この京釜鉄道開通式典とその祝賀能は、帝国日本にとっては、京釜を鉄道で結ぶことで下関から漢城までの物流と軍事的補給線を確保し、ロシアを牽制して韓半島支配を強く推し進めた快挙であり、能界にとってはまさに国家的快挙の場で能楽が国家芸能として華やかにデビューを果たした歴史的瞬間であった。*9

ここで留意すべきは、能楽が国家芸能として自らの位置と価値を高める過程を単に能楽盛衰の歴史としてではなく、権力と芸能文化が織り成す「文化権力」の歴史的展開として見る視座の確保である。権力という強力の前で決して自由であり得ない能界の現実とそれに対応する能界の動きは能界内部の問題を超えたその「時代」における芸能の在りようである。能楽史を綴る視座の問題として、このことは「文化」の力を権力が認めその利用価値を模索するということでもあるが、同時にそこには能楽の育成・保護・動員に止まらない、権力の必要によって統制・禁止も含まれることを意味する。その端的な例が新作能〈忠霊(ちゅうれい)〉である。〈忠霊〉は大日本忠霊顕彰会[*10]の委嘱を受けて観世会が一九四一年一一月に発表した曲で、「皇軍勝利のためならば、武士の死所を得て、御代の万歳を唱えつつ、花と散りゆく靖国の神の庭」と、聖戦の楯となって戦死した忠霊が靖国神社に現れて戦いの様を語っては舞う戦争賛美の曲である。前述の〈蝉丸〉や〈大原御幸〉に代表される演能自粛や演出・詞章改訂といった禁止の統制だけではなく制作の統制もあったことを忘れてはならない。いわゆるこの手の「時局物」は日露戦争を機に制作が増えている。〈海戦〉は日露戦争でのロシア太平洋艦隊との海戦を、〈いくさ神〉は旅順港閉塞の激戦を素材した戦意昂揚・国家賞揚という明らかな目的の下で創られた曲である。なお、〈高千穂〉は日清戦争の勝利にちなんで戦艦高千穂に舞い降りた鷹が荒鷲を退治するという内容の曲であるが、〈鷲〉同様、鷲は清国やロシア帝国などの大国にたとえられており、鷲より小柄な鷹が鷲を成敗するという当時の実際の国際情勢を想定した設定となっている。その後も日露戦争を題材とした曲は多く作られており、〈海戦〉と同趣で日露戦争でのバルチック艦隊撃破を祝する〈神風〉（一九〇五）、日露戦争から凱旋した兵士が母に戦況を語る〈征露の談〉（一九〇六）、旅順戦勝を題材とする〈旭桜〉（一九〇七）等々である。その後は天皇即位大典を素材に聖代を祝福する〈大典〉（一九一五）などを挟んで太平洋戦争が勃発すると、〈忠霊〉（一九四一）、〈皇軍艦(みいくさぶね)〉（一九四三）、〈撃ちてし止まむ〉（一九四三）、〈玉砕〉（一九四三）等の時局物が続々発表される。[*11]

このように、権力と文化の関係は、戦争や政治的危機状況に陥ったときにそれまで隠蔽されていた本質を表出したり露見したりする。能楽や謡曲も決して例外ではなく、とくに国家芸能としての地位を築いていた能楽は例外とはなり得ない。現に、日中戦争が勃発して戦線が拡大して国体護持が現実問題として台頭すると「日本精神の国粋」なる言説に代表される能楽・謡曲を以て帝国臣民統合の文化装置とする宣伝戦の動きが登場する。この「日本精神の国粋」は「国家芸能」の最上位に能楽が座したように見せる効果もあろう。

ところで、ここで興味深いのは、このころから学生能を積極的に奨励するなど、世代を越えた思想統合に力を注ぎはじめる動きが管見の域に入ってくる。『謡曲大観』を著した佐成謙太郎が「謡曲科を全国中等学校に設置すべし」と主張している。[*12]

> 謡曲の持つ国家的民族的思想については、拙著謡曲大観首巻第五章（一一四～一二二頁）に於て既に略述して置いたのであるが、更にこゝにこれを要約していへば、謡曲は尊王愛国の精神に充満したものである。忠君友愛の情に厚いものである。（中略）何故に謡曲を一部有閑階級の独占的娯楽機関として委せ去って、これを前途有為の少青年に奨励しようとしないのであらうか。

佐成の主張は以下の二点に要約できよう。一つは謡曲は尊皇愛国の精神に充満したものであり、忠君友愛の情に厚いものである、もう一つは、にもかかわらず謡曲がいまだに一部有閑階級の独占的娯楽であることへの批判と青少年に謡曲を奨励することへの強い奨励である。その実践としての全国中等学校への謡曲科設置の主張なのである。佐成の言う「有閑階級の独占的娯楽」とは、一九二〇年前後に起こった能楽の民衆化運動とその後の一連の動きを念頭に置いたものと思われる。[*13] これは能楽だけが独自の能舞台を固執することが民衆化を妨げる要因と見なすもので、能楽も一般の舞台で演じれば能舞台のない一般劇場での能公演が可能となり、それは能楽が「一部有閑階級」から解放され民衆が能楽を楽しめるようになる、という論法である。日本古来の芸能である能楽は全国民が楽しむべきだという主張である。要するに佐成は能楽を「一部有閑階級」に専有されていることを「反民衆的」と見なしているのである。

注13でも触れたように、以降、この問題に関して帝国劇場の山本専務と坂本雪鳥の間で論戦が繰り広げられるが、興味深いのは、両者ともできるだけ多くの人に能楽を観てもらいたいという共通点を有していた点である。能楽側は能楽のしきたりと型式を維持することを重んじ、民衆化側は能楽師や能楽そのものを中心に据えるのではなく、日本の「グランドオペラ」に相応しい芸能としての代表性を担保するための民衆化を要求しているのである。双方のスタンスの要点はそれぞれ一方は能楽、他方は国家の代表芸能にあったと言える。佐成の主張は、日本を代表する芸能としての代表性・象徴性を国民から得るためにも民衆化が必要であり、その布石として青少年に能楽・謡曲を奨励するための公教育への進出を提唱したものと解せる。もっと若い世代から教育・教化する必要があるという主張である。

実は、似たような主張は、横井春野（横井鶴城）が『謡曲界』（一九一九年四月）に「普通教育に謡曲を設置せよ」にてすでに主張している。横井は大隈内閣のとき、高田早苗文相を訪れて謡曲課設置を建議している。興味深いことに、そのとき、謡曲を普通教育に取り入れる効果の一つに「世界的精神を養ふ」を挙げている。一見、日本精神の涵養とは逆の発想のようにも見えるが、これは西洋列強がグランドオペラを有していることを意識した発言で、帝国日本もそれに該当する能楽を有することを公にすることで国民一般に世界（＝列強）の仲間入りをすることであろうから、根本的には国威宣揚である点では同旨と言える。いずれにせよ、民衆への普及と拡散の必要性を唱えていることに相違ない。

そして、さらにその三年後の一九二二年、野村八良は「能楽の民衆化」を『謡曲界』に発表し、そこで「民衆芸術の勃興は、消極的には国民風教の頽廃を救ふの良法である。又積極的には、国民精神を作興するの良策である。」としながら、能楽の民衆化を具体的に進める方法として次の三点を挙げている。[*14]

①演能機会を増やすために国賓来朝時の動員と神社と能楽との関係を密にする。
②能舞台の建設に励む。
③観衆の階層解放のため婦人・学生・商工業者に裾野を広める。

①は国家芸能としての能楽の動員を増やすこと、②は一般舞台での能公演要求から専用能舞台の増設へと後退、③は婦人・学生・商工業者への裾野の拡大である。野村のこの主張は、偶然かもしれないが、満州事変と日中戦争という非常事態によって、結果的に一九三〇年代にほぼそのまま実行されることになる。とくに③は、学生能の奨励と実業謡曲大会開催などの形で行われることになる。

ところで、横井・野村・佐成の三氏の主張に共通するのは、能楽を一般民衆へ浸透させて普及させることであり、表現こそ異なるものの、その核心は国民精神作興とそれを可能にする能楽の地位の確立であった。結局、三人の目指すところは同じと言え、能楽を一般の演劇舞台で上演することで能楽の民衆化を目指した先の動きと相通じるものであった。学生能奨励なども然りである。逆に言えば、能楽が国家芸能としての地位を確保しつつあるものの、一般民衆への浸透＝国民の支持を得た日本を代表する芸能としての「民衆化」が実現していないことの反証である点に注目しなければならない。

現に能楽が「中上流」以上を対象にしていた事実はいくつもの資料によって確認できる。能楽社の前身の皆楽社設立時の社約の草案が「立社ノ主意ハ猿楽ノ芸道ヲ維持シ永ク中等以上ノ公衆ノ歓娯ニ供スル為メニ其演技場ヲ設ケ益其技ニ嫻熟セシムルニアリ」と傍線部の「中等以上ノ公衆ノ歓娯」とその対象を明白に打ち出している。それが後の能楽社約に至ると「中等以上ノ」が削除され「公衆の歓娯」となる。能楽社結社によって「能＝猿楽」の復興を模索する段階で幕府の式楽の名残として「中等以上」が残っていたが、より多くの支持者・愛好者を確保することでより安定的な復興を目指すための選択だったのかもしれない。四民平等という近代性への呼応もあったであろう。しかしながら、実際に能楽社に名を連ねる人物は「中等以上」を超えた「最上等以上」であった。

一九三五年に宝生宗家が関東軍慰問を打診した際に次のような返事が返っている。*[15]

本夏大阪朝日新聞社後援ニテ宝生流能楽家元宝生重英外一門鮮満地方能行脚ヲ為シ、八月十一日京城終了後、八月十八日大連ニ於テ実施スル迄ノ間ニ新京其他ニテ軍隊慰問ト満洲国皇帝陛下御前ニ於テ能実施シタキ旨申出タルニ付、関東軍慰問者ハ目下多数ニシテ渡満ヲ延期セシメアル状況ト能楽ハ大衆向ナラサル点アル等ヲ説明シ、軍慰問ノ能否ハ不明ナルニ付渡満ノ際貴部ニ直接交渉シ、又満洲国皇帝陛下御前ニ能楽実施ノ件ハ宮内府ト直接交渉スル様申置ケルニ付可然御取計御成度通牒ス。

これは宝生宗家の宝生重英（ほうしょうしげふさ）を筆頭とする一行が八月八月に東京を発って京城、新京、奉天、鞍山、大連、青島、上海、長崎を巡回する強行軍の大規模な能公演を行った際に関東軍慰問能公演を打診した内容である。慰問希望者・団体が多く渡満を延期させている状況の説明とともに「能楽ハ大衆向ナラサル点アル」という理由を挙げて即答を避けている。「大衆向けでない能楽」を関東軍兵士の前で披露する意味があるのかという疑問なのである。国家芸能という地位とは別に、民衆への浸透は充分になされていない現実の露見であり、そのことをこれら資料は物語っている。

張總理と宗家一行
國務院玄關に於て（上圖）

図1　宝生重英一行関東軍慰問能（『宝生』1935年11月号）

さらにこのような状況はいわゆる「内地」に限る問題ではなく、たとえば植民地朝鮮でも同様であった。「京城に於ける謡曲の流行は実に素晴らしい位だ。就中中流階級以上の方面に多数を占めている」[16]や「古雅な謡いの声が何処の巷でも聞かれる様になるに連れて上流向きの家庭に仕舞のお稽古が盛んになって来た」[17]などのごとくである。能楽が帝国の一般民衆に親しまれ浸透しているのではなく、実態はその逆で、能楽は一部の上流階層だけが嗜むものであるという認識と現実が能楽や謡曲愛好家はもちろん一般民衆にも周知の事実であった。このことは「国家芸能」というものの実態を理解するうえで重要な手がかりとなる。表面的には権力という強力な保護の下で安定的な地位を確立しており、実際それは確かに強力であるが、一旦、権力が瓦解すると独立した芸能としての惰弱性が露見したのが世阿弥末期の音阿弥（おんあみ）や佐渡配流を含めた能の行方でありかつ維新という政治的変革による幕府の解体と式楽の衰微・困窮であり、さらには再度国家・権力によって国家の芸能として認知されることで能の再興あるいは復興へと進むプロセスではなかったか。その惰弱性を一般民衆からの支持によって補うことで名実ともに帝国日本の芸能へと発展させるというのが横井や民衆化運動を展開した勢力の立場であったといえる。坂元雪鳥が「興行物で無かった能が興行物となって来た為には（中略）そして完全に興行化した暁に、どれだけ真の能楽趣味が保存されてゐるかは、悲しむべき疑問といはなければなるまい。」[*18]とする主張も能楽史を考えるうえで看過できない認識である。この発言は先の山本専務との論戦中に能が有する固有の「しきたり」を護ることができなければ能とはいえない、という主旨の主張と絡めて能は「興行物」ではないとの断言である。ここには能楽という世界に精神的な何かを認めようとする姿勢がうかがえる。坂元の「能は興行物でない」という発言は、観せる者と観る者による対立的相互作用の下で評価が定まる興行物ではないという能楽の特殊性への認識を示すものであるが、このような認識を理解するうえで敷衍説明になる事件がある。警視庁の技芸者証制度実施に対する能界の対応である。

技芸者証制度とは、従来の興行場及興行取締規則が強化された興行取締規則の発令によって一九四〇年三月から芸能に携わる興行者・技芸者・演出者すべてを「興行ニ出演シテ技芸ヲ為シ又ハ演劇、演芸ノ教授ヲ為スヲ業トスル者」[*19]とする「技芸者」と定義し、警視庁に許可申請を提出して「技芸者之証」を得た者のみ公演活動が許されるという強力な芸能統制であった。この技芸者制度に対して、能楽は、㈠「公衆の観覧聴聞」に供するものではなく特殊な会員制度のもとに行われている、㈡能の興行場は能楽を為す「常設の場所」ではなく住宅の一部で、舞台は能楽修行の道場である、㈢能楽師は能楽に出演して技芸をなすを「業」とするものではなく謡曲教授を業としそれによって生計をたてている、という理由を挙げて能楽がほかの演劇や義太夫などとは異なる体裁にあることを警視庁に訴えて一端は「適用外」となった。むろん、その後、能楽堂における月並会などもその実情は会員以外の者に対しても観覧させていたので警視庁はそれを公開演能と見なして取締規則を強く適用することに立場を変え、一九四三年一〇月一〇日に水道橋の宝生能楽堂で行われる予定だった月並会が中止になっている。警視庁当局者が六〇〇年来の伝統を誇る能楽ならむしろ芸能界の模範として芸能報国に邁進すべきと指摘するなど、能楽だけが例外を要求して技芸者之証の申請を拒んでいることが総力戦体制という時局の下で模範を示すべき能楽が「総」に加わらないという批判になったのである。結局、一九四三年一二月二七日、能界は「特権芸能」としてのプレスティージを放棄する。その前日、能楽会会頭の松平頼寿（まつだいらよりなが）伯爵は五流代表を招いて懇談の結果、技芸者之証を申請することに決め、翌日二七に能楽会幹部が警視庁を訪れて代行申請した。この各宗家の技芸証申請の件は、一九四四年一月一日新年号の『朝日新聞』に「能楽界に春　技芸者証解決へ」という見出しで大々的に報じられることになる。[20] 能界のいわゆる降参を以て芸能報国の図式が完成したのである。

ここで注目すべきは㈠〜㈢の理由である。坂元と警視庁を説得した能界の言葉を借りれば、能楽は本来興行物ではない、能舞台は常設でもなく住宅の一部で修業の道場である、能楽師は技芸をなすのではなく謡曲教授を以て生計をたてる、したがって能楽師は技芸者ではない、となる。このような認識と論理は近代の能楽史を考えるうえで重要な観点となる。すなわち、このような従来の「能」の特性（あるいはその認識）を近代の「能楽」にも継承し守り抜くことができるのかという大きな問題に突き当たるからである。野上豊一郎によって能は戯曲なのかという問題提起があったが、[*21]根本的には興行性を排除した能楽を以て芸能と言えるのかという問題すら提起しうるであろうし、能楽師側の意識にあるプレスティージとその反対側にある民衆化という狭間で能の正統性と能楽の在り方というものが問われることになるからである。現に、このような認識を有する者にとって民衆化や能舞台の廃止と一般演劇舞台での催能は決して受け入れられるものではない。むしろ相対峙する関係にある。能楽が興行物でない特殊なものであるなら民衆にあまねく浸透すること自体が容易でないという前提が成立するからである。能楽師が技芸者証、いわゆる鑑札を拒否する理由の一つは「父祖伝来のいみじき能楽を継承するものの矜持による高い精神から発している」[*22]からだと言う。民衆化という時勢の声の前に「父祖伝来のいみじき能楽」とその「矜持」すなわち「お家のしきたり」を捨てることは彼等にはできない相談であろう。実際に民衆化への要求が挫折した結果として今日の能舞台が存続している事実を喚起すべきである。にもかかわらず、アジア太平洋戦中の「日本精神の国粋」という言説を経て「六〇〇年以上続いた日本を代表する古典芸能」そして「ユネスコ無形文化遺産」へと至る過程とその座が与えられていることをどう説明するかである。果たして「日本精神の国粋」の担い手は一体誰なのか、能楽の民衆化や学生能奨励の背景は何かという問題に帰着する。能楽の「近代性」というものを考えるうえで一つの論点となろう。

ところで、一九〇九年五月一八日に九段の能楽堂で行われた精神病者慈善救治会主催慈善能の席上で大隈（おおくま）重信（しげのぶ）の次の発言は権力と能楽、国家と能楽の関係を鮮明に表している。

そもそも〳〵能楽は元来上流の楽としてだけ用ゐられたのであったが、近来は文明の進歩と共に能楽趣味が著しく一般に普及したが為に、社会のあらゆる階級を通じて、この上品な能楽を喜ぶ様になって来ました。これは国民の精神が高尚優美となり、下流もまた上流貴族の様な心持になったが為で、大に賀すべき事であります。（中略）色々社会には楽もある中で、能楽程品のよいものはない。国民劇としても、今までにあるもの丶中で一番立派なものと云ってよいのであります。（中略）兎に角国民の娯楽が高尚になれば、即ち国家が高尚になったわけで、能楽の如きは即ちこれを飾るの花であります。

大隈にとって能楽とは元来から上流の遊びであると同時に、所詮は「能楽のごとき」と言い放つことのできる「国家を飾る花」に過ぎなかった。一介の芸能に過ぎなかったゆえに、国家・権力が変われば飾る花もそれにあわせて変えればよいということになる。それが国家芸能の宿命であり限界であったのであり、まさに明治維新による能楽の危機はその現れであった。権力と芸能と錯綜の起点はここにあったと見てよく、その延長線上に、冒頭で述べた「六〇〇年以上続いた日本の伝統芸能」という今日のカノンがあるのである。世阿弥の「幽玄の花」を思い浮かばせる「国家の花」である。

大隈のこの発言の約一年前の一九〇八年六月一七日、帝国議会で「邦楽保護ニ対スル文部大臣意見ノ件」があった。「文運ノ進歩ニ応シテ歌舞音楽ノ向上ヲ期シ其ノ改良ヲ図ルハ時代ノ要求ニシテ之ヲ海外諸国の例ニ徴スルモ音楽ニ対スル国家ノ保護奨励ヲ厚ク国民ノ嗜好賞愛極テ深シ。（中略）時ニ能楽ノ如キハ之ヲ推奨スルノ途ヲ講シ併セテ一般邦楽保護ニ関シ適当ノ方法ヲ制定セラレムコトヲ望ム。」に対して文部大臣は「能楽ハ邦楽中重要ナルモノト認ムルモ邦楽ノ保護奨励ニ関シテハ目下調査中ナリ」と答弁している。国家の近代化・文明化が進むなか、歌舞音曲向上のための改良を図るのは時代の要求であり、とくに能楽には推奨策を講じ、併せて国の邦楽保護策が必要である、能楽は邦楽中重要である、という認識が確認できる。

また、その翌年には「東京市牛込区新小川町士族能楽師観世清廉外四名」名義で建議「能楽奨励ノ件」が二度提出されている。一九〇九年三月二四日には「能楽ハ我国固有ノ長技ニシテ維新以来甚シク衰微ニ帰シタルモ毫モ卑猥ノ声態ナク慶吊公式神事ニ通シ」と維新後に衰微した能楽であるが卑猥の声態度なく慶吊公式神事に適するとし、同年四月六日には「我カ国歌舞音楽中能楽ハ深キ由来ヲ有シ其ノ結構タルヤ或ハ忠孝節義ヲ写シ或ハ勇武ノ志気ヲ抒ヘ或ハ花鳥風月ノ情ヲ叙シ以テ之ヲ諷謡ニ発シ之ヲ舞伎ニ施シタルモノニシテ今ヤ風俗日ニ汗下ニ陥ラムトスル時ニ當リ能楽ヲ盛ニスルハ亦以テ俗ヲ正シ風ヲ改ムルノ一助ト為スニ足ラム依テ政府ニ於テ相当ノ方法ヲ設ケ能楽奨励ノ道ヲ講セラレタシト云フニ在リテ衆議院ハ其ノ趣旨ヲ至当ナリト認メ……」と忠孝節義・勇武の志気・花鳥風月の情などの能楽の効用を説きながら能楽奨励を以て汗下に陥る風俗を正す一助となると主張している。二度の建議はともに時代と社会への貢献と効用を説く方向で進められている。「国家に益ある芸能」そして「国家に寄り添う芸能」[*23]としての能楽とその認識が近代の国家という体制の下で構築されていったのである。

四、国家と芸能：国民統合と能楽効用論の錯綜

先述の野村八良による民衆化のための具体案③の「観衆の階層解放のため婦人・学生・商工業者に裾野を広める」は結果的に一九三〇年代にほぼそのまま実行されることになる。[*24] 学生による能・謡の裾野は確かに広がっている。『謡曲界』や『宝生』などの一九三〇年代の能楽関係雑誌を見てもとくに満洲事変前後を起点に学生能や学生謡曲に関する記事が増えている。

ところで、学生能の問題は、能楽普及などのいわゆる能界内部の問題としてだけではなく、時局の問題と併せて考える必要がある。前掲の佐成の「謡曲科を全国中等学校に設置すべし」が次の一文で始まっている点に注意を払うべきである。

全国高等学校長会議で、学生の思想問題対策として、謡曲を奨励するやうにと決議したのは、昨秋のことであった。まことに時宜に適した決議であったが、未だ十分に実行せられない間に、学生の思想問題は愈々複雑の度を進めて来た。

さらにこの記事は『観世』一九三二年五月号に発表された記事であることも看過してはならない。一九三二年は前年の一九三一年に勃発した満洲事変の真っただ中の戦時中という時局なのである。塘沽協定が成立する一九三三年五月までは一年を待たねばならない。このような時局に対応するように後続に「わが国民精神、わが武士道は謡曲によって涵養せられたところが、極めて多いともいへるのである。」が続くのであり、このように有益な謡曲であるにもかかわらず「何故に謡曲を一部有閑階級の独占的娯楽機関として委せ去って、これを前途有為の少青年に奨励しようとしないのであらうか」と不満を表しては「われ等は深くこれを惜しみ、痛くこれを嘆く者である」と宣言するのがこの佐成の記事である。また、関連して『朝日新聞』一九三一年五月三一日付の朝刊に「田を作るか詩を作るか」なる記事がある。

全国高等学校長会議の最終日に（中略）高尚純美な趣味を養成する必要を説いて、謡曲漢詩等の研究会を設くべしといふ意見があり、各学校当局において講究することになったといふ。いはゆる思想善導にほとんど何等適当の方策がなく……

これらを総合すると、全国高等学校長会議での謡曲指導は、満州事変によって揺らぐ学生の思想を統制し帝国の臣民としての強固な思想を植え付けるための方策として「謡曲」と「漢詩」を以て思想善導に臨むというものであったことが確認できる。ここでは学生能奨励の当初の目的が学生に能謡の世界を経験させるなどのいわゆる能楽の普及ではなく、学生の思想問題への対策であった。一九〇九年四月六日の観世清廉などによる能界の建議「能楽奨励ノ件」で能楽は「忠孝節義」「勇武ノ志気」などを以て「俗ヲ正シ風ヲ改ムル」と権力へアピールした「能楽効用論」といえるものが浸透した結果としてみてよかろう。

佐成は「謡曲科を全国中等学校に設置すべし」で「帝国国民の大部が軈近功利的欧米思想に毒せられ、大和民族本来の使命に対する自覚を失ひ、苟安惰眠に貪りつゝ（中略）神国日本の正気が甦り、躍動の開始したること即ち今次事変の実相にして」とする荒木貞夫（あらきさだお）陸相の師団長会議での訓示に感動して次のようにも主張している。

> 恐ろしいのは民族精神の惰眠である。奮起しなければならないのは、民族精神の顕証である。如何にして民族精神を自覚し、これを顕証すべきか。
> われ等はその一案として、謡曲の普及を唱道したいのである。

大和民族の民族精神を惰眠から奮起させるために謡曲を以て臨まなければならないという主張である。これも先の全国高等学校長会議での学生の思想善導の場合と同様、能楽の普及そのものを目的としない点に注目すべきである。要は、民族精神奮起のための道具としての能楽や謡曲の動員である。これが権力と芸能が相生するための図式なのであろうか。

一九三二年、観世左近（かんぜさこん）（二四世観世宗家元滋）は雑誌『観世』（一九三二年七月）に宗家の巻頭言として「我が国体と能楽」なる記事を載せている。その内容は、徳川の時代の能は「古典芸術完成の域」にまで達し武家の式楽とまで呼ばれた。しかし維新によって苦境に立たされる厳しい時期を迎えるが「高貴の方々の御尽力により華族会館の行啓能を初めとし、御大礼の饗応能にも」用いられ「今や能楽は、国粋保存の意味を加へて民衆普及の道」をたどったとする。さらには「数百年の昔より伝へられた能楽が、かくも国家の保護のもとに益々その堅実美を加へて行くことは、とりもなほさず国体と謡曲の一致を、識者が認められた為ではありますまいか」と国家と能楽の堅実な一体性を賞賛している。一体性を説くことで国家や権力にとって道具に過ぎない能楽ではなく、ともに国粋保存の道を歩む協力者としての位相を示したいのかもしれない。国家や権力との一体性を強調することで能楽及び自流の永続安泰を願う当時の観世の宗家という立場での公的見解であろう。しかし、そのような立場を差し引いても、能楽が戦時体制へと組み込まれていく様が見て取れる事実は否めない。

このような論調はその後、日中戦争と太平洋戦争によってますます加速するわけであるが、「日本精神」というイデオロギーの下で能楽という芸能が権力の強い意志によって国体を守るために動員されていく様を鳥瞰するために観世左近の発言をさらに数点ここに挙げてみる。

> 能楽が如斯に日本の精神生活の集成された芸術であるだけに、この時局に和一させて行くことに、忠誠公に奉ずるの日本精神の昂揚、国民精神の総動員への絶大なる協力ともなると信ずるのであります。（中

略）この芸道を守り、この芸術に精進する事によって、この時局下の国家に対し、御奉公をなし得るのでありますから……

（『観世』〔一九三七年一〇月〕の「事変下の覚悟」）

大和魂を云ひかへれば日本精神である。而して大和魂の本体は「もののあはれ」であって、一朝、事のあった際には、これが「ますらをぶり」となるのである。（中略）日本に古くから伝はったものは勿論、西洋から輸入されたものでも、わが国でこなされ、発達したものなれば、それ自体、もう既に日本的なものである筈だ。（中略）日本に発達した文化や芸術ならば、何時の場合にも、大和魂を持ち、日本精神的であるのだ。

例えば、能楽には武士道精神と一脈相通ずるものがあることは、私が喋々するまでもなく定評のあるところだが、さらに私は、能楽独特の持ち味「幽玄」といふものに、より日本精神的なもの、大和魂の存在していることを力説したい。（中略）真の大和魂を体し、この非常時局に際して、文化、芸術の衰微せぬよう、（中略）銃後にある者の真のつとめを果したいと思ってゐる。

（『観世』〔一九三九年一月〕の「能楽と大和魂」）

「事変下の覚悟」では先の一体性を「和一」という表現で繰り返し強調して「日本精神の昂揚」と「国民精神の総動員」への絶大なる協力で国家に奉公することが芸道を守ることであると言い切っている。一方の「能楽と大和魂」では「大和魂＝日本精神」を前提に日露戦争を機に流布した認識の「能楽は武士道と相通じる」という図式に幽玄を一体化したものが日本精神・大和魂的なものであるとし、このような日本精神の国粋である能楽が衰微せぬよう銃後のつとめを果たすことを約束する形を取っている。この二つの記事に共通して指摘できることは、満洲事変と相次ぐ日中戦争を機に「日本精神」がまるで実体のあるもののように成長している点であろう。そしてその成長は戦線の拡大と戦局が厳しくなる状況への反応として現れている。

その一方で「日本に古くから伝はったものは勿論、西洋から輸入されたものでも、わが国でこなされ、発達したものなれば、それ自体、もう既に日本的なものである筈だ」の部分は、小中村清矩（こなかむらきよのり）の『歌舞音楽略史』にある重野安繹（しげのやすつぐ）の漢文の序を彷彿させる。

> 本邦音樂歌舞、遠起於神代、後世或伝次自唐、或来自韓、或転自天竺梵貝、支分派別、有古楽焉、有雅楽焉、有俗楽焉、俗楽中世所謂今様者、或称曰郢曲、近時猿楽浄瑠璃之類皆是也、雅楽唐韓所伝、健在楽部、至今肄習不絶（中略）随唐諸楽宋元無、而我独伝数千年之旧（中略）先唐韓之楽、佚於彼而存於我、即謂之我楽、何為不可、方今我与海外諸国通交、諸国之楽伝於割者日益多、我取其美者而肄習之、猶昔日之於唐韓楽、他日如彼佚而我存、即是天下声樂之美、独鐘於我日本也、謂之宇内一大樂部

この序は『歌舞音楽略史』の刊行年である一八八八年のものであるが、その核心は古来伝わる「本邦」の音楽歌舞は、唐、韓（半島）、天竺など多様な国から来ているが、今では日本のみがこれら音楽を有している。よってこれらは今日ではすべて日本の音楽であり、日本こそ「大楽部」であるという論法である。当時の帝国の歴史編修官のアジア観あるいは歴史・芸能文化認識として記憶しておく必要がある。重野は、近代化に成功し国際舞台に進出した大日本帝国の威厳に相応しい歌舞音楽、具体的には「日本古来」のもので「独自のもの」でありかつ「格調高く優れた」歌舞音楽を「国楽」と定めたかったのであろう。しかし現実は大部分の歌舞音楽が唐、韓（半島）、天竺などの国外から受け入れたものであったゆえに「独自性」を前面に押

し出すことができない苦肉の策としての「即是天下声樂之美、独鐘於我日本也、謂之宇内一大樂部」であったと見る。この重野の論法が観世左近の時代に至ると西洋から受け入れたものにまで拡大されていることからの「彷彿」なのである。

ちなみに、能楽とともに大和魂や武士道を語るのはなにも観世左近や観世流に限ったものではない。宝生流の宗家である宝生重英も同様の見解を示している。以下は、『宝生』（一九三八年六月）の巻頭言の宝生重英の「新時代への抱負」である。

一般の人は、「謡曲は上流社会の趣味」のやうに言ふ人が多かつたものです。それが今日では老若男女の差別なく、又階級の観念もなく、それ等を超越して一列に普及されて来たのであります。（中略）殊に近年は世間から謡曲の使命の重大性が高唱されまして或は思想善導に、或は国民精神の涵養に或は武士道の修養にと色々の意味から、大役をふりあてあれたやうな形でありまして、私共も一段と斯道に精進せねばならなくなつたやうな訳であります。

要約すると、上流社会の趣味に対する議論を除くと能・謡は思想善導・国民精神涵養・武士修養の大役を国家と社会から振り当てられているので斯道のために精進しなければならないという内容である。国民統合と統制という大きな枠組みの中で動いていることがわかる。教部省の「音楽歌舞ノ類總テ其管轄被　仰付候事」が着実に進められていること、権力が極限化される戦争が繰り返されることで「非常時局」という名の下で「管轄」がさらに加速化・強化されていることも付言しておく。日清戦争によって国家と芸能の距離が著しく縮まり「あらゆる芸能は戦勝祝賀公演を開き、義援金を募り、戦争を支援した。戦後になっても大和魂を養えという主張は少しも衰えない」[*25]時節を迎えて川上音二郎（かわかみおとじろう）の〈壮絶快絶日清戦争〉の旋風的流行をはじめ、能界では「軍資義損勧進能」や「軍費献金能」と称する軍部への献金能が数多く催された。また、日露戦争によって能は「幽玄の舞楽」から「尚武の舞楽」へと変身し、「非常時局」との「一体性」「和一」に弾みをつけることになる。以下は拙論からである。

「大和魂を振起する」音楽として位置付けられることによって、能は世阿弥のいう幽玄の「花」の芸能ではなく、武を尚ぶ音楽としての地位が優先し、大和魂は好戦的・戦闘的精神となる関係式が成立するのである。国家権力が戦時下の国民統合のために必要とする国家的・社会的要望を歴史的・本質論的に「能は尚武の舞楽」であり「大和魂を振起する音楽」であると能楽界が能にそのような地位と性格を与えて権力に迎合することで国家と社会に能の保存と維持の必要性と妥当性を強調し且つ要求しているのである。それが当時の能が日露戦争に際して生き残るための選択であったのであろう。そして、結果論ではあるが、日露戦争における勝利によって帝国日本は国際舞台での発言力の強化と実質的な領土の拡張を得たが、能は近代国家であり国民国家である帝国に必要とされる芸能としての強固な足場を得たのである。[*26]

宝生重英の「新時代への抱負」からは能楽が大役をつとめることになったことに対して一種の自負心のようなものに裏打ちされた新時代への覚悟のようなものが読み取れるが、そのことよりも「謡曲は上流社会の趣味」から脱して今日では老若男女や階級などを乗り越えて「一列に」普及されて来たとするくだりを吟味せずにはいられない。戦争遂行中の国家が要求する国民統合のための文化装置として動員された結果として

「大役」を担うことになった点、学生能などによって各流派の流勢が拡大している点は首肯されるが、果たして「上流社会の趣味」から脱して中流・下流に至るまで能楽・謡曲が普及して裾野を広げたのか、という点に関しては疑問を抱かずにはいられない。端的に能舞台が問題となった「民衆化」は成功したのか、と問うことができる。ちなみに、一九二〇年前後は主に「民衆化」という用語が使われていたが、一九三〇年代になると「大衆化」という用語で能楽の改良が論じられる。『謡曲界』（一九三九年二月）に掲載された観世左近の「能楽の大衆化など」がその端的な例である。観世左近はここで「教養のある日本人でありさへすれば、どんな人にでも能は面白いものであり、有益なものである」と述べているが、この発言こそ「大衆化」への距離を感じさせる。「ありさへすれば」という条件こそが「大衆化」であれ「民衆化」であれ、超えなければならない難関であることを観世左近は理解していないと見るしかない。宗家として自らは大衆化したといいながらも、結局は「教養のある日本人」であるという前提を取り払うことができないのが能楽・謡曲の現状であり限界であったと見るべきであろう。

宝生重英の主張とは裏腹に一九三〇年代後半に至っても「大衆化」が議論されているということは、能楽が帝国の底辺にまだ十分に浸透していないことの反証になる。能楽が「日本精神の国粋」となるためには「大衆の芸能」という看板と実績が必要であった。東京宝生会主事の本間廣清（ほんまひろきよ）は「非常時と謡曲」[*27]で「能楽は純然たる国芸である。此の国芸によって日本精神もよく発達して来たのである。また日本精神は之れによって発達してゐる場合が甚だ多い」と言い切っている。逆に言えば、能楽は「国芸」である必要があったのであり、そのためにも「民衆の能楽」、「大衆の謡曲」になる必要があったのである。[*28]

帝国日本の権力は「日本精神」という抽象的なイデオロギーを帝国臣民に植え付けて共有させることで大和民族というこれまた抽象的なイデオロギーである血統を信奉することで国民国家としてあるいは帝国の臣

民として歴史や言語だけではなく血統・思想までをも共有する強固な統合を押し進めたと言える。そして、その核心の一つ、有効な文化装置の一つとして能楽があったのである。

ここで一点付け加えると、大和田建樹（おおわだたけき）が能楽館から『能楽軍歌』なるものを著している。能楽と軍歌がどのように結合し「一体性」「和一」を呈するのか非常に興味深いが、まだ実物に遭遇できていない。ちなみに一九〇四年六月の時点で「既刊」で、価格は「金五銭」であった。

五、近代の能楽史を語ること――むすびにかえて

明治維新から国体瓦解までの約八〇年の間、能楽をめぐる権力と芸能の間に数多くの錯綜が繰り返されている。明治の初期、文化や芸能は近代国家建設に邁進していた権力の視野の埒外にあったが、文化や芸能が民衆へ多大な影響力を有することを悟った権力は文化・芸能を自らの埒内に取り入れて統制の対象とした。教部省の「管轄」がそれである。統制の要は天皇家の尊厳と近代国家としての帝国の偉観に相応しい体制と時代への順応と貢献にあった。一方の能界は、帝国議会に国家が能楽を保護し奨励することを建議する過程で能楽の徳目として忠孝節義・勇武の志気・花鳥風月の情を挙げて国家と社会に貢献できる能楽の効用を訴える。その背景には明治維新による能界の衰微の脱出と日清戦争を経て能楽師の生計が苦境に立たされたことなどがあろう。ここに権力と芸能が共生の接点を模索する動きが生じたと言える。権力が極限化される戦時下の時局、つまり戦争は権力と芸能の関係をさらに密にする動因となった。戦争によって能を演じる場、謡曲を教習する機会が減少することで能楽師の生活は苦境に立たされたが、それとは別に権力と能楽の関係

はさらに密になった点に注目すべきである。日清戦争がまさにそうであった。また、日露戦争では能楽が「幽玄の舞楽」から「尚武の舞楽」へと変身し、以降この「尚武の舞楽」は帝国日本が解体されるまで「日本精神の国粋」となるための重要な要件の一つとして膾炙されることになる。大韓帝国の首都漢城（京城）のソウル駅前広場で催された京釜鉄道開通式典での大がかりの祝賀能が日露戦争の真っただ中での出来事であったことの意味も併せて考えるべきであろう。

大隈重信のいう「国家を飾る花」つまり国家芸能としての位相を確立しつつあった能楽であったが、その裏で民衆化・大衆化という能楽改良の要求を受けることになる。能楽・謡曲がさらに裾野を広げて上流階級の娯楽ではなく日本の国民の舞楽となることを政治的立場・能界の立場・愛好者の立場など、さまざまな思惑と要望からの要求であった。民衆化が実現しなかった最たる理由は能舞台を中心とする「斯界のしきたり」を護ることが能界によって優先された結果であり、民衆化の成功如何の結果とは別に、民衆化「受容不可」の結果として今日の能楽を以て「伝統」というものを強調することができるようになったことは事実である。

さらには、満洲事変と日中戦争に次ぐ太平洋戦争の勃発によって国体護持が深刻な懸案となって権力が特定芸能集団に特権を認めながら国家と芸能の関係を運営する余裕がなくなると、権力は能楽に対して国家を飾る「花」ではなく国体を護持する「剣」となって芸能報国を先導することを要求した。技芸者証の下ですべての芸能者は一糸不乱の報国の忠義を見せよという、それこそ総力制体制への突入であった。日中戦争前後から能楽・謡曲は「日本精神の国粋」という賞賛のもとで筆頭芸能としての地位を固めていただけに、技芸者証によってそれまでのプレスティージを捨てて漫才や浪曲などの相対的に「下等」と見下していた諸芸能と「一列」に一介の芸能として芸能報国に励むことを要求されたことは能界にとって相当の衝撃であったはずである。能界が技芸者証の申請を拒みながら抵抗したのは、国家芸能として誇り高き能楽がそのほかの芸能と同等に扱われることもさりながら、従来の「しきたり」を護ることができなくなることへの不満であり不安であった。民衆化という名の下で能舞台の放棄を受け入れなかったことと近似している。この時期のこのような交錯する正と負の動態一つ一つが今日の日本のカノンとしての能楽を創りあげた細胞となり土壌となったと言える。そこには「六〇〇年」という時間を貫通する芸術性が裏打ちされていたはずであり、逆に六〇〇年以上続いた生命力には決して時の権力が望む正の部分だけではなく負の部分もその中で息づいていたであろうことを見逃してはならない。近代における国民国家の権力とナショナリズムの下で何が「正」で何が「負」であったのか。またそれは誰が決め、誰が何を記憶しては物語ろうとし、誰が何を隠蔽しようとしたのか。「幽玄の舞楽」「国家を飾る花」「尚武の舞楽」は正なのか負なのか。「日本精神の国粋」の担い手は一体誰なのか。近代の能楽史研究に課された課題である。

権力による構造化の作用には服従・転覆・屈服などの反作用が伴う。戦時という時局柄、権力が極限化されるなか「日本精神」一色に染まる状況に対して「芸術性不在」を訴える批判精神[*29]があったことも指摘しなければならないだろう。

> 近頃は日本の精神とか日本の思想とか云ったやうな事が切りに唱導され、それにつれて謡曲といふのも、日本の精華であると云ったやうに説かれ、私自身もそんな事を口外したこともあるが、実は今更らそんな事を喋々するのは可笑しな話で、真に能楽乃至謡曲に関心をもって居るものは、疾うの昔からそんな事は考へて居たことでもあり、また実際、それに依って教養されて居たのでもある。日本の精神とか精華など云ふのは明治の初年にこそ言ふべけきなれ。今日に於てはむしろ滑稽である。がたゞこの謡曲に盛時に当たって、私の些か不当に思ふところは、その修養若くは教化と云ったやうな方面のみが、重く

見られて、その芸術としての価値について、関心をもつ人の少い事である。(中略)日本の精神日本の思想など云って持ち上げるのも結構ではあるが、それも謡曲ばかりでは、入口に過ぎない。奥の能楽まで行かなくては意味を成さない。(中略)修養とか、精神とか、消閑の具とかも結構には相違ないが、大事な芸術を忘れないで居て貰ひたいといふのである。

さらには、前掲資料からは権力に迎合する発言を呈した宝生重英であったが、実は無責任な権力への苛立ちを「当局に根本方針はありません[*30]」と言い放ったこともあった。戦時中に能楽会会頭を務めた松平頼寿の伝記に宝生九郎の談として「能楽会の会長もされ、戦時中、能楽が官憲から圧迫されました折、その間に立って種々御斡旋をいただいたものです[*31]」という吐露もある。表に出るまではよくは見えないが、能楽を護るためのこのような苦渋の忍耐も帝国日本という時代の能楽の隠れた担い手だったことをこれら反作用が語っているのかもしれない。

敗戦から四年後の一九四九年九月に雑誌『観世』が復刊される。その後、「尚武の舞楽」であった能楽は静かに「幽玄の舞楽」へと復帰し、今日の「日本の伝統芸能、能楽」に至っている。戦後の能楽の歩みを整理するためにも戦前の能楽史は「負」の部分をも含めてしっかり語られるべきである。そうすることで「近代」という時代を生きた人々の営みを「今」の時代を生きる我々が確認することになり、「今」と「未来」を考える舞台開きを迎えることができる。

注

1 日本の国立劇場・国立演芸場・国立能楽堂・国立文楽劇場などがそうであり、韓国の国立劇場・国立国楽院・国立唱劇団・国立舞踊団・国立国楽管弦楽団などがそうである。

2 国立公文書館。[請求番号]太00369100。一八七八年には同じく「五年八月廿三日」付で内容も同じであるが名称を「能狂言其他音曲歌舞営業ノ者心得方」と改めたものが『太政類典』第二編に収録されている。

一方、勅撰貴族院議員であり東京学士会会員でもあった神田孝平は『明六雑誌』一八(一八七四年)にて「方今我邦に、改正・振興すべきものはなはだ多し。音楽・歌謡・戯劇のごときもその一なり。(中略)慶元以還、民間俗楽種々起り、楽器もまた増加し、古昔に比すればいっそう進みたりというべし。しかれども、おおむね卑俚猥褻にして、士君子の玩に適せず。これをもって方今士君子、唐楽・猿楽にては面白からず、俗楽は卑俚に堪えずとして、ほとんど楽の一事を放擲するに至る。これまた惜むべきなり。(中略)猿楽の狂言および俗間の茶番狂言なるもの体裁さらに善し。今一歩を進め、猥雑に流れず時情に濶らず、滑稽の中に諷刺を寓し、時弊を議諫することなどあらば、世の益となることまた少なからず。」と当時の「淫風醜態」に流れる芸能への批判と課題を解いている。

3 「制外者」とは「河原乞食」とも称された芝居・演劇、大道芸人、旅芸人などに対する蔑称で「制外」とは制度の外に置かれる「にんがいもの」とする差別である。能役者が歌舞伎役者を「河原乞食」と卑下した言説以外にも、池内信嘉は『能楽』第八巻第三号(一九一〇年)の「能楽師の猛省を促す」にて若手能楽師の無礼驕慢について次のように警告している。

近時能楽の流行に就て起る弊害は種々あるが、能楽師中に往々其の勢ひに忸れて較もすれば驕慢に 傾く弊のあるは最も戒めねばならぬことである。当時能楽師中元老と言はるる人々は、舊幕時代の厳粛なる制度の本に立ちしことであるから、起居動作も厳格なもので、人に対して礼を失するなどのことはないが、若き人の内には、其の芸の未熟なるに拘らず、能楽流行の為め他より受くる尊敬を鼻に掛けて、往々無礼を働くものがある。」

4 国立公文書館（［請求番号］公 00676100）。

5 『芸能の文明開化明治国家と芸能近代化』（平凡社、一九九九年）、四九頁。

6 〈大原御幸〉の場合、〈蝉丸〉の場合とは随分異なる印象を受ける。〈蝉丸〉の「盲目」に「狂人」といった否定的要因が〈大原御幸〉には見当たらない。安徳帝入水の逸話を建礼門院が語ることが天皇家の内紛と映るのであろうか。日本精神協会という右翼団体からの申し入れによって問題となった〈蝉丸〉と違って、警視庁の独断で〈大原御幸〉を問題視するその理由とは、「法皇、女院などやんごとなき御方々に扮装して公衆の前で仕舞いする事は面白くない」（『朝日新聞』一九三九年五月一四日）、「同曲が皇族の御行動を写し奉ったものとの理由に」（『朝日新聞』一九三九年五月一六日、夕刊）のごとき、いわゆる「怪しからん」という根拠曖昧な印象的判断であった。ただ、このような理由から問題となった〈大原御幸〉ではあるが、その後の①〈兼平〉の「傳教大師桓武天皇と御心を一つにして」を傳教大師が桓武天皇と同等の立場にあるのは不敬であるとの理由から「傳教大師桓武天皇の御心を体して」と改訂し、②〈頼政〉の「よしなき御謀反をすすめ申し」は皇族が謀反を起こすとは不敬であるとの理由から「よしなき御事をすすめ申し」と改訂し、③〈二人静〉の「昔清見原の天皇、大伴（友）の皇子に襲はれて」の場合は皇子が天皇を襲うという件が問題となり「大伴（友）の皇子に襲はれて」の一文を削除するなどの詞章改訂の起点となったのもまた事実である。さらなる詳細は、拙稿「総力戦体制と芸能統制―謡本の本文校訂と新作能」（『日本学研究』四九、檀國大学日本研究所、二〇一六年）を参照されたい。

7 徐禎完「植民地朝鮮における能―京釜鉄道開通式典における「国家芸能」能」（『アジア遊学』一三八〈植民地朝鮮と

帝国日本―民族・都市・文化〉、二〇一〇年、勉誠出版）。

8 この式典に対する帝国日本の力の入れようとその規模は次の『朝日新聞』一九〇五年五月二七日付朝刊記事「京釜鉄道開通式」（二五日京城特派員発）からもうかがうことができる。

午前九時より停車場構内にて花火を連発し同十時来賓一同南大門外の式場に参集。十五分奏楽を始む。博恭王殿下義陽君殿下は馬車に御同乗御来場あり。（中略）博恭王殿下義陽君殿下の令旨あり。次で古市総裁の奉答、米国公使アーレン氏の演説、大浦逓相、農商工部大臣朴斎純、貴族院議員総代柳原伯爵、衆議院議員総代江原素六氏等の祝辞あり。（中略）席に列するもの千二百名にして内貴族院議員三十名、衆議院議員百余名あり。京城空前の盛儀なり。（傍線、引用者による）

記事中の「博恭王」とは伏見宮博恭王で「義陽君」とは当時大韓帝国の文臣であり王族の李載覚（一八七四〜一九三五）のことである。なお、一九〇四年三月に観世清廉宅で軍資金献金能が催されるが、その場に「韓鮮の公使見物」が参席した記録があるが、それが李載覚である。さらにその翌年四月には「朝鮮国戦争祝捷之大使」として来日して能楽を観覧している。

9 では、当時の朝鮮民衆にとって能とは何であったのか。前掲の拙論（二〇一〇年）で述べたように「狂言は割合に能く解った」が現状で、決して「楽しむ芸能」ではなかった。狂言の滑稽な仕草は朝鮮の観衆に笑いを誘ったのであろう。日本語がわからず、日本の歴史や文化の知識や関心のない朝鮮人が一条天皇の命を受けて御剣を打つ〈小鍛冶〉や盲御前に仕立てて曾我兄弟の仇討ち物語を謡わせ芸尽くしのうちに仇討ちを果たす〈望月〉あるいは〈田村〉や〈八島〉が理解できるはずのない一方通行であった。あくまでも渡韓した貴族院の約二四%にあたる貴族院議員三四名、衆議院の約五三%にあたる衆議院議員一五八名を中心とした帝国日本のための華やかな式典であった。このような光景を以て『鉄道時報』の「木下生」と名乗る記者は第二九九号の「韓国瞥見録」第八信で「開通式の偉観」と題している。式典からは領土拡張の布石としての祝賀が、『鉄道時報』の記事からはオリエンタリズム的眼差しが見て取れる。また、ここには二三世観世宗家である観世清廉がじかに渡韓しての演能であったことへの自負もあったのかもしれない。

10　大日本忠霊顕彰会は、日中戦争中に軍部や国家指導者の意図によって発足し、戦死者の遺骨を納めた忠霊搭を各地に建てて戦死を美化することで国家への忠誠心を強調し銃後での戦争協力と動員を強制した。陸軍省受領「財団法人大日本忠霊顕彰会ニ関シ警戒方ノ件」（一九三九年六月三〇日）によると「七月七日九段軍人会館講堂ニ於テ財団法人大日本忠霊顕彰会発会式ヲ別紙次第ニ依リ挙行セラレ、宮殿下ノ御台臨及国務大臣等多数隣席致スヘキニ付式場内外ノ警戒取締方取計相成度依命通牒ス」とあり、内閣情報部の『週報』一九六（一九四〇年七月一七日）には「忠霊顕彰会の事業」なる記事に「聖戦既に三年、わが皇軍は陸に、海にまた空に、偉大な戦力を発揮して、有史以来未曾有の戦果を収め、皇威を中外に宣揚しているが、この赫々たる戦果の裏には、一身を捧げて興亜の礎石となった幾万の尊い英霊のあることを知らなければならない」とある。

11　詳細は前掲の拙論「総力戦体制と芸能統制―謡本の本文改訂と新作能―」を参照されたい。また、新作能に関しては西野春雄「新作能の百年㈠―一九〇四年～二〇〇四年」（『能楽研究』二九号、法政大学能楽研究所、二〇〇五年）に詳しい。〈碇引〉〈鷲〉〈いくさ神〉〈高千穂〉〈海戦〉の五曲が一九〇四年刊行の『能楽』『能楽画報』『風俗画報』等の雑誌にてその存在と成立が西野氏によって確認されている。

12　なお、日清戦争中に韓半島内で繰り広げられた成歓と平壌での戦闘を題材とした明治天皇御製の謡〈成歓駅〉と〈平壌〉も「戦争と能楽」あるいは「権力と能楽」という視点で注目してよい。『観世』（一九三二年五月）。

13 『東京日日新聞』一九一九年一二月一九日付に「曩に露国のグランドオペラを招んで好評を博し危まれた梅蘭芳一行も予期以上の入りを見て味を占めた帝劇では、来春二三月頃再び伊太利の大歌劇団の招聘を始めとし今後大に各国のグランドオペラを紹介して民衆化に努めるそうであるが、一部好劇家の間には各国の歌劇を紹介すると同時に我国在来のグランドオペラとも言うべき能楽を帝劇の舞台にかけて一般の人々に公開したいと云う新運動が起こって居る。」という記事がある。この件に対して帝劇の山本専務は「能楽を此処の舞台で演ってもらうことは非常に望ましい事で之まで三四度或る筋から内々手を廻して先方の意嚮を徴した所、何うもお高くとまって居て演って呉れそうにもない。併し時勢も昔とは異って来たのだから単に一部富豪の専有的な娯楽物としないで一般に公開した方が種々の方面から見て有益だと思う。帝劇では若し立派な方が演ってもらえれば何時でも歓んで迎える」という反応を見せたと紹介し、「能役者は徳川時代に幕府の保護を受けて俳優を河原乞食と罵ったが『能楽者は猿の如し』と言う諺もある通り彼等の多くは往時に於て貴族富豪に諛って存在して来た習慣が今以て脱けない。保護者が無ければ生立って行かぬ様な芸術は真の芸術とは言われない」と能楽界への批判を呈している。

14 『謡曲界』（一九二二年五月）。なお「野村袋川」は野村八良の筆名。旧制東京高等学校、駒沢大、東洋大、跡見段大教授を歴任。

15 陸満普受第一四九〇号、陸軍大臣官房恤兵係、アジア歴史資料センター（所蔵館：防衛省防衛研究所、一九三五年）。

16 『京城日報』一九一六年一月一〇日付。

17 『京城日報』一九一七年一月一九日付。

18 『能楽』（一九三五年一月）の「劇場の演能」。

19 興行取締規則第三条、『演劇年鑑』（一九四三年版、日本演劇協会）。

20　拙論「総力戦体制下における芸能統制：能楽における技芸者証とその意味を中心に」(『外国学研究』二五、韓国・中央大学外国学研究所、二〇一三年)。

21　野上豊一郎「能は一人本位の演戯である」(『思想』一七号、一九二三年二月)。また、能楽研究叢書四『野上豊一郎の能楽研究』(法政大学能楽研究所、二〇一五年)に収録の伊海孝充「門外漢の能楽研究─野上豊一郎の視座」も参照されたし。

22　雑誌『謡曲界』(謡曲界発行所、一九四〇年七月)掲載の「能楽と興行取締規則」(東海烈、一一二頁〜一一三頁)。

23　大日方純夫「芸能と権力─明治前期の東京を中心に─」(『幕末維新の文化』羽賀祥二編、吉川弘文館、二〇〇一年)。

24　一例を示すと『謡曲界』一九三九年一二月号には当時の学生能の実態を示す次のような内容が確認できる。各高校・大学における各流派の謡界の活動と現状報告である。「吾校能楽科の感想」(東京音楽学校)、「早大謡曲界展望」(早大喜多会)、「商大謡曲部指導理念」(一橋宝生会)、「学生謡曲と本校謡曲部」(横浜高商)、「慶応喜多会ありのまま」(慶応大学)、「京大金剛会」(京都大学)、「能楽部雑感」(巣鴨女子商業学校)など。

25　倉田喜弘『明治大正の民衆娯楽』(岩波新書一一四、岩波書店、一九八〇年)。

26　拙論「国家と芸能：近代の能と日清・日露戦争」(『日本言語文化』五四、韓国日本言語文化学会、二〇二一年)。

27　『宝生』(一九三五年六月)。

28　このような動きは帝国の周辺部といえる植民地や租借地でも同様に進められていた。たとえば大連で刊行された『満鮮謡曲界』(一九三五年一一月)中の記事「日本精神としての能楽」でも「日本精神の結晶」や「国華としての能楽謡曲」といった表現が積極的に駆使されている。

29　戸川秋骨「能楽の第一義」(『観世』一九三四年三月)。

30 「宝生流関係の有識者による歌詞改訂協議議事録」（一九三九年一〇月一日、法政大学能楽研究所蔵）。統制を強いる権力側の能に関する無知と無責任な態度への反発。なお、この件に関しては、中村雅之「戦時体制下における天皇制の変容—「蝉丸、大原御幸事件」と謡本改訂—」（『能と狂言』二、能楽学会、二〇〇四年）に詳しい。

31 『松平頼寿伝』（一九六四年）の「宝生九郎氏談」より。

参考文献

伊海孝充「門外漢の能楽研究—野上豊一郎の視座」（能楽研究叢書四『野上豊一郎の能楽研究』、野上記念法政大学能楽研究所、二〇一五年）。

大日方純夫「芸能と権力—明治前期の東京を中心に—」（『幕末維新の文化』羽賀祥二編、吉川弘文館、二〇〇一年）。

倉田喜弘『明治大正の民衆娯楽』（岩波新書一一四、岩波書店、一九八〇年）。

倉田喜弘『芸能の文明開化明治国家と芸能近代化』（平凡社、一九九九年）。

徐禎完「植民地朝鮮における能—京釜鉄道開通式典における「国家芸能」能」（『アジア遊学』一三八〈植民地朝鮮と帝国日本—民族・都市・文化〉、二〇一〇年、勉誠出版）。

徐禎完「総力戦体制下における芸能統制：能楽における技芸者証とその意味を中心に」（『外国学研究』二五、韓国・中央大学外国学研究所、二〇一三年）。

徐禎完「総力戦体制と芸能統制—謡本の本文校訂と新作能」（『日本学研究』四九、檀國大学日本研究所、二〇一六年）。

徐禎完「国家と芸能：近代の能と日清・日露戦争」（『日本言語文化』五四、韓国日本言語文化学会、二〇二一年）。

戸川秋骨「能楽の第一義」(『觀世』桧書店、一九三四年三月)。

中村雅之「戦時体制下における天皇制の変容―「蝉丸、大原御幸事件」と謡本改訂―」(『能と狂言』二、能楽学会、二〇〇四年)。

西野春雄「新作能の百年(一)―一九〇四年~二〇〇四年」(『能楽研究』二九号、野上記念法政大学能楽研究所、二〇〇五年)。

日本演劇協会『演劇年鑑 昭和18年版』(日本演劇協会編、東宝書店、一九四三年)。

野上豊一郎「能は一人本位の演戯である」(『思想』一七号、岩波書店、一九二三年二月)。

2 日本の近代化にみる女性と政（まつりごと）

朝鮮の女訓書を手がかりとして

榊原千鶴

一、はじめに

中国最古の歴史書である『書経』には、「牝鶏晨す（ひんけいあした）」というたとえが記されている。牝鶏が雄鶏より先に朝の訪れを知らせると災いを招く。女性が、男性に代わって権勢を振るうと、国や家が衰える前兆であるとされる。

儒教の世界では、政（まつりごと）という公的な領域に女性が関わることは、ふさわしくないとされた。そのため、公の言語である漢文は男性のものであり、少なくとも日本や朝鮮では、女性が学ぶべきものとはされなかった。政からの女性排除により、女性は、漢字、漢文からも遠ざけられた。けれど、「牝鶏晨す」というたとえのあることは、歴史上、権力に関わった女性たちのいたことを示している。

たとえば、権力者の身近にあった女性たちを思い浮かべればよい。はたして彼女たちは、政と無縁でいられただろうか。政に関わってはならないとされながら、現実には関わることになる。そうした立場の最たる存在が、皇后ではなかったか。

だとすれば、皇后には、表向きは儒教的女性像を体現しながら、現実にはその枠を超えて政に関わるという高度な処世術が必要となる。たとえ政に関わっても、周囲から批判されないありかた、身の処し方が求められる。

本章では、日本と同じく儒教的女性観のもとにあった朝鮮時代の女訓書を参考にしつつ、日本の近代化に大きな役割を果たした皇后美子(はるこ)に注目する。近代化という変革期に、美子は自らの学びをどのように活かしたか。政と女性教育のはざまで、皇后としていかにあろうとしたか。女訓書を手がかりに、日本の近代化にみる女性と政を考える。

二、朝鮮昭恵王后『内訓』

まずは、朝鮮の皇后と、彼女が編纂した女訓書から話を始めたい。

蓬左文庫には、朝鮮王朝九代の国王、成宗（一四五七〜一四九五）の母である昭恵王后[*1]（一四三七〜一五〇四）が、宮中に仕える女性の心得を説いた『内訓』が所蔵されている［図1］。

この『内訓』は、世祖元（一四五五）年に鋳造された乙亥字を用いて印刷された朝鮮の古活字本で、漢文とハングル文字の両方で記されている。

見返しには、万暦元（一五七三）年に王室から朝鮮王朝の科挙官僚を養成する最高教育機関である成均館の教授に下賜されたことを示す内賜記が見られ、巻頭には大型の朱印で「宣賜之記」と捺されている。

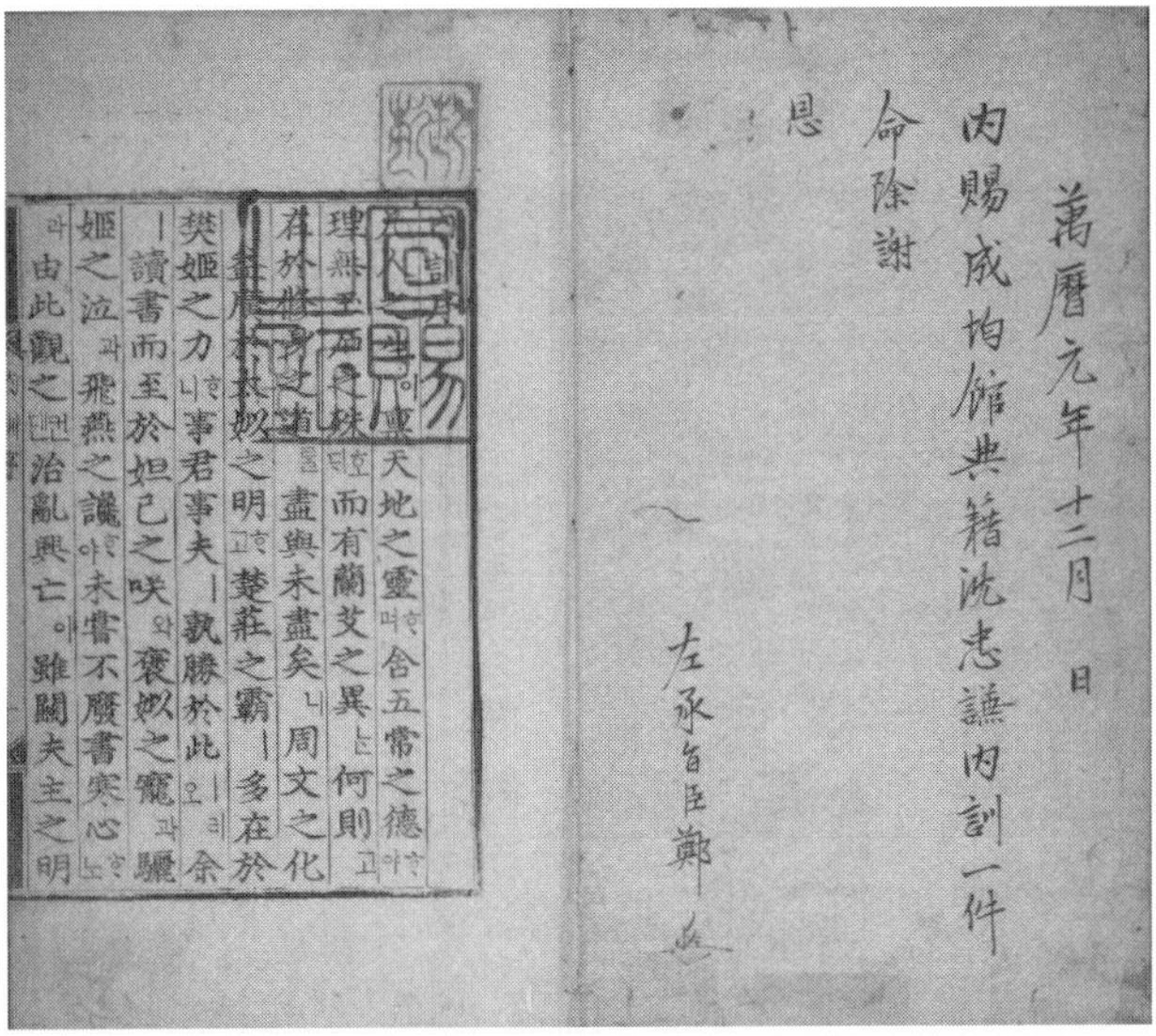

図1　『内訓』（名古屋市蓬左文庫蔵）

通常、女訓書の世界で『内訓』というと、中国明の徐皇后が記した『内訓』をさすことが多い。だが、皇后が著した女訓書である点は同じであるものの、昭恵王后の『内訓』と徐皇后の『内訓』は別物である。皇后とはいえ、当時の朝鮮では、内にあるべきとされた女性の手になる女訓書が、王室を代表する公的な書物として位置づけられたわけである。

息の成宗の即位にともない、宮中の女官の儀礼や役割などの責任者となった昭恵王后は、中国の教養書を読み、国の興亡は男性の道理や分別にかかっているが、家庭のなかにあって彼らを扶け、支える、すなわち「内助」を発揮する女性の役割も大きいと考えた。そこで、さまざまな書物から参考になりそうな箇所を選択抜粋し、宮中の女性、さらに国中の女性たちのために徳目としてまとめた。

内容は、言動と行動、父母への孝行、婚礼の礼節、夫と妻、母親の態度、親戚との睦み合い、清廉と質素への教訓の全七章三巻からなる。そこに示された教えは、女性はあくまで父、夫、息子に従うべきであるという「女必従夫」や「三従の道」といったことばに象徴される儒教の教えに基づいており、その枠を超えるものではない。

だが、朝鮮の歴史を振り返るとき、女性が漢文とハングル文字の両方を用いて女訓書を著したこと、その背景には、公的な政治的意図を想像せずにはいられない。

三、世宗から成宗へ

朝鮮では、第四代国王、世宗の時代に、儒教の根幹である王と臣、親と子、夫と婦の間の忠、孝、烈を説くために、模範となる忠臣、孝子、烈女の「行実」を、「図」を配して説いた『三綱行実図』が作られた。世宗は、この書を刊行、普及させることで、一般庶民にとっての儒教道徳、倫理の涵養を目指した。

朝鮮王朝時代、最高の聖君とされた世宗だが、女性が政に関わることには否定的だった。『詩経』講読の折に、世宗は臣下たちに向かって、次のように語ったという。

> 中国の婦女子は文字を知っていたから、政に参加でき、国を誤らすこともあった。ところが我が東方（朝鮮）では婦女子は文字を知らないから、政に参与できなかった。これは実に幸いなことである。
>
> （『世宗実録』七九巻、一四三七年一一月一二日）[*2]

ここでいう「文字」とは、知識層が用いていた漢字、漢文をさす。朝鮮の女性や一般の庶民たちが文字を知らない現実を残念に思い、ハングルを創製した世宗でさえ、朝鮮の女性が公的言語である漢文を知らず、政に参画しないことを、望ましいことと考えた。

こうした前史を思えば、昭恵王后が、漢文とハングルによる『内訓』を著したことは、女性と政を考えるうえで、ひとつの画期と言えのではないか。すなわち、背景には、朝鮮第九代国王となった息、成宗の政策が影響していると考える。

成宗は、『三綱行実図』をもとに、とくに女性のみに求められた「烈」と「貞」を強調した『三綱行実列女図』を編纂した。編纂の意図は、次の点にあった。

国家の興亡は風俗により、風俗を正しくすることは、家から始めなければならない。かつて東方は貞を重んじ、人々は淫らでないと言われたが、近年、失行する婦人が多いことを、非常に憂慮している。そこで『三綱行実列女図』を諺文にして、京中および諸道に頒布し、巷の婦女がみな講習できるようにすることで、風俗を変えることを願う。[*3]

(『成宗実録』一二七巻、一四八一年三月二四日)

漢文を学んだ支配階級の女性たちの間で読まれていたものを、広く一般にも普及させようと「諺文」(ハングル)を加えた。背景には、風紀の乱れという社会問題があった。儒教を国教と定めた朝鮮時代に入っても、高麗末期から続く性的に自由な風潮は収まらず、取り締まる政策が必要とされた。

政府にとって、儒教的女性観の確立は喫緊の課題であり、そうした社会、政治状況と、成宗の母、昭恵王后による女訓書の編纂が、無関係であったとは考えづらい。

朝鮮では、王妃という、ある意味、特権を享受していた上流の女性たちも、儒教的女性観により行動を制限されてきた。むしろ、彼女たちこそ、多くの女性たちの模範となるよう、儒教道徳、倫理を守ることを強く求められた。

昭恵王后は、漢字、漢文を学び、『論語』『孟子』『大学』『中庸』といった四書も理解できる学識豊かな教養人であった。そうした素養があればこそ、中国の女訓書をもとに、女性のあるべき姿を教え示す『内訓』を著すことができた。国母として、理想的な女性像を体現するにとどまらず、『内訓』の編纂は、成宗の政策に呼応する政治的営為といえる。だからこそ、男性の領域とされた漢文を操ることも、公的に許容されたのではないか。

四、戦(いくさ)と女訓書

ところで、世宗による『三綱行実図』も、成宗による『三綱行実列女図』も、おのおの採録された列女は、いずれも中国種であった。

しかしその後、第一五代光海君が編纂した『東国新続三綱行実図』に至って、韓国の列女が取り上げられることとなる。[*4]

注目すべきは、『東国新続三綱行実図』に採録された列女の多くが、戦場で死をもって貞操を守った女性たちであること、そしてその折りの戦とは、豊臣秀吉が引き起こした壬辰倭乱(文禄慶長の役)であった、との金多希の指摘である。

何よりも、戦争で儒教規範が乱れてしまい、朝鮮政府は乱れた儒教規範を早急に再建せねばならなかった。その一環として刊行されたのが、国民的修身教科書『東国新続三綱行実図』である。

国民的修身教科書として編纂、頒布された『東国新続三綱行実図』は、金によれば、忠臣や孝子よりも、圧倒的に列女を多く採録しているという。理由として、当時の朝鮮社会が「烈」を重視しており、その背景には、「外勢による女性の性的被害が国家の根幹となる家父長制への恥辱的な侵害と見做されていた」ことを指摘する。

そもそも朝鮮では、『東国新続三綱行実図』成立以前から、日常の生活においても貞節は命にかえても守るべき規範とされてきた。金は次のように記す。

死を以って「烈」と「貞」を守り抜く女性たちを、朝鮮社会は「列女」という名のもとで賞賛し、その一族には国から「紅箭門」や「烈女碑」、「烈女門」などが下賜された。その名誉は一族のみならず、村全体の光栄と自慢となった。それゆえ朝鮮各地から「列女」を推薦する上疏が後を絶たなかったという。

朝鮮のこうした「烈」「貞」重視の政策、戦との関わりを知るとき、類似の事象が日本にもあったことに思い至る。もちろんすべてが同じではない。だが、共通する要素を認めることはできる。それは、日本の近代化、皇后美子の営為と関わっている。

五、『明治孝節録』

明治維新を経て、日本が近代化の歩みをはじめると、皇后美子の内旨により、二種の修身書が編纂された。一八七七（明治一〇）年成立の『明治孝節録』と一八八七（明治二〇）年成立の『婦女鑑』である。もともと明治期の修身書は、文部省編纂局発行、宮内省刊行、民間刊行のいずれかで、宮内省が独自に編纂、刊行した官製の修身書は、三種あった。美子による『明治孝節録』『婦女鑑』と、一八八二（明治一五）年に明治天皇の命で作られた『幼学綱要』である。

天皇、皇后が修身教科書の編纂を命じるとは、天皇および皇后が判断した善悪に基づき、国民ひとりひとりに守るべき行為の基準を示すことを意味する。それは結果的に国民を、「正しい」行いへと向かわせる統治の試みである。近代化の過程で、国民教育という分野で美子は政に参画した。

『明治孝節録』は、漢字仮名交じり文、和装本四巻四冊、本編一三八話、附録三九話からなり、孝子、節婦、二〇〇余の事蹟を列伝形式で記している。採録された人々は、皇后により「善行者」と判断された者たちである。女性には限らないが、約半数が女性であることから、女性向けの道徳教育に活かせる内容となっている。「序」には次のようにある。

方今、聖上后宮、一双の明徳をそなへて、日本帝国明治の治をしきたまひ、ことに教育のみちにこゝろをそゝぎたまへり。

（『明治孝節録』「序」）

まさにいま、天皇と皇后は一対の正しく公明な徳を身につけて、日本帝国明治の政治を広く行きわたらせられ、とりわけ教育の分野に心身の力を尽くしてらっしゃる、と、教育分野における皇后の政治参画を明記する。

維新から間もないこの時期、社会秩序の回復、安定化は急務であった。そうした状況のなかで、孝義節操に関して賞賛すべき人物を広く紹介し、その普及、徹底を願う政治的営みにおいて、皇后は重要なはたらきをなすことになる。

「例言」には、士農工商の四民のうち、幼いときから書物を読み、道徳を知る「士」ではなく、孝悌忠信の何たるかを知らない「農工商」の人々を主な対象に、訓戒を説くために編集したとある。一般大衆への普及、浸透が鍵であった。

そこで『明治孝節録』は、前代にも行われていた善人伝を収集して一書とする方針を受け継ぐいっぽう、最新のメディアである新聞を、情報源として利用した。官報のほか九種の新聞を熟読していたという美子にとっても、新聞の活用は効果的と考えられただろう。[*5]

『明治孝節録』が素材とした孝子、節婦の記事について勝又基は、「官憲が関わる内容でありながら、『官令』『公聞』などといった各省からの決議事項を記している欄には載らず、『江湖叢談』(『東京日々新聞』)や『県新聞』(『日新真事誌』)といった雑報欄に収められ」、「世間話的な扱い方をされている」記事であると指摘する。[*6]

典拠のひとつに『東京日々新聞』があったことは、当時の新聞がもつ扇情的要素もまた、『明治孝節録』と無縁ではなかったことに気づかせてくれる。すなわち、錦絵新聞の存在である。

錦絵新聞は、一八七四(明治七)年に出版された錦絵版『東京日々新聞』を嚆矢とする。一八七二(明治五)年に創刊された日刊の『東京日々新聞』が知識人向けであるのに対して、そのなかの雑報記事を集めた「江湖叢談」欄をもとに、事件や美談、奇談など、人々の好奇心を掻き立てる記事を選び、錦絵化したのが、錦絵版『東京日々新聞』である。ひとつの記事を、錦絵一枚に描き、仮名しか読めない大衆にも受け入れやすいメディアとして人気を博した。

「開版予告」[*7]には、「童蒙婦女に勧懲の道を教る一助」として、「各府縣下の義士、貞婦、孝子の賞典、凶徒乃天誅、開化に導く巷談街説」を伝えていくとある。

錦絵新聞の方針は、「農工商」の庶民に孝悌、忠信、道徳を説くという『明治孝節録』の目的にもかなっていた。世間話は、その卑近さこそが魅力的、かつ効果的であり、巷間にも広まりやすい。新聞の熱心な読者でもあった美子にとってもそれは、恰好の素材と考えられたのではないか。

たとえば、一八七二（明治五）年五月二一日付の『東京日々新聞』が第一号で取り上げ、二年後に、錦絵新聞が取り上げた事件がある。長野に住む宇兵衛の妻せんが、無頼の悪僧に襲われ、貞操を守ったために殺された事件である［図2］。この事件を、『明治孝節録』もまた、採録した［図3］。

せんは、貧しく、しかも難病の夫を看護するなかで殺された。夫に尽くすだけでなく、命をかけて貞操を守ったありかたが注目を集めた。事件を描く錦絵は、血の付いた刃を振り下ろそうとする僧と、僧の足に首をねじ伏せられながらも僧の脛にとりつき、殺されまいともがくせんという構図になっている。錦絵の鮮やかな色彩とも相まって、凄惨な事件を扇情的に描いている。

『明治孝節録』も、「奸僧迫りて節婦を殺す図」と題した挿絵を付して、この事件を取り上げた。『明治孝節録』の図は、錦絵新聞とは異なり、奥の間で病床に臥す夫と、その眼前の寝床の上でせんに襲いかかる僧、その僧に口を封じられ、刺されながらも逃げようとするせんを描く。白黒のため、錦絵新聞ほど強烈な印象を与えはしないものの、襖には飛び散る鮮血も見て取れる。

ここで『明治孝節録』がせんに与える評言は、同書が女性に何を求めているかを端的に表している。

図2　錦絵新聞『東京日々新聞』第1号「貞婦せん」
（発行 -1872 年 10 月 元記事 -1874 年 2 月 21 日）

嗚呼せん。婦道を守りて、貧困の中に、夫の難病を看護せる行状、これのみだに、尋常女子の及び難き事なるを、つひに一命を惜まで、姦僧の強奸を防ぎ、節義を全くせしは、実に稀世の烈女といはざるべけんや。こゝに於て、賞典の事におよびしに、かくの如きの例、をさ〳〵なければ、廷議も定まりかねしかど、近世軍役に戦死せし士は、金百五十円賜はる規則あり。さばかり厚き褒賜をうくるは、臣分を

図３『明治孝節録』巻二「奸僧迫りて節婦を殺す図」
（名古屋大学ジェンダー・リサーチ・ライブラリ蔵）

尽して、矢石を犯し、命を戦場に棄ればなり。然ればせんが、婦道を守りて、白刃のしたにたち、命を寝所に棄たるも、事こそかはれ、一轍とやいはまし。さはあれど、その節義こそ、士の君における、婦の夫における、かはることあらざらめ。国家の為に討死せし大功には准へがたければ、彼戦士の賞典を折半して、金七十五円を下され、年中掃墓の資に給し、没後救助の料に充、さて志操を門閭に表せば、おのづから淫靡の悪風を遏むる一端ともなりぬべし、といふに決定して、その如く行はれけり。

（『明治孝節録』巻二「せん女」）

『明治孝節録』は、同書で最大級の賛辞をせんに送り、彼女を「稀世の烈女」と評している。命がけで節義を全うした行為を褒め称え、朝廷の議論で決まったわけではないながら、褒賞金を与える。褒賞金の額は、規則をもとに、戦死者の半額とした。半額の理由は、戦死も婦道を貫いての死も、志一筋という点は同列だが、せんは国家のために命を落としたわけではないから、というものだった。

そして、せんの志操堅固の思いを村落の入口の門に掲げれば、節度のない風俗の乱れといった悪い風潮を防止する一助になるはずだとして、それを実行した。

ここで想起したいのは、絵入りの『東国新続三綱行実図』に見られる「今化投崖」編の存在と、金の解説である。

> （前略）戦争が起きて夫と山へ避難したが、日本兵に烈しく抵抗したあげく崖から身を投げた「列女」が描かれている。彼女は敵兵に犯されそうになると、それを拒み、自分の貞操を守る方法として死を選んだ。

せんの事件は、戦場で起きたわけではない。けれど、彼女の褒賞金が戦死者を基準に決められたことに留意すべきだろう。戦士となって国家に尽くしたわけではなくとも、命をかけて貞操を守ったことは、社会秩序の安定化に寄与し、国を守ることへの献身でもある。そうした政治的思惑のもとに、『明治孝節録』はせんを評価し、褒賞を与えたと言える。

せんが称賛されればされるほど、女性たちは、命よりも貞操を守ることの方がたいせつであるとの価値観のなかに追い込まれていく。褒賞という方法を用いて、貞操を守れないときは死ねというメッセージを、国家が発している。せんを「稀世の烈女」と評する『明治孝節録』、すなわちその編纂を命じた皇后美子もまた、こうした価値観のもとに女性の教化に与している。

病身の夫を看病し続け、貞操を守って節義を貫いた「おかげ」で、せんの墳墓は常に掃き清められ、残された夫にも救いの手が差し伸べられる。しかも彼女が住んだ村に入る門には、「婦道」を守った女性を生んだ村との賛辞も掲げられる。

村落共同体における相互扶助の関係や結びつきの強さを思えば、村から褒賞者を出すことが、村落間の優劣、村内での人間関係に及ぼす影響の大きさが想像できよう。せんのおこないは、彼女の思いや主体性などお構いなしに、家族や村落の名誉へと転じられていく。それは、朝鮮において、国から下賜された「紅箭門」「烈女碑」「烈女門」が、一族にとどまらず、村全体の光栄と自慢になったという前述の金の指摘と重なる。

日本の近代化が、徴兵令により、戦争をする国として始まったことを思えば、せんは日本を支える望ましき女性国民としての姿を体現したことになる。もしかりに、戦が起こり、女性が性的被害に遭遇する事態が生じた際には、女性たちはせんのように、貞操を守るために死を選ぶしかない。他国による自国女性への陵辱行為は、自国への侵害である。女性は、武器ではなく、命をもって国家のために抵抗するしかなくなる。

新聞を愛読した美子は、新しいメディアの効力に敏感であった。理屈ではなく、大衆の感情に訴えかける手法を用い、かつ、実際には理不尽な女性の死を通して、国家が女性に求める「正しい」ありかたを示し、もって社会秩序の回復、維持を目指した。美子はまさに、主体的に政に参画したのであり、国家もまた、そうした皇后のはたらきに期待した。

もともと宮中での美子は、中国の女訓書、とくに『内訓』を指針とすることで、女性として、皇后としてのありかたを、身をもって周囲に示してきた。それはある意味、天皇家をひとつの家族に見立てたときの妻、母、嫁として望ましきありようだったともいえる。そうした美子の姿が、折にふれ、外に伝わることで、間接的な女性教育ともなりえたわけだが、ここに至って美子は、道徳書の編纂という方法で、国民教育へと自ら乗り出した。その意味で一八七七（明治一〇）年の『明治孝節録』成立およびその公刊は、近代化における皇后にとって、画期となる出来事であった。

六、『明治孝節録』の普及状況

『明治孝節録』が、国民教育に利用されたことは、普及状況からもわかる。越後純子[8]によれば、皇族や政府関係者に下賜されたのち、吉川半七（現在の吉川弘文館）などの書肆に発売が許可され、「一八七八〜一八九三年の間に少なくとも六七三〇部が出版され、教科書としても使用された」という。

いっぽう西谷成憲[9]は、『明治孝節録』の第一・二・四巻が「小学校教科書表」に初めて掲載されたのは一八八〇（明治一三）年度の『文部省第八報』であるものの、巻二は不許可の処分だったという。

この点について中村紀久二[10]は、「奸僧迫りて節婦を殺す図」が、検定の禁止事由の【「風俗ヲ紊乱」「教育上弊害アル」事項】の「ア、男女の『情欲』場面や挿絵、西洋の開放的な恋愛談・場面をかかげるもの」にふれたためであるとする。しかしその後、一八八三（明治一六）年には、師範学校や中学校での全四巻の使用は許可されたことから、西谷は、「『明治孝節録』は口授用書あるいは口授参考書そして小学校教員参考用書として主に使用され、教科用書として使用する場合は巻二を除いた第一、三、四巻を使用対象にしている。女子を対象としても多く使われている点が注目される」と指摘する。

教科書として、『明治孝節録』のもつ扇情性が、まさに問題とされたわけだが、結局のところ、同書が教育現場から排除されることはなかった。師範学校や中学校では、せんの殺害場面も含めて使用され、小学校では巻二のみを除いて教材とされた。その巻二も、教員は口授の参考書として用いた。せんの存在がいかに『明治孝節録』のなかで重要視されていたかがわかる。

教科書としての使用が許容され続けたことは、宮内省のみならず、文部省までもが、貞操を守るためには女性は死を厭うな、と教えていたことを意味する。その教えは、まさに国策の一環であった。

七、『明治孝節録』にみる逸脱する女性

『明治孝節録』が、儒教思想を基盤としていることは間違いない。けれど、わずかではあっても、個としての意思の存在や、自立の可能性を垣間見せる女性像が取られている。この点に、近代化という変革期が、教育にもたらした影響も見て取ることができる。

たとえば、巻一に採録された備中のます女は、どうだろう。

ますは、裁縫の技術により、一家の生計を支え、病気の家族の看病を続ける。従順で、親に孝行を尽くし、姉弟仲もよかったので、嫁にと望む声も多かったものの、ますはまったく受け付けなかった。

やがて、父親が亡くなったので弟に家を継がせ、嫁を迎え、跡取りとなる男子も生まれる。だがしばらくして、嫁が亡くなる。そこでますはひとり、病身の母や弟の看病をしながら甥の世話をする。ひたすら働き続け、わずかながら家産の田畑を手にしたときには、六〇歳になっていた。けれどかかわらず、八〇余歳の老母と弟の看病をし、甥を育てあげ、時間があれば、近くの少女たちに裁縫や機織り、習字や音楽を教えては心の慰めとしていたところ、ますの行いに感じ入った県庁が、彼女を小学校の助教に採用することとなる。

「学校」は、近代化における学制発布により、女性にとっても身近なものとなっていた。『明治孝節録』は、そうした「学校」の存在にふれ、末尾の「附録」でも、学校設立のために乏しい家計のなかから献金した女

性たちを、「貧者の一燈」を思わせる行為として取り上げてもいる。近代化に伴う国民皆学、教育重視の点から、『明治孝節録』は、国民としての女性の育成にも目を配っている。そこに、女性教育を重視していた美子の一面を垣間見ることもできる。

留意したいのは、ますの事蹟が、結果として「家」による支配からの逸脱、経済的精神的自立の可能性を内包していたことである。他家に嫁げば、病床にある実家の家族の生活が成り立たないことを慮って縁談を断った。決して、自ら進んで独り身を選んだわけではない。けれど、働き続け、家族を養い、わずかであっても資産を築き、教育を授ける側の者として助教に採用されたますには、女性の経済的自立の姿を認めることができる。それは、家父長制を背景とした「家」支配から逸脱した女性のありかたともいえる。

家父長制からの逸脱という点では、巻四に登場する美濃の小林某の娘なかも興味深い。なかは、父の転勤で移り住んだ讃岐の高松で、国学・漢学・洋学の三学が盛んであるのを目にする。新しい時代には女性も日々新しくなる道を志すことが必要と考え、一念発起、東京に出て洋学を学ぼうと決心する。両親は娘の志を褒めつつも、女性のひとり旅は危険だとして時機をうかがうよう諭すが、なかは、恐れるに足らずとひとり旅を決行し、東京の鸚鳴塾で英語と数学を学ぶ。こうしたなかの姿を、『明治孝節録』は次のように評す。

> 地方には、婦女ながらかくの如く、父母の膝下をはなれ、千里の遠きに来りて、学問する者もあるを、かへりて輦下(みやこ)に住る女子は、誦読の声をもよそに聞て、弦歌にのみ月日を過し、学校の何物たるをしなぬは、誠にをしむべき事ならずや。
>
> (『明治孝節録』巻四「小林某の女」)

学校で学ぶことのたいせつさ、そして、学ぶ、教える、という経験が、結果として「家」支配からの逸脱にもつながる。親やきょうだいに尽くしたとしても、自らは新たに「家」をなすことには与しない。家父長制に基づく政治体制の維持を目指す為政者にとっては、ある意味、不都合なはずの女性像である。けれど『明治孝節録』は、こうした女性も「善行者」に加えた。

日本の近代化を掲げ、国民皆学を謳うとき、「教育」のたいせつさを伝える彼女たちの姿を、『明治孝節録』も無視することはできなかった。なにより、美子自身が、学ぶこと、教育により自らの可能性を広げ、政に参画する能力を備えるに至った女性であった。その意味で、美子が政策の一環である「教育」に関与するとき、家父長制に基づく国民形成からの逸脱の可能性も、またあったのである。

八、おわりに

『明治孝節録』編纂から一〇年後、美子は、女性の事蹟のみを記した修身書『婦女鑑』を編纂する。和装本六巻六冊、一二〇話からなるその内訳は、日本種三四話、中国種三三話、西洋種五三話である。『明治孝節録』はもちろんのこと、明治天皇による『幼学綱要』にも見られない西洋話を採り、しかもその割合が高い女訓書である。

この『婦女鑑』でとくに注目したいのは、最後に据えられたサンドウキス（ハワイ諸島）王リホリホの妃「加馬馬児（カママル）」の逸話である。

島の女性たちは、一九世紀初頭にキリスト教がもたらされたのを機に、多神教を棄て、キリスト教に帰依した。カママルもキリスト教を信仰するようになり、学問にいそしみ、ついには王である夫を諌め、それまでの「陋習」であった「多妻」を止めさせる。

美子は、儒教の教えのなかでも、とりわけ嫉妬の戒めをたたき込まれてきた。皇子を生む可能性のある天皇の側室たちに嫉妬するなと繰り返し教えられてきた皇后である。

近代国家を目指した日本は、表向きは西欧に習うと謳いながら、天皇と皇后の関係においては、多妾を前提とした一夫一妻多妾制を踏襲していた。「家」の存続、天皇家にあっては男系による皇統の存続が、最優先されたからである。そうした実態からすれば、『婦女鑑』がこのカママルの話を最後に配し、蓄妾の風習を否定したことは画期的と言える。しかもその契機は、キリスト教であった。

西欧と対等な関係による交渉を実現していく上で、多妾の慣習を続けることは、日本の後進性を意味する。信教に関しても、日本の国策であったキリスト教禁止や信徒への弾圧は、諸外国から強く非難された。その結果、一八七三（明治六）年には、キリスト教禁止令は解かれることになる。

カママルの話は、こうした日本政府の方針に合う。とはいえ、『女四書』に代表される儒教の教えを説かれ、自らの血肉としてきた美子が、夫を諌め、多妻、多妾の慣習を陋習として否定する話を採録し、次代を担う女性たちに与えた。それはひとつの転機であった。近代化という時代の変革期に、美子もまたかかわった。

『明治孝節録』から『婦女鑑』へ、皇后美子が編纂した女訓書の存在は、日本の近代化における女性の政治参画と皇后のありかた、さらにその変化を表している。朝鮮の女訓書との類似性だけでなく、近代化が皇后という存在に何をもたらしたのか。教育分野のみならず、それら内実を明らかにしていく必要があろう。

注

1 昭恵王后の生涯については、尹貞蘭著、金容権訳『王妃たちの朝鮮王朝』（二〇一〇年、日本評論社）参照。

2 注1「はじめに」。

3 金多希「儒教社会を生きる女性たち――「列女」と「七去之悪」を手がかりとして――」（『宇都宮大学国際学部研究論集』二〇一四年）引用の記事を私に訳した。

4 注3金論文による。以降、金による指摘は、すべて注3論文。

5 山川三千子『女官』（二〇一七年、講談社）。

6 勝又基「善人伝のゆくえ」（『文学』二〇〇四年一月〜二月、岩波書店）。

7 千葉市美術館編『文明開化の錦絵新聞――東京日々新聞・郵便報知新聞全作品』（二〇〇八年、国書刊行会）。

8 後純子『近代教育と『婦女鑑』の研究』（二〇一六年、吉川弘文館）。

9 西谷成憲「『明治孝節録』に関する研究　明治初期孝子節婦等褒賞との関連において」（『多摩美術大学研究紀要』一九九七年）。

10 中村紀久二『教科書の社会史――明治維新から敗戦まで――』（一九九二年、岩波書店）。

『明治孝節録』の引用については、通読の便を考えて、適宜句読点を施した。なお、皇后美子に関しては、榊原千鶴『烈女伝　勇気をくれる明治の8人』（二〇一四年、三弥井書店）、同『皇后になるということ　美子と明治と教育と』（二〇一九年、三弥井書店）で詳述している。

3 国民国家の形成における「天皇崇敬」

宋 錫源

一、はじめに

前近代の東アジア地域における国際関係が主に中国を中心とした朝貢冊封体制が築かれているなか、日本はこうした朝貢冊封体制の外側に位置しながら、幕藩体制という独自の政治システムを構築していた。江戸幕府の幕藩体制においては、幕府の将軍こそが政治権力の中心をなしていた。朝廷、すなわち天皇や公家の存在と権威は認められていたとはいえ、彼らの活動は「禁中並公家諸法度」[*1]によって厳しく制限されていたからである。したがって、前近代の江戸時代の朝幕関係については、徳川政権の正統性の論拠を中心として、「天命説」と「天皇からの大政委任説」という二つの異なった説明が行われてきた。両説のなかでもっと妥当な説明は何であるかについては、意見が分かれるところではあるが、にもかかわらず江戸時代の現実政治において真の権力者は、天皇ではなく将軍であるということには両説とも認めているといえよう。

しかし、徳川政権は西洋列強の出現の前で政治権力の中心性を喪失し、その代わりに天皇が現実政治の表舞台に登場することになる。前近代の政治システムとは異なる近代の新しい国家づくりにおいては、何よりもまず、天皇の権力と権威の正当性についての説得力のある根拠を提示する必要があった。こうした過程において将軍を頂点とする幕藩体制のいくつかの部分が隠滅され、または公式の評価が著しく低下されるなどの逆転現象が現れたり、あるいはこれまでなかったものが新しく創り出され、または微々たる意味しか持たなかったものが再評価されるなかで新しく意味づけられたりもした。ホブズボウムが「英国という君主国家が儀礼的、かつ公けに示すページェントほど古色豊かで、はるか遠い昔にその起源を遡るものは他にないだろうと考えられている。しかしながら、……その形態の近代性という点から見れば、それは十九世紀後半ないし、二十世紀に創り出されたものなのである」[*2]と言っているような現象が日本においても顕著になったのは明治維新以降になってからであった。伝統的な身分制の撤廃と人の平等が謳われるなか、人の持つ能力の遺憾なき発揮が奨励され、また議会の開設や明治憲法（大日本帝国憲法）の公布などが次々と整えられるようになった。このように近代日本の国民国家づくりにおける優先課題の一つは、これまでの伝統のなかのあるものを隠滅したり、まったく新しいものを伝統として急速に創り出したりすることであった。この場合、「創り出された伝統」という語についてホブズボウムは、「一つには、実際に創り出され、構築され、形式的に制度化された「伝統」であり、さらには、容易に辿ることはできないが、日付を特定できるほど短期間——おそらく数年間——に生まれ、急速に確立された「伝統」を指す」[*3]というように正確な意味を持って用いられていると言っている。

日本の近代期における「新しい伝統」を創り出す作業は、多様な領域に及んでいるが、天皇の政治的中心性にかかわる領域におけるそれはとくに重要な問題であったはずであろう。じっさい、多様な儀礼・制度などが天皇とのかかわりのなかで「新しい伝統」として創り出されてゆくことになったのである。本章では、天皇が政治の表舞台に登場した背景や、その過程で創り出された多様な新しい伝統の論拠と特徴などを探ることによって日本における近代国民国家づくりを再検証してみたい。

二、明治維新までの天皇の位相

明治維新までの日本の政治システムは、中央の江戸幕府の征夷大将軍が実権を掌握し、将軍との間に支配服従の関係で結ばれている地方の大名がそれぞれの領民を支配する「幕藩体制」を主な特徴としている。江戸時代における朝幕関係については、朝廷は幕府によってその行動が厳しく制限されており、徳川家からなる将軍こそが政治権力の中枢をなしていたといえる。じっさい、江戸時代の将軍の政治権力の正当性については、戦国時代の混乱を平定した「戦闘の勝利者こそが、「天命」を受けたものという、戦国の世にふさわしい現実主義的な権力の正当性への理解」[*4]に基づいたものである。徳川政権が安定していくにつれ儒教思想の影響を受けるようになり、将軍の権力の正当性の根拠として天皇による「委任」を強調する傾向が生じたのも事実である。たとえば、尾藤正英は、徳川日本についていわゆる「『役』の体系としての社会組織」[*5]が発達し、個人はそれぞれの組織のなかで職分をつくすことで社会が成り立っていたとする。すなわち、天皇には天皇の「役」があり、将軍には将軍の「役」があるのであるが、天皇の「役」とは国家の君主であることであり、将軍の「役」はその正式な名称からもうかがわれるように「国内の平和な状態を維持し、かつ外敵に対して国家を防衛しうるだけの政治力と軍事力とをもちつづけること」[*6]であると説明している。

さらに尾藤は儒教の世界でもっとも理想的な政治制度としていわれており、かつ荻生徂徠(おぎゅうそらい)も究極の理想系としてあげた古代中国の政治制度に代えて、日本の伝統的な政治制度、すなわち天皇を君主とする国家の制度に置きかえた本居宣長の主張を受け入れつつ、「現実の徳川時代の社会体制は、天皇の祖先神である天照大神の神意にもとづき、天皇から将軍に政治が「委任」されて、さらにその政治の責任が大名以下の武士たちによって分担される、という原理で成り立っているのであるから、大名らの領地や領民は、その私有物ではなく、神や天皇から一時的に預けられたものであることを忘れてはならない」[7]と強調している。つまり、「役」の体系は「委任」論を裏付けるものでもあるのである。こうした「委任」論は寛政改革期の老中松平(まつだいら)定信(さだのぶ)をはじめ幕府側からも説かれるようになった。

しかしながら、こうした「委任」論が説かれるようになったのは早くても江戸時代の後期になってからのことである点に注目すべきであろう。それは、武家政権として発足した徳川日本では儒教が体制イデオロギーとしてついに定着しなかったがためであると[8]いえよう。さらにいわゆる「役」の体系についても、前にも述べた尾藤の説明では将軍の「役」については具体的に述べていることとは対照的に、天皇の「役」については「国家の君主であること」ときわめて簡単に述べているのみであることに注意すべきであろう。尾藤は「禁中並公家諸法度」の「天子御芸能の事、第一御学問なり」という第一条についても、天皇に学問を勧めることにより政治から遠ざけようとする意味のものであったとする従来の通説を批判しながら、原文の客観的な検討に基づいて解釈すべきであると強調している。すなわち第一条の内容はほぼその全文が『禁秘抄(きんぴしょう)』のなかの「諸芸能事」と題された章からの引用文によって構成されたものであって、唐代の『貞観政要(じょうがんせいよう)』や『群書治要(ぐんしょちよう)』などの書籍を読みながら為政者たる君主として身につけておくべき学問であって、決して非政治的な性格のものではなかった[9]と、尾藤はいっているのである。

しかしながら、天皇は、尾藤がいっているように「決して非政治的な性格のものではない学問」を身につけるだけでよいのであろうか。つまり、天皇は身につけた学問を現実政治の表舞台でいかに活用していくべきか、あるいは身につけた学問が現実政治に影響した実態について尾藤は具体的にいかなる言及もしていない。さらに尾藤の主張からは、そもそも「君主にふさわしい教養を身につけること」を天皇じしんではなく、幕府が定めた法度によって決められるという事態と、江戸幕府の発足初期における後陽成天皇の退位やそれに続く幕府による朝廷の人事への介入などは説明できないはずであろう。したがって、「禁中並公家諸法度」は第一条だけではなく、全文を分析する必要があるのであって、なかでもとくに第四条の「朝廷内部の意志を統括するところの関白以下の役職には「器用」な人材を登用すること」、第五条の「仮に老年でも再任は差し支えない」という規定は、幕府に必要が生じればその人選に介入できることを意味するものとして注目されていい。また関白・武家伝奏らの命に背く公家は流罪に処す（第一一条）と定め、彼らの権限を幕府が背後から保証しているのである。朝廷内部の席次については、たとえ親王であっても、摂政・関白・三大臣の下位になることを規定した（第二条）。こうして禁中並公家諸法度は、幕府が人事に介入できる役人を天皇の親族よりも上位に付けることによって朝廷内で天皇が孤立することを制度的に保障しているのである。[*10]

このようにして天皇は現実政治から隔離され、尊王と君臣の道はおのずと「佐幕」に収斂する仕組みになっていた。「今日之官位は、朝廷より任じ下され、従三位中納言源朝臣と称するからは、これ全く朝廷の臣なり。……然ればいかなる不測の変ありて、保元・平治・承久・元弘のごとき事出来りて、官兵を催される事ある時は、いつとても官軍に属すべし。一門の好みを思ふて、かりにも朝廷にむかふて弓を引く事あるべからず」という徳川吉通の言葉[*11]は、朝廷が一門の好みを超えて忠誠をつくさねばならない存在であることを確認するものではあるが、このこともまた徳川体制が安定し、儒教の政治的イデオロギーが統治の手段として重んじられるようになった時期の認識であるといえよう。このように幕府の対朝廷政策は、何よりもまず、天皇を政治から隔離することであった。

じっさい天皇を物理的に御所から一歩も外へ出さないことにまで及んでいたために、民衆は崇敬の対象としての天皇像を持つことはもとより、日常的に天皇を意識することも困難であった。勤王の志に身を捧げ、京都三条の橋上において皇居を伏拝したことで有名な高山彦九郎も、当時の人々にとってはただの「奇人」としてしか受け入れなかった。また一七八七（天明七）年六月、天明飢饉に際して一万を超える老若男女が御所の築地塀の周りを回って歩きながら御所に向かって「難渋祈願」「豊作祈願」をする「千度参り」もあったものの、こうした行動もまた京都もしくは機内地方に特有な地方的現象に過ぎず、結果的に民衆の要求が天皇に到達する有効な政治的回路は存在しなかったのである。[*12] したがって、「『奇跡のような不可思議』に満ちた天皇中心の輝かしい公式の歴史とは異なって、『真の歴史の始まりから現在住んでいる人々の記憶の中にある時代に至るまで如何なる人々も日本人のように君主をむやみに扱うことはなかった。天皇は廃位されたり、暗殺されたりしてきた。数世紀の間、すべての皇位継承は陰謀や血生臭い戦いのきっかけとなった。流刑に処された天皇も、放浪中に殺された天皇もいた。天皇が干し物に隠れて遥か遠い流刑の島から逃げ出したこともあった』[*13]」と、チェンバレン（B. H. Chamberlain）が指摘しているように、天皇は一般民衆からまったくと言っていいほど意識されることはなかった。

これとは対照的に、江戸時代の政治体制の中心をなしていたのは将軍であった。将軍のもつ権力は戦国時代の混乱を平定した彼じしんの実力に基づいたものであった。じっさい、将軍の権力の強大さを表す「御威光」が斯くのごとく厳しく誇示されたのは、天皇ではなく彼じしんこそが現実政治における真の支配者であることを常に示さなければならなかったがためであるといえよう。「行列の時代」とも呼ばれるほど度重なる参勤交代や将軍家の菩提寺である上野寛永寺（かんえいじ）、芝増上寺（ぞうじょうじ）への将軍の御成、徳川家康を祀る日光東照宮へ

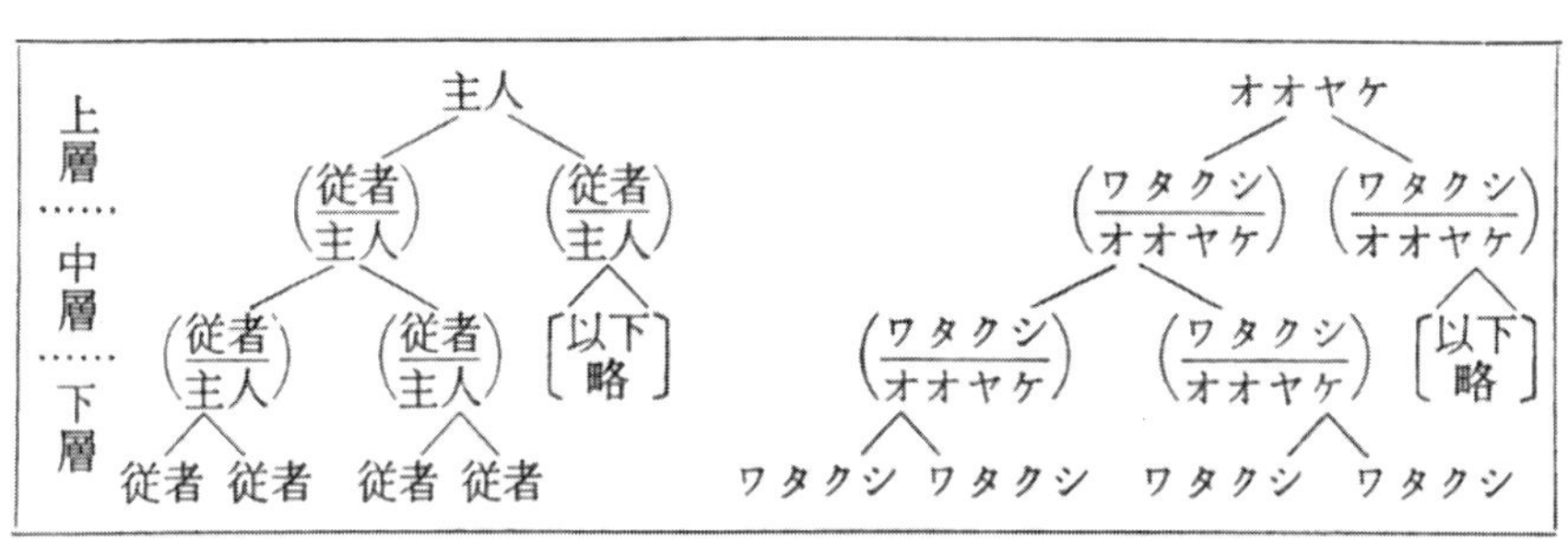

図1　日本社会における重層的な支配服従関係
（有賀喜左衛門「公と私―義理と人情」、『有賀喜左衛門著作集 IV』未来社、1967、232頁より）

の将軍の社参りなどが行われるなかで、行列そのものは厳しく規制されたのである。「当日は明方から道筋の町々で火を起こすことは禁止され、人々は暗い内に朝食を済ませた。道筋の二階は窓を閉め、戸の合わせには半紙を張った。しんと静まりかえった町や武家屋敷の間を、ひたひたと長大な行列が通過していったのである。通過の瞬間、大名屋敷内では大名が道の方角に平伏した。見通しもきかぬ脇道で木戸を守り、通行を止めている者達も、通報とともに「皆几を下りて地に伏」した」[*14]という指摘が示しているように、とくに将軍の御成の行列の威厳はすさまじいものであった。

一方、江戸時代の支配服従の構造は、天―将軍―大名―人民というように重層的に成立していた。たとえ大名であるとはいえ、大名―領民からなるレベルの層位においては領民の忠誠の対象になったものの、より上位の構造、すなわち将軍―大名のレベルの層位においては将軍に忠誠をつくさねばならない存在であった。大名を「主人」とするレベルの層位では大名の「御家」の思想が、将軍が「主人」であり大名が「従者」であるレベルの層位では「仁政」の思想が通用されたといえる。大名は一応独立して所領の政治を行っているものの、それは江戸の法度に従ってなされなければならなかったのである。換言すれば、国・人民を大名の家産としてみなし、大名個人はそれを祖先から預けられたもので子孫へ伝えて行かねばならないものであるとされながらも、それと同時に、国・人民はそもそも天―将軍―大名という身分的序列を通して預けられたものであるとされたのである。[*15] さらに人民のレベルでは、たとえばイエの場合、イエの構成員にとってはイエ全体にかかわるものがまず「公」であり、次にイエを代表する家長が「公」なのであり、家連合の一類型である同族団をみると、同族団の構成員にとっては本家にかかわるものすべてがまず「公」であり、次に同族団を代表する本家の主人、つまり親方が「公」なのである。[*16] したがって、こうした重層的な階層構造においては中層の主人は自分が管轄する領域内の一切を統治する権限をもつ一方で、その結果に対しては上層の主人から責任を負わされているのである。したがって、前に述べた将軍の「御威光」が発揮される御成に際しては、大名も御成の道の方角に向かって平伏しなければならなかったのである。こうした日本社会における重層的構造を図で示すと、[図1]のようになる。こうした徳川時代の重層的な支配服従関係において将軍は、「従者」の性格を持たず、もっぱら「主人」の性格しかもたぬ存在、すなわち「最上位の主人＝オオヤケ」にほかならなかった。

三、明治維新と天皇：天皇親政と天皇超政の狭間で

明治維新は、政治の表舞台に立つことのなかった、あるいは立つことのできなかった天皇が華やかに政治の中心性を獲得したうえで政治の正面に登場したことを意味するものであるといえよう。すなわち天皇は、将軍に代わって日本社会における重層的な支配服従関係において、「従者」の性格を持たず、もっぱら「主人」の性格しかもたぬ存在、すなわち「最上位の主人＝オオヤケ」の位相を獲得した。しかし、こうした変革は

天皇や朝廷が自前の力で実現させたものではなかった。[17]それゆえに天皇が「一君」として政治の頂点に立っていることを披露することが必要であった。江戸時代には徹底的に一般民衆から隔離されていた天皇はそれゆえに見えない存在であったが、民衆の前に姿を見せることによって幕府が設けた障壁を打ち破って自分こそが「万民」を統治する「一君」であることを示した。こうした過程でいくつかの「新しい伝統」が発明され、またいくつかの「過去」は忘却されることとなった。発明されたり忘却されたりしたものは、ほとんどが天皇とのかかわりにおいてのことであったことは注意されてよいのであろう。とくに明治天皇に特別な意味づけが行われるのは、まさにこれがためであろう。

鶴見俊輔は、自分の著書のなかに、一八七七年の西郷隆盛が起こした反乱を鎮圧するために徴集された農民たちは天皇がいかなる存在であるかについてまったく無知であったことを示す農民の会見文を載せている。[18]こうした状況のなかでは、何よりもまず発明せねばならないことは、将軍に代わって天皇こそが政治権力を独占している「最上位の主人」としてのただ一人の君主、つまり「一君」であることを示すことにほかならなかった。国家儀礼や国慶節の制定が天皇を中心として国家の過去を想起させる記憶――逆説的にも過去にまったく存在しなかった記憶――を構成することに寄与した。[19]じっさい、ほとんどの皇室祭祀は明治維新以後の発明品であって、さらに天皇が直接行った一三個にも及ぶ儀礼のなかで古来からの起源を有する新嘗祭と神嘗祭を除く一一個は歴史的な前例がまったくないものであった。[20]また国慶節の制定も一八七三年、神武天皇節と天長節（明治天皇の誕生日）の制定から始まって次々と追加されていった。国家儀礼のなかで天皇とその家族を民衆の前に直接露出する大規模な皇室ページェントが行われた。皇室ページェントの一環としての天皇の巡幸[21]は民衆に天皇を可視的な存在であると同時に天皇こそが政治権力の独占者であることを認識させるうえで重要な役割を果したといえる。

さらに天皇の現実政治へのかかわりを考えるに際して最も重要なことの一つは、明治憲法の制定であろう。明治憲法は、第一条で「大日本帝国ハ万世一系ノ天皇之ヲ統治ス」と宣言しており、天皇親政を謳っているのは明らかである。日本の社会構造のなかで「最上位の主人」である天皇が直接統治することは当然であると考えられた。多様な国家儀礼の創造をはじめ度重なる大巡幸を行ったのも天皇を可視的な存在とし、天皇親政の基礎を固めるためであり、明治憲法は天皇の親政を公式化したものであった。しかしながら、川口暁弘が指摘しているように、天皇親政を支配の正当性として掲げることによって、じつは明治憲法はいくつかの問題点、すなわち条文どおりに運用できないこと、はじめから解釈改憲を余儀なくされたこと、護憲論が強くなると機能不全を起こすこと、など三つの構造上の欠陥[*22]があった。

こうした皇室ページェントや明治憲法の制定などを通して天皇の権力は民衆に可視化され、かつ刻印されていった。民衆にとって天皇の権威・権力は「親近感」と「距離感」をあわせもつものであった。一般的に、政治権力の正当化には支配者と被支配者との間のある程度の「距離感」と「親近感」とが必要である。「距離感」とは、一般の民衆からは到底及びそうもない卓越性を有しているがゆえに支配者のもつ権力の正当性を認めようとするものである。また「親近感」とは、民衆の日常生活をよく理解しており、民衆と同時代人の感覚を共有していることからお互い密接に「つながっている」という感覚のことであるといえる。いわゆる大衆天皇論とは圧倒的な「親近感」に基づいた天皇観であろう。明治憲法の条文にある「万世一系ノ天皇」（第一条）、「天皇ハ神聖ニシテ侵スヘカラス」（第三条）などは「距離感」を明確に表している。さらに多様な国家儀礼や巡幸などの国家ページェントが支配者・天皇と被支配者・国民（臣民）との間の「親近感」を高めるために行われたはずであるものの、こうした儀礼もまた厳格な規律でもって行われることになり「距離感」を体現する契機にもなった。玉簾の裏側から人前に出てきた天皇は依然として圧倒的な「距離感」で民衆と隔たった存在であった。江戸時代に「御威光」に基づいて統治した将軍がそうであったように、明治時代の「侵スヘカラス」存在としての天皇もまた民衆とそう簡単に触れ合うことはできなかった。[*23]

幕藩体制から明治国家への転換、すなわち「一君」が将軍から天皇へと変わるからには、天皇親政は不可避な選択であった。しかし、明治憲法は、不磨、つまり「すりへらない」大法典とされたし、やがて憲法と国体を同一視する国体憲法論が主張されたりもしたが、まさに天皇親政を掲げたゆえの重大な欠点を露呈せざるを得なかった。さらに「神聖ニシテ侵スヘカラス」存在としての天皇の現実政治における失敗はありえなかった。天皇の失敗は明治国家の失敗につながりかねなかったからである。このように明治憲法は、決して条文とおりに運用することはできなかった。したがって天皇の失敗を事前に防ぐために天皇に代わってほかの誰かに政治を任せ、天皇は政治から一歩身を引いて超越した存在になるしかなかった。理念としての天皇親政に代わる実態としての天皇超政である。[*24]

一方、とくに天皇と民衆とが大規模な家連合=同族団として結ばれているという家族国家観[*25]を打ち出し、かつそうした同族団の重層的な系譜関係において天皇は常に「最上位の主人」として民衆の限りない忠誠の対象になる国家単位の「家元」とされた。[*26] 家族国家観は、天皇と民衆を家族的関係で結合させていることから、両者の間の「親近感」をアピールするものではあるが、じっさいは厳格な系譜関係による「距離感」を表すものでもあるといえる。こうしたなかで、「教育勅語」と「軍人勅諭」は、天皇と民衆の間における「親近感」と「距離感」との微妙なバランスのうえに天皇の「神聖性」を民衆に教え込むために考案されたものであるといえる。

四、天皇の神聖性と天皇崇敬

前節では、明治維新によって天皇が将軍に代わって政治の表舞台に登場したことの意味について述べてきたが、明治維新は、また神道の復興としての意味もあわせもっているといえる。そしてこのことこそが徳川時代にはまったく存在感を見せていなかった天皇が、明治維新以降、圧倒的な存在感とともに民衆の前に立ち現れるようになった理由であろう。すでに述べたように、厳格な身分制と強力な規制に基づいた「御威光」によって統治した徳川時代とは対照的に、明治時代は日本の国民国家づくりに当たる時期で身分制の打破と「一君」としての天皇の可視化を図ってきた。また明治日本は支配の正当性の根源としての「親近感」と「距離感」とを適切に調合した統治システムを形成していった。そのなかでも、天皇と一般民衆との間の「距離感」は、何よりもまず、天皇じしんを「神聖ニシテ侵スヘカラス」とした明治憲法の規定によるものであるといえる。しかしながら、民衆が天皇の政治権力を受け入れることになるには憲法上の規定だけでは完結されない。憲法の条文に天皇が「神聖ニシテ侵スヘカラス」存在であるといくら書き込まれていても、これまで民衆の日常生活から隔離されていた天皇の「神聖性」が多様な方面で確認されることが必要であるからであろう。

したがって、明治政府は天皇の「神聖性」を強調、強化する方策を模索していかざるを得なかった。「御真影」の制作と普及・明治神宮の造営・『明治天皇紀』の編纂・聖蹟の指定や保存などを通じた明治天皇を偉大な君主として神格化するいわゆる「明治大帝論」[*27]はまさに天皇の「神聖性」を集約したものであるといえる。「御真影」は明治天皇の肖像で、普通は奉安殿に納めているが、祝祭日の行事のときに取り出して民衆に披露した。また一九一二(明治四五)年七月三〇日の明治天皇の死後にも明治天皇への神格化はいっそう強まってゆくことになる。すなわち、明治天皇を祀る明治神宮が一九二〇（大正九）年一一月一日に、明治時代の全歴史を叙述した歴史書としての『明治天皇紀』が一九三三（昭和八）年九月三〇日に、それぞれ完成されることになる。また明治天皇が行幸などで立ち寄った場所も聖なる場所、つまり聖蹟として指定しては保存してゆくことになる。明治憲法について、そもそも改憲自体が不可能であるのは、それがほかならぬ明治大帝が作って下賜したものであるからであるという論理もまた明治天皇の神聖性に基づいたものであるといえよう。

しかしながら、天皇の神聖性を強化するに際して、何よりもまず、それが「神聖」である以上、宗教の活用は不可欠であった。国家神道が創り出されたゆえんである。この場合、天皇は、皇祖神である天照大神を祀る伊勢神宮とともに、国家神道の頂点にある神聖な存在であった。明治維新は、まさに前近代から近代への時代変化が行われ、日本をして西欧化や文明化を旗印にした近代国家づくりに突き進めた一大転換点であった。しかしながら、こうした時代変化のなかでの一般民衆の心理的な動揺は、じつに著しいものであった。宗教が重要な意味を帯びるようになったのは、このような民衆の心理的な動揺に適切に対応できるのは宗教以外になかったからであろう。したがって、じっさい一八一四（文化一一）年の黒住教をはじめ、一八三八（天保九）年の天理教、一八五九（安政六）年の金光教、一八九二（明治二五）年の大本教などの新興宗教が次々と誕生することになる一方で、キリスト教の公認を求める声も勢いを増していった。また既存の宗教も時代の変化とそれを背景にした民衆の期待に応えるべく改革に乗り出すことになった。その最も重要な改革は神道におけるそれであった。国家神道の誕生であるが、ミカド＝帝崇拝と日本崇拝という国家神道が、遠い昔からあったものであるかのように説明したりはしていたものの、じつはきわめて最近になって発明されたものであるのは言うまでもない。*28

村上重良は、国家神道について〝日本の民族宗教の特徴を、一九世紀後半以来の約八〇年間にわたって、復活し再現した宗教的政治的制度であった。民族宗教は、集団の祭祀であり、そこでは宗教集団と社会集団が一体であったから、宗教集団への参加は、自然形成的であるとともに強制的であった。国家神道は、集団の祭祀としての伝統をうけついできた神社神道を、皇室神道と結びつけ、皇室神道によって再編成し統一することによって成立した。民族宗教の集団的性格は、国家的規模に拡大され、国民にたいしては、国家の指導理念である国体への無条件の忠誠が要求された。国家神道の教義は、そのまま国民精神であるとされた〟[*29]と指摘している。すなわち、神社神道と皇室神道の結びつきとその教義への国民精神としての位置づけによって国家神道は成立したといえる。明治維新後、神道に唯一正統な「教＝治教」としての地位を与え、それを国民に宣布する「神道国教化」を目指した政策[*30]が推し進められた。

島薗進が適切に指摘しているように、近代日本の宗教事情は、国家にかかわる「治教」と「祭祀」を司り、神聖天皇崇敬と密接に結びついた国家神道と、人々の救いや生死や私的日常生活にかかわる諸「宗教（教義）」が二重構造をなしているものの、国家の精神的秩序という枠を作るうえでは国家神道と神聖天皇崇敬に優位が与えられたのである。[*31] こうして「神道国教化」の下でいかなる宗教・宗派も天皇を中心とする国家建設に協力しなければならない体制が整備されたのである。一八七二（明治五）年、教部省と大教院が教導職に達した「敬神愛国ノ旨ヲ体スヘキ事」、「天理人道ヲ明ニスヘキ事」、「皇上ヲ奉戴シ朝旨ヲ遵守セシムヘキ事」などからなる「三条の教則」は、まさに天皇制国家の宗教的・政治的イデオロギーを集約したものであるといえる。天皇が神聖な存在として位置づけられたうえで、そのような存在として崇敬されるシステムが明治維新後の日本の国家体制の基軸となった。したがって、国家の精神的秩序の枠を超えて、変革を主張することは、いかなる宗教や宗派、あるいは宗教者であろうが抑圧を受けることを覚悟しなければならなかった。[*32]

このように天皇、とくに明治天皇の「神聖性」は、現実政治では明治憲法によって、また宗教上では国家神道の形成によって確立された。[*33] 天皇は「神聖性」を有するがゆえに、天皇は民衆にとって崇敬の対象になり、まさに徳川時代の将軍の「御威光」さながらの厳格さをもつようになった。

神聖天皇崇敬をベースにした「神権的国体論[*34]」においては、前述した国家儀礼の多くが神道化された。とくに即位の礼をはじめとする皇室儀礼が賢所・皇霊殿・神殿などの「宮中三殿」で行われたのは、儀礼の神秘さを際立たせた。天皇の神聖性を民衆に教え込んでいく際には、学校や軍隊が大きな役割を果たしたのであるが、たとえば学校では教育勅語が行事で奉読され、暗唱させられ、修身の授業でそれに沿った思考と行動の規範が教えられる[*35]など、教育もまた強力な宗教的な色彩を帯びるようになった。民衆は教育を通じて天皇や国に忠誠をつくすべく教え込まれていったが、このことは帝国日本の大衆動員を容易にする結果につながった。しかしながら、神聖天皇崇敬という天皇制国体システムも、また天皇と国家に対する民衆の忠誠と愛国も、明治維新以降、創り出された「新しい伝統」にほかならなかった。

五、おわりに

明治維新は、あらゆる側面において日本歴史上の一大転換点であったといえる。天皇が「統治権ヲ総攬」する存在として現実政治の表舞台に登場し、また「神聖ニシテ侵スヘカラス」と神聖性までもが明治憲法によって公式に保障された。「統治権ヲ総攬」する天皇とは天皇の親政を明らかにするものではあるが、同時に「神聖」な存在としての天皇の政治的失敗は国家の失敗に直結することから、理念としての天皇親政に代わる実態としての天皇超政が行われるようになった。天皇が神聖な存在であるということは、明治憲法の規定のみならず、神聖天皇崇敬に結びついた天皇制国体イデオロギーによって確認され・強化されていった。このように政治と宗教は、天皇の神聖性を表すうえで密接に結びついた。

しかしながら、現実政治における実態としての天皇超政は、天皇に代わって現実政治の実務を担当する者たちが政治的な専横を起こす背景になった。[*36] また国家神道をベースにした「神権的国体論」は、帝国的侵略主義を許すのみならず、そうした国策に民衆を動員していった。その結果は、一九四五年の敗戦という「国家の失敗」にほかならなかった。「国家の失敗」を未然に防ぐために講じられた方策が「国家の失敗」につながったというのは、アイロニーとしか言いようがない。したがって、日本を占領したアメリカが日本の非軍事化と民主化を主な柱とする占領政策を推し進めるに際して、何よりもまず、教育勅語の禁止や国家神道の廃止を打ち出したのは、[*37] 天皇から神聖性を取り除くことが先決課題であると考えたからであろう。

神聖天皇崇敬は明治時代に新しく創り出されたもので、敗戦によって天皇の神聖性が天皇じしんのいわゆる「人間宣言」と占領軍による国家神道の廃止によって否定されるようになったのであるが、新しく創り出されて約一五〇年程度経過した今日においてもなお、たとえば日本会議・神道政治連盟・神社本庁などによる「国家神道復興運動」[*38] が推し進められているように、政治や宗教の場のなかで依然として懸案になっている。しかしながら、こうした「国家神道復興運動」は、まさに自国中心主義の表れであるといえるのであろうが、グローバル化に伴ってトランスナショナリズム（transnationalism）が拡大される一方で、そのことへの反動としてのエスノ・ナショナリズム（ethno-nationalism）に縛りつこうとする姿が浮かび上がってくる。[*39] かつて神聖天皇崇敬をベースにした近代日本のエスノ・ナショナリズムはウルトラナショナリズム（ultra-nationalism）に転化し、最終的には「国家の失敗」を招来した。したがって、現代日本における「国家神道復興運動」の行方もまた注目せねばならないであろう。

注

1 金地院崇伝が執筆した草案をもとに成文化された基本法として一六一五年に公布されたもので、全一七条からなっている。

2 エリック・ホブズボウム・テレンス・レンジャー編(前川啓治・梶原景昭ほか訳)『創られた伝統』(紀伊国屋書店、一九九二年)、九頁。

3 上掲書、一〇頁。

4 大口勇次郎「国家意識と天皇」(朝尾直弘・網野善彦・石井進・鹿野政直・早川庄八・安丸良夫『岩波講座 日本通史 第15巻 近世5』岩波書店、一九九五年)、一九三頁。

5 尾藤正英『江戸時代とはなにか:日本史上の近世と近代』(岩波書店、一九九二年)、四〇頁。

6 上掲書、三九頁。

7 上掲書、四九~五〇頁。

8 原武史『直訴と王権:朝鮮・日本の「一君万民」思想史』(朝日新聞社、一九九六年)、一〇一頁。

9 尾藤正英、前掲書、五一頁。

10 大口勇次郎、前掲論文、一九七頁。

11 『円覚院様御伝十五箇条』(名古屋叢書、三三頁)。田原嗣郎、「「仁政」の思想と「御家」の思想:幕藩制政治思想の矛盾的構成」(『思想』六三三号、一九七七年三月、七七頁)から再引用。なお、徳川吉通は幕府筆頭御三家である尾州藩の四代目藩主である。

12 大口勇次郎、前掲論文、二〇六頁。

13 B. H. Chamberlain, *The Invention of a New Religion*, London: Watts and Co., 1912, p.6. 다카시 후지타니（フジタニ・タカシ、한석정 역),『화려한 군주 : 근대일본의 권력과 국가의례』, 이산, 2003, pp.21-22 から再引用。

14 松浦静山（中村幸彦ほか校訂）『甲子夜話』（巻三六）四（平凡社、一九七八年、三〇四頁）。渡辺浩『東アジアの王権と思想』（東京大学出版会、一九九七年、二五頁）から再引用。

15 田原嗣郎、前掲論文、七三頁。

16 したがって、たとえば譜代の家臣は、将軍家の「私」の家来であると同時に幕府の「公」の職務を担当した。家来・家の子・家臣・家老などの言葉は、公的関係と私的関係とを混交させた形態を示していた（有賀喜左衛門「ワタクシ（私）―オオヤケ（公）との関係において」、『有賀喜左衛門著作集Ⅳ』未来社、一九六七年、二七九～八〇頁）。

17 じっさい「一君万民」を唱えたのは天皇じしんではなく、尊王攘夷思想を掲げた志士であった。原武史、前掲書、一六三頁。

18 それによると、〝天皇が将軍の座に座ったという噂があるのだが、彼はいったいどういう人なんだろうか。狂言に出てくるように金冠をかぶって袖が長い金箔の錦を纏っている人に違いないだろう〟とおばあさんたちはいっていたという（鶴見俊輔、『御維新の嵐』改訂版、筑摩書房、一九七七年、二八〇頁）。

19 다카시 후지타니（한석정 역）、前掲書、三三頁。

20 村上重良『天皇の祭祀』（岩波書店、一九七七年）、七五頁。

21 原武史は、天皇が御所の外に出るようになったのは、近世では孝明天皇からであるが、その範囲はせいぜい京都周辺にとどまっていたが、明治天皇は一八六八年三月に大坂へ行ったのに続き、同年一一月には史上初めて東海道を東上して江戸城に入城し、その後も度重なる大巡幸を矢継ぎ早に実施していると指摘している(原武史、前掲書、一六四頁)。

22 川口暁弘『ふたつの憲法と日本人―戦前・戦後の憲法観』(吉川弘文館、二〇一七年)、一二頁。

23 原武史は、鉄道が果たした「装置」としての役割に注目しながら、一八八〇年代までの輿や馬車を主体とした行幸では、人々は天皇の具体的な視線を意識しながら、その行列を仰ぐことができたが、鉄道による行幸では、その速さのために、天皇が見ているという意識をもつことができなくなり、また実際に見ている、見ていないにかかわらず、お召列車に向かっての「奉拝」が沿線の各駅で強制され、天皇の聖性が一段と高まったのである、と指摘している(原武史、前掲書、一七七頁)。

24 上掲書、一二~一九頁。

25 井上哲次郎は、「総合家族制度」の概念を提起しながら「天皇は一大家族制度の家長」「君主は臣民の父母」であると述べている(井上哲次郎『国民道徳概論』三省堂書店、一九一二年、二一三~二一四頁)。なお家族国家観については、伊藤幹治『家族国家観の人類学』(ミネルヴァ書房、一九八二年)参照。

26 F.L.K.シュー(作田啓一・浜口恵俊訳)『比較文明社会論―クラン・カスト・クラブ・家元』(培風館、一九七一年)参照。

27 川口暁弘、前掲書、三六~六一頁。

28 다카시 후지타니(한석정 역)、前掲書、二一頁。

29 村上重良『国家神道』(岩波書店(岩波新書)、一九七〇年)、二二三頁。

30 島薗進『戦後日本と国家神道:天皇崇敬をめぐる宗教と政治』(岩波書店、二〇二一年)、二〇頁。

31 上掲書、三一頁。

32 一八九一(明治二四)年に起きた内村鑑三の「不敬事件」はその典型的な実例の一つであろう。

33 明治憲法が天壌無窮の神勅による神聖な権威を継承する天皇の神道祭祀を経て公布されたのは、天皇じしんの神聖性が政治と宗教の両輪に立脚しているからであるといえる。

34 佐藤幸治『立憲主義について：成立過程と現代』（左右社、二〇一五年）参照。

35 島薗進、前掲書、七七頁。

36 川口暁弘は、天皇に代わって現実政治の表舞台で天皇超政を担当したのは、明治期の藩閥政治家、大正期の政党政治家、昭和期の軍部である、と指摘している（川口暁弘、前掲書、一六頁）。

37 じっさい、一九四五（昭和二〇）年一二月一五日にGHQから出された国家神道の廃止を命じる「神道指令」では、指令を出す理由について次のように述べている。「国家指定ノ宗教乃至祭式ニ対スル信仰或ハ信仰告白ノ（直接的或ハ間接的）強制ヨリ日本国民ヲ解放スル為ニ戦争犯罪、敗北、苦悩、困窮及ビ現在ノ悲惨ナル状態ヲ招来セル「イデオロギー」ニ対スル強制的財政援助ヨリ生ズル日本国民ノ経済的負担ヲ取リ除ク為ニ神道ノ教理並ニ信仰ヲ歪曲シテ日本国民ヲ欺キ侵略戦争ヘ誘導スルタメニ意図サレタ軍国主義的並ニ過激ナル国家主義的宣伝ニ利用スルガ如キコトノ再ビ起ルコトヲ防止スル為ニ再教育ニ依ッテ国民生活ヲ更新シ永久ノ平和及民主主義ノ理想ニ基礎ヲ置ク新日本建設ヲ実現セシムル計画ニ対シテ日本国民ヲ援助スル為ニ茲ニ左ノ指令ヲ発ス」。

38 このことに関しては、島薗進、前掲書、二六九〜三一三頁参照。

39 たとえばイグナティエフは「グローバリズムは我々のアイデンティティの表層で特殊性を洗い流し、表層の洗い流しを免れる内面的な違い——言語、メンタリティー、神話、そして幻想——の、ますます独断的な擁護へと我々を押し戻す。グローバリズムが我々をより緊密に結びつけ、皆を隣人同士にさせ、民族的あるいは地域的な消費スタイルによって区分けされたアイデンティティの古い境界を消滅させるにつれて、反動として人は残されるぎりぎりの違いにしがみつく」と指摘している（マイケル・イグナティエフ（真野明裕訳）『仁義なき戦場：民族紛争と現代人の倫理』毎日新聞社、一九九九、七五〜七六頁）。

文献調査

有賀喜左衛門「公と私―義理と人情」(『有賀喜左衛門著作集Ⅳ』未来社、一九六七年)。

有賀喜左衛門「ワタクシ(私―オオヤケ)(公)との関係において」(『有賀喜左衛門著作集Ⅳ』未来社、一九六七年)。

井上哲次郎『国民道徳概論』(三省堂書店、一九一二年)。

伊藤幹治『家族国家観の人類学』(ミネルヴァ書房、一九八二年)。

エリック・ホブズボウム・テレンス・レンジャー編(前川啓治・梶原景昭他訳)『創られた伝統』(紀伊国屋書店、一九九二年)。

大口勇次郎「国家意識と天皇」(朝尾直弘・網野善彦・石井進・鹿野政直・早川庄八・安丸良夫『岩波講座 日本通史 第15巻 近世5』岩波書店、一九九五年)。

川口暁弘『ふたつの憲法と日本人―戦前・戦後の憲法観』(吉川弘文館、二〇一七年)。

佐藤幸治『立憲主義について:成立過程と現代』(左右社、二〇一五年)。

島薗進『戦後日本と国家神道:天皇崇敬をめぐる宗教と政治』(岩波書店、二〇二一年)。

田原嗣郎「「仁政」の思想と「御家」の思想:幕藩制政治思想の矛盾的構成」(『思想』六三三号、一九七七年三月)。

鶴見俊輔『御維新の嵐』改訂版(筑摩書房、一九七七年)。

原武史『直訴と王権:朝鮮・日本の「一君万民」思想史』(朝日新聞社、一九九六年)。

尾藤正英『江戸時代とはなにか:日本史上の近世と近代』(岩波書店、一九九二年)。

マイケル・イグナティエフ(真野明裕訳)『仁義なき戦場:民族紛争と現代人の倫理』(毎日新聞社、一九九九年)。

村上重良『国家神道』(岩波書店(岩波新書)、一九七〇年)。

村上重良『天皇の祭祀』(岩波書店、一九七七年)。

渡辺浩『東アジアの王権と思想』(東京大学出版会、一九九七年)。
F. L. K. シュー(作田啓一・浜口恵俊訳)『比較文明社会論—クラン・カスト・クラブ・家元』(培風館、一九七一年)。
다카시 후지타니(フジタニ・タカシ、한석정 역)『화려한 군주 : 근대일본의 권력과 국가의례』(이산、二〇〇三年)。

4

勅題の応用とそれによるコミュニケーションの問題

歌会始の外縁に注目して

松澤俊二

一、はじめに

いわゆる歌会始については、[*1]その儀礼が人々に〈天皇制国家思想への浸透〉を促し、〈天皇への忠誠心を助長させ〉てきたこと、[*2]〈「臣民」を生み出し、年年歳歳、天皇制を産出するシステム〉として機能してきたことが指摘されてきた。[*3]また、それは〈天皇―国民〉、〈帝王―臣民〉の関係を明示し、[*4]かつ、その場に寄せられた多くの歌は〈歌会の最後に披露される天皇の「大御歌」という頂点に裾野を作ってつながり「君民一体」を表象〉するという。[*5]

しかし、戦前期の新聞や雑誌等の記事を見ると、歌会始の外縁が思いのほか広かったことに気づかされる。たとえば勅題、これは年々の歌会始で天皇が指定する歌題だが、それを俳句や漢詩などで詠むものがいた。それを描いたり、適合する風景を写真に撮影したりするものもいた。また、それにちなんだ菓子や料理をこしらえるものもいた。このように和歌の詠進をせずとも、何らかのかたちで勅題に関わろうとするものは多かった。それぞれの仕方で、おそらく多様な動機から、歌会始の外縁に連なるこの人たちに対しても天皇制国家思想浸潤の効果は等しく働くものだろうか。先行諸氏の見解に対してはこのような疑問も浮かぶ。

確かに、歌会始という宮中儀礼やその場に和歌を詠進する人々とその行為に注目するならば、先行諸氏の見解は説得力を持つ。しかし市井の人々が試みた勅題の多様な表現については、その見解をそのまま踏襲することはできない。というよりも、研究者はそうした営為をほとんど見過ごしてきたと言うのが実状だった。[*6] それは一つには、「歌会始」の語が研究者の目を作歌――詠進行為のみに向けさせてきたからだし、また、既存の「文学」や「芸術」研究の言葉が、多く専門家ならざる人が勅題に応じてつくった一見オリジナリティや洗練を欠くかと危惧される諸表現を捉え損ねてきたからだとも言えるだろう。そこで本章は、人々と歌会始との多様な関わり方、とくに文芸や諸芸、生活における豊富な勅題表現を対象に検討を進めたい。

検討の手順としては、まず和歌の詠進が天皇と人々を結ぶものとして認知されるに至った経緯を簡単にさらい、そのコミュニケーション行為の特質について確認する。さらに、戦前期の新聞や雑誌記事等に現れた人々の勅題表現を順次取り上げ、作品や商品の発現の仕方、受容のされ方を明らかにする。またこの作業では、和歌以外にも勅題が応用されるようになった契機や、勅題表現を差し挟んで行われる人々のコミュニケーションについて、その変容や行為の意義などを考察する。そうして従来の歌会始の研究を相対化しつつ、その分野に新たな展望を拓きたい。

二、諸文芸に表現された勅題

それまで宮中限定の儀礼だった歌会始に平民の詠進が許可されたのは一八七四(明治七)年のことだった。[*7] 青森の国学者下澤保躬(しもざわやすみ)の建白がその背景にあるとされる。[*8] また同時期、天皇の東北巡幸(一八七六)に随行した高崎正風(たかさきまさかぜ)は行く先々で歌を献納する人々を見ながら、和歌が〈上下の情実(マコト)、互いに通ひ親しまるゝ一端(カタハシ)〉になると考えていた。[*9] 正風はやがて宮内省御歌所長となり歌会始を差配する。彼は〈歌の道を措いては、外に君臣の情宜を繋ぐものは無い〉とも発言しているが、[*10] こうした考え方は正風ら御歌所歌人により広められ、社会的な認知を獲得していく。

正風らが広めた認知のフレームを可視化し、社会的にシステム化したものが歌会始である。詠進することは天皇に自らの心を開陳する行為となり、〈日本の臣民たるものゝ勤め〉として推奨された。[*11] つまり歌会始は和歌をもって天皇と仮想的にコミュニケーションするための回路と考えられていた。それに参与しようとする人々は年々増加し、一八七四年段階で四一三九首だった詠進歌は、一八九四年には一万に達し、昭和初期に四万を越えた。[*12] こうした事実を考えたときに、歌会始は確かに「臣民」を生む装置と呼びうるものだった。ただし、宮中から目を転じて同時代の社会に注目したときに、人々と勅題の多様な関わりが見えてくる。

〈俳句・漢詩・都々逸(どどいつ)・狂歌などに詠む〉

高濱虚子は一八九七年に〈和歌を読(ママ)むものは和歌を奉り、漢詩を賦するものは漢詩を奉る。(中略)爰に俳人たる我等も謹んで御題を詠じ奉るなり〉と述懐し、子規らとともに勅題「松影映水」で作句を試みている。[*13] 勅題が和歌ばかりでなく漢詩、俳句で詠まれることは、虚子に言わせれば〈明治の御代に美はしの習ひ〉

であった。勅題が種々の文芸で表現されることは、この時期すでに常態化していた。雑誌「団団珍聞（まるまるちんぶん）」も勅題にちなむ文芸を多く掲載した。例年の正月号は漢詩、俳句さらには都々逸、狂歌、狂句、小話、言葉遊びの類いを掲載し、さながら勅題表現のサンプル集のようだった。作品の一部を次に掲げる。（番号は作者が整理のためにつけた。また作品の下のカッコ内は関連する勅題を示す。）

①つもるなさけに恥ずかしさうに下を向いてる雪竹　（「雪中竹」*14）
②下宿屋の書生は為替の来るをまつ娼妓は長い文出してつる
　細君は寝ずに亭主のかへりまつ亭主はゆびでお土産をつる（「松上鶴」*15）
③勅題に首ひねる人の有様を見ながら笑ふ床の間の梅　（「新年梅」*16）

まず①は七七七五の歌体で都々逸である。ここで〈雪竹〉が恥ずかしそうに下を向くのは、異性から〈なさけ〉つまり恋情を寄せられているからである。そしてこの〈なさけ〉が雪に見立てられることで「雪中竹」の題意を満たしている。

勅題を用いた言葉遊びの類いもある。②は勅題「松上鶴」にちなんで、〈まつ〉と〈つる〉を上の五七五、下の七七の末句に据えて詠むという趣向。一九連からなる作品の最初の二連を引用した。ここでは都会の書生が遊郭に行くための金欲しさに故郷からの仕送りを〈まつ〉様子、郭では娼妓が書生を〈つる〉ために長い手紙を書く様子、細君が亭主の帰りを〈まつ〉一方で、亭主は宴席からの帰路に土産を指で〈つる〉様子などが描かれている。

③は狂歌。作中の人物が〈首ひねる〉のは勅題「新年梅」での作歌がはかどらないからだ。そしてそのか

たわらでは正月飾りの〈床の間の梅〉が苦吟する人を笑っているという。

「団団珍聞」掲載の作品から一部を引用したに過ぎないが、ここから少なくとも次の三点が指摘できる。一つには、勅題にちなんだ表現は竹なら竹そのものを詠んだわけではなかった。①の「雪中竹」は恋心を寄せられてはにかむ女性の暗喩と考えられる。②では「松」や「鶴」の姿はなく、同音異義語を利用した機知に富む言葉遊びとなっていた。[*17]

二つめに重要なのは、それらの表現に現れた諧謔性である。たとえば②は客を引く娼妓の手練手管と彼女に入れこむ堕落書生が表現されている。歌会始の預選歌が〈何人も皆言ひ合せたやうに目出たい吉慶の歌〉に終始していたのと比べ、[*18]それはいかにも融通無碍で、市井の生活に即したユーモアに溢れている。

三つめに、同じく勅題を詠むにしても、③の狂歌には歌会始に詠進しようという人々を笑いのめそうという姿勢が現れている。先行論の言葉を用いれば、自ら「臣民」であろうとする人々を揶揄し、その人たちと作者自らを差異化しようとする表現が選択されている。同誌にはこの狂歌と類似した趣向の作品がしばしば掲載されているが、[*19]つまり、こうした表現からは、勅題を詠むことと「臣民」に自己同一化することとは必ずしも同義でないという事実が確認できる。

ところで、人々と勅題とのこうした関わり方は、とくに「滑稽と風刺の精神」で知られた「団団珍聞」のみに現れる特別な現象だったろうか。[*20]必ずしもそうとはいえない。たとえば、大正年代の「読売新聞」誌上に目を向けたい。そこには勅題「社頭杉」が真夜中の神社で呪いの釘を打たれる古杉で表現されていた。[*21]この不穏かつ不吉な表現と、天皇に詠進される吉慶の歌々の世界観とは確かに遠く隔たっている。

三、可視化された勅題

本節では、勅題がビジュアルメディアとしても流通していたことを示し、人々がそれをどのように活用していたかを説明したい。

〈勅題を描く・撮影する・絵葉書にする〉

勅題は和歌に詠まれるために歌題として選定、公布されていたが、それを画題として活用した人も少なくなかった。たとえば、横山大観（よこやまたいかん）などは懇意にしていた細川護立（ほそかわもりたつ）男爵の求めに応じて〈勅題シリーズともいうべき連作〉を一九一九（大正八）年から一九四二（昭和一七）年の長きにわたって描き続けた。*22 ほかにも戦前の新聞、雑誌を探せば勅題を描いた画家、勅題にちなむ絵画の頒布会の記事などが容易に見つかる。*23

絵画に応用された勅題は絵葉書にも取り込まれた。樋畑雪湖（ひばたせっこ）『日本交通史話』（一九三七、雄山閣）によれば、それは〈明治三十五、六年前後から私製葉書による一種の年賀葉書、仮令（たとへ）ば其年の干支に因むもの若は御勅題に趣向を考へたもの等欧米等のクリスマスカードにヒントを得て制作〉されたという。勅題柄は干支の絵柄と同様に人々に愛好され、正月の各家の間を行き交った。「団団珍聞」（一九〇七年一月一日）掲載の狂句はこの状況を「はがき帖松と羊が行列し」（同年の勅題は「新年松」、干支は未（ひつじ）年）と揶揄している。

竹内唯「勅題から見る年賀はがき」（山田俊幸『年賀絵はがきグラフィティ』青弓社、二〇一三年）は、そうした「勅題はがき」の幾種類かを絵柄とともに紹介しているが、その流行は〈その年の勅題が何か、そしてそれが何を意味するかについて多くの人々が理解していたという時代背景に支えられていた〉と述べる。言うなれば、人々の勅題リテラシーの高さがその盛行をもたらしたのだった。

図1　勅題「雪中松」が表現された年賀葉書

図2　黒川翠山「社頭松　京都北野神社東口」
（『写真例題集』桑田商会、1908年）

勅題は写真でも表現された。一九〇八年一月の『写真例題集』（桑田商会）は勅題「社頭松」をフォトテーマとした作品を多く掲載している。同誌はそのころようやく増加し始めたアマチュア写真家たちの投稿雑誌で、その分野での「登竜門」と目される存在だった。[*24]同号の巻頭を飾っている黒川翠山（くろかわすいざん）はやがてプロ写真家となり、[*25]生涯を通じて「勅題写真」を撮影し続けた［図2］。彼が撮影した勅題写真は雑誌「太陽」の口絵となり、ほかにも「グラヒック」、「主婦の友」などに掲載された。

勅題を絵や写真により可視化した年賀絵葉書の人気は大正後期にも衰えることはなかった。次の新聞記事「お正月の絵はがき　やはり勅題物が全盛」（「読売新聞」一九二三年一一月一一日）はその様子を語るものである。（※引用は読解の便のため適宜句読点を補っている。）

今年も余す処五十日です。正月を迎へることになつた市内の絵葉書屋さんはどんな物を作るか皆脳漿をしぼつてゐるが、それと共に写真熱の流行で自分で風景を撮影して絵葉書に注文しようといふ素人も非常に多いので、昨今勅題に因んだ暁の雲を撮さんものとカメラ群あちこちに出かけることぐ、手近な所では八王子から見た高尾山、稍遠い処では箱根から見た富士山の暁雲、この辺が一番に賑はつてゐる。

この引用と、本節のこれまでの議論を重ね合わせて二点を指摘しておきたい。一つは、人々が勅題に関わりながら行うコミュニケーションの性質に関わる。これまで歌会始の先行研究においては、その儀礼や和歌の詠進行為が人々を「臣民」化させ、〈天皇―国民〉、〈帝王―臣民〉の関係を生み出してきたことが言われてきた。けれども、勅題絵葉書のやりとりでは、そうした垂直的なコミュニケーションは実現しない。それは始めから志向されることもなく、人々は自身を囲繞する友人、知人、縁者たちと水平的にコミュニケーションすることを狙いとしていたはずである。人々はもとの歌題を画題やフォトテーマに転用し、かつ絵葉書にそれを換えた。そのことで、勅題を用いながらも作歌――詠進行為とはまったく異質のコミュニケーションを実践していた。

第二に、勅題絵葉書の盛行は人々の創意工夫を引き出していたということである。先に引用した新聞記事には、〈自分で風景を撮影して絵葉書に注文しようといふ素人〉が多くあったと記されていた。しかし、実にこの「素人」こそ〈勅題に因んだ暁の雲を撮さんものと〉カメラを片手に遠出することも辞さない熱心な人々であった。その人たちは題こそ共通のものとしながら、人とは別様の写真を撮りたいという意欲を持ち、自前の機器と撮影技術を駆使して自身の作品を作り上げようとした。つまり勅題写真は自己表現のメディアとなっていたのである。そして勅題絵葉書を交換しあうことで各自の創意を発表しあい、互いの工夫を楽しんでいたのだ。

四、勅題を食べる・着る

〈勅題を食す〉

勅題が菓子にもなっていたこと、その創始者やきっかけ等について語るのは次の引用である。時は一八七六（明治九）年までさかのぼる。

こゝに京都蛸薬師通堺町に菓子司の老舗として有名な亀屋良則事今井清次郎即ち今の主人の先代にあたる方がお茶人であり又た歌人でもありました、そんな関係から表千家の宗匠株にして又国学の道に明るい八木真平翁と頗るの親交が有ましたで真平翁の息を養ふて家名を継がしめた程の間柄ですから頗る親密でありました、そんな斯んなで互に勅題の詠進作歌に就ても苦心をし、歌の友はまたお茶の友で、とうとう勅題を新年菓子の題材にして見てはとの創案が持ち上がつたことは、歌＝茶＝菓子と云う趣味と家業が取り結んだ副産物的思ひつきとして、かりそめならぬ着想であつて実に興味ある美談と云はなければなりません、これがそもそもの勅題菓子の創作であると同時に各種の方面に勅題が応用さるゝ濫觴となつたのであります。

（豊川豊洲「干支菓子と勅題菓子」『流行』一九一七年一月）

引用ではいくつか興味深い事実が指摘されている。まず、京都の菓子商、亀屋良則が勅題菓子を創案したこと、これについては複数の文献に記されており確実性が高い。*26 加えて、菓子製作が〈各種の方面に勅題

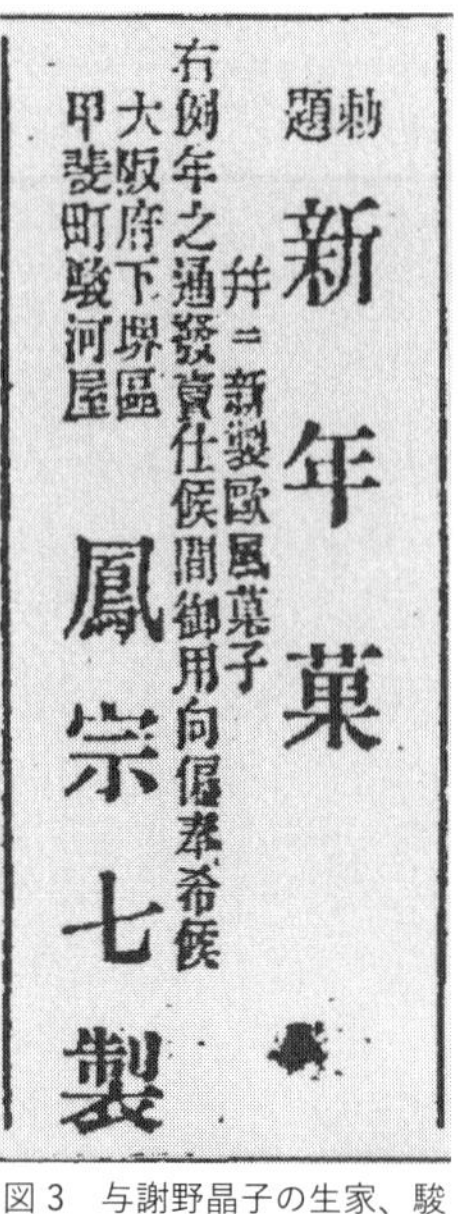

図3　与謝野晶子の生家、駿河屋の広告。「勅題新年菓」とある。（「朝日新聞」1987年12月14日）

が応用さる〻濫觴〉となったという箇所にも注目しておこう。試みに「勅題」の語をキーワードに「朝日新聞」記事を検索すると、確かに亀屋による「勅題新年菓」売り出しの広告（一八八三年一二月一六日）が、その応用例の最も古いものとしてヒットする。[*27] 亀谷の菓子製作が勅題応用の先駆けだったこと、つまり彼が勅題をビジネスと結びつけたパイオニアだった可能性は高い。また、亀屋が和歌の〈詠進作歌に就ても苦心〉していたという指摘も見逃せない。彼は有能なビジネスパーソンであり、しかも「臣民」としての顔も保持していた。このことから、政治的な志向や態度を表す「臣民」の語だけでは、市井の人びとが勅題と関わるときに見せる創造性、あるいは、したたかさとも呼ぶべき一面を捉えきれないことが理解できる。

亀屋のすぐれたアイデアは、ほかの同業者にすぐに模倣された。一八八五年には山谷堂の原田正房、鶴屋八幡、翌八六年には高岡福信らが、[*28] さらに堺の駿河屋鳳宗七（与謝野晶子の生家で実父）も勅題菓子の広告を新聞に出している［図3］。競合するこれらの菓子舗も勅題菓子の製作にアイデアと工夫、技術を注ぎ込んでいた。たとえば、ある雑誌記事は「日出山」（一八九二）にちなんだ菓子陳列会の様子を次のように記す。[*29]〈或は富士を画けるあり、紅日を造れるあり、或は仙鶴を添へ、或は暁鴉を添へ、或は松、或は梅、種々意匠を凝らし、御題を解せんとす〉。さらに記事は菓子の費途についても〈新年の賀客に供す〉るものと短く記していた。つまり菓子は年始の挨拶に際し、訪問先や来客に差し出す進物として用意された。個人で楽しむというよりも新年のめでたさを他者と分かち合うためのコミュニケーションの具として重宝されたのだった。[*30]

〈勅題で装う〉

年々に更新される勅題は新年の気分をよく醸し出した。人々は年賀状にほどこされたその意匠を見、あるいは勅題菓子を賞翫することで新年の訪れを感じた。そして、日露戦争前後期になると、勅題の各種商品への応用はいっそう進んでいたようだ。

頗る以て遅蒔なりと雖も、新年は来たりぬ新年は来たりぬ、勅題は是岩上の松、白木の帯玉寶堂の盃、中西のハンカチーフ風月の菓子、春陽堂の絵葉書大西の小間物、一として岩上の松ならざるはなし、（後略）

（雲の家峯助「岩上の松」「団団珍聞」一九〇四年一月一六日）

このように、一九〇四年正月の店先は勅題関連商品で賑わっていた。その年の勅題「岩上の松」（※正確には「巖上松」）の意匠を、白木屋（呉服）は帯に、玉寶堂（金属美術）は盃に、中西はハンカチ、風月堂はお菓子、春陽堂（書肆）は絵葉書に、大西（大西白牡丹、婦人用の装飾）は小間物に施して売り出している。衣類から服飾品、食品、生活雑貨に至るまで〈一として岩上の松ならざるはなし〉という状況が到来していた。ただし、こうした勅題関連商品の広がりを、そのまま勅題や商品の人気によるものと考えるわけにはいかない。それというのも、資本はこの一九〇〇年前後期に〈「流行」の人為的な創出〉を企図し、その〈流行〉は人々の〈大量消費を促す有効なシステム〉として機能し始めていたからである。[*31] 実際、三越や白木屋などは勅題関連商品の開発と販売促進に力を注いでいた。[*32]

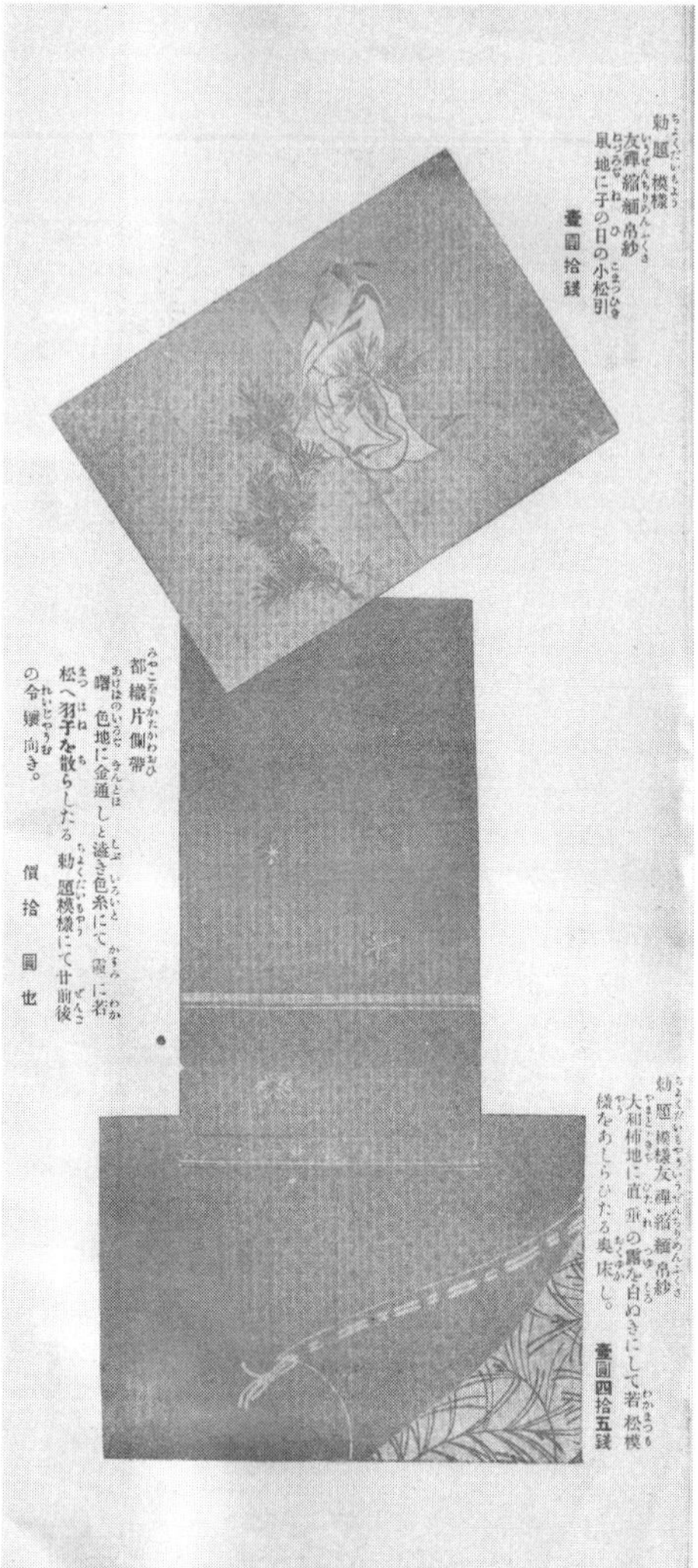

流行研究会に於て来春の勅題「新年の川」を題として図案せしネクタイ四種は此度三越呉服店にて製作し発売せり。一は竪のよろけ三筋に川を現し裏白の絵模様にて新年を利かせしもの、一は匹田市松広東縞入の羽子板の散らし模様に白浅黄の匹田にて川を前面に現せしもの（中略）従来ネクタイは模様又は縞物を随意に裁ちて製せしものなれど此度のは特に図案をなし表裏両面用ひとし模様も又よく配置したれば新年用には屈竟なるべし。

（「流行研究会図案のネクタイ」「朝日新聞」一九〇五年一二月三〇日）

記事中の流行研究会とは三越が学者や美術家、教育者などを招き〈衣装、調度などの流行や社会風俗の傾向などを研究、討議し、三越にアドバイスをしてもらう〉べく設置した会である。同会は前年中から、来春

図4 「社頭松」にちなんだ袱紗や帯。
（「流行」1908年1月、白木屋呉服店より）

の勅題〈新年の川〉（※実際は「新年河」）をテーマとする図案を検討し、新製品を試作していた。そうして出来た商品は新聞などを通じて発表され、広告されている。さらに当時の「みつこしタイムス」といった広報誌も商品を写真つきで掲載した。そこには〈初春のお召用には申すまでもなく、年末のご贈答となし給へば極めて気の利きたるもの、新春の御使い物にも又妙なり〉というようなキャプションが添えられて、人々の消費への欲望をいっそう煽った。[*33] 勅題関連商品はつくられる「流行」の枠内にあったのである。

しかし、実際に人々は勅題関連商品をどのように受容していたのだろう。その仕方が千差万別だったことは想像できるが、具体的な状況を物語る資料は残念ながら少ない。そこで次の狂詩「新年」（『団団珍聞』一九〇四年一月九日）から人々の受容の一端をうかがうこととしよう。（※七言絶句を返り点、送り仮名に従って書き下し文で表記している。）

新年　　芝　知貴

御勅題に寄する意匠華やかに。
衣は母の好みに成り帯は爺に因る。
羽根突く処辞にも尽し難く
艶麗時に思ふ古画家。

寄スル㆒御勅題ニ㆓意匠華ヤカニ。
衣成ハリ㆓母ノ好ミニ㆒帯因ハル㆑爺ニ。
羽根突ク処辞ニモ難ク㆑尽シ
艶麗時ニ思フ古画家。

この「新年」が興味深いのは、一つは勅題柄の着物が祖父、母、少女という世代を異にする三者のコミュニケーションを媒介した可能性を示唆する点にある。「衣成ハリ㆓母ノ好ミニ㆒帯因ハル㆑爺ニ」という表現は、たとえば三越などの店頭で着物を手に取りながら談笑する三人の姿を彷彿とさせる。

実際、勅題関連商品が贈答用に用いられたのは、それが新年の気分を醸すだけでなく、多数者に知られており、かつ大方の心情に逆らわないと考えられていたからだろう。それは他者との関係性を毀損しない低リスクのアイテムとして人々に受け入れられていた。

一方で、人々の勅題関連商品への複雑な感情も詩から読み取りうるかもしれない。詩が祖父と母の嗜好には触れるが少女の内面にはまったく言及しないことに注意したい。また三句目、四句目では羽根を突く少女の外見的な美しさに触れるが、やはりその内面を語らない。彼女の感情は、わざわざ空白部分として残されて、各読者の想像に委ねられている。そして、そもそもこの詩はなぜ「狂詩」欄に掲載されているのか。たとえば、もしも少女が勅題柄の装いを母と祖父から押しつけられた自分の好みにあわぬものと感じていたらどうか。そのように考えてはじめて勅題柄をめぐる少女と年長者たちとのディスコミュニケーションが前景化し風刺性や滑稽味が立ち現れて来る。「狂」の表現が詩に備わることになる。

日露戦争の前後期、街には確かに勅題関連商品が多く現れた。一方で、この時期のメディアを見ると、詠進歌へのあからさまな批判や儀式を差配する御歌所歌人の無能を揶揄する表現なども表れるようになっていた。[*34] 勅題に対して古くささや違和感を覚える新しい感性が若い世代を中心に少しずつ芽生え始めていたとしても、けして不思議ではない。

五、音声化された勅題

本節では、勅題が音声でも表現されていたこと、またそれがテクノロジーと接合し、人々と勅題の関わり方に新しい展開をもたらしたことなどを議論したい。もちろん、そもそも預選歌ならば宮中の歌会始で披講されるものだったから、勅題と音声の結びつきは始めから強かったと言いうる。では市井の諸表現においてはどうだったのか。

早い例では謡曲による表現があった。『能楽全史』（桧書店、一九三〇年）、一九一〇（明治四三）年の項に〈例年新年の発会に際し御題の小謡を歌ふ事流行なり〉との一文がある。能楽師たちは新年を祝して新作の勅題小謡を作曲し、披露していた。新聞や能楽専門誌などにもこのことはしばしば報じられ、[35]〈嘉例〉として定着していく。[36]

箏曲では、宮城道雄が「海辺巌」（一九三〇）題で作曲している。有名な「春の海」である。〈瀬戸内海の島々の綺麗な感じ、それを描いたもの〉という。[37]宮城にはほかにも「清水楽」（一九二六、「河水清」）、「島の朝」（一九三八、「朝陽映島」）など勅題をモチーフにした作品があるが、年々の勅題にちなんで作曲することは、宮城に限らず〈明治以来、箏曲界の一つの伝統〉だったという。[38]

邦楽以外では、東京音楽学校で教鞭を執っていた平井保喜（平井康三郎）がヴァイオリン協奏曲「漁村の曙」（一九四一）を作曲している［図5］。また教育現場での取り組みとしては滋賀県の幼稚園保母が「遠山雪」（一九一七）を題に唱歌を作り、子どもたちに歌わせたという例がある。[39]

そして、一九二〇年代半ば以降、勅題を音声的に表現する試みは当時最新のテクノロジーであるレコードやラジオと結びついた。国立国会図書館HP内「れきおん」では国内で製造されたレコードを探すことができるが、[40]そこでは「春の海」はもちろんのこと、西條八十が作詞、古関裕而が作曲して音丸が歌った流行歌「田家の雪」（コロムビア、一九三七年）、詩吟の木村岳風による「勅題　田家雪・祝入営」（コロムビア、一九三六年）、市丸他による「神苑朝」（ビクター、一九三七年）、「朝日映島」（ビクター、一九三九年）などが見つかる。

一方、ラジオ番組では、琵琶や箏による勅題にちなんだ曲の生演奏などが放送されていた。[*41] 先述の勅題小謡なども〈元日の朝マイクを通じて之れを全戸へ放送する習はし〉になっていた。[*42] さらに一九三七年には次のような試みも見られた。[*43]

名古屋中央放送局では勅題〃神苑朝〃に因んで伊勢神宮神苑から元旦のマイク・ロケーションを行ひ、戦時体制下にラジオ新春プロのトップを飾ることとなつた。（中略）霜白い神苑から参拝の人のつゝましい足並、神代杉の社頭の杜にこだまする柏手の響、いさぎよき五十鈴川の流の音、暁を告げる鶏の声、太神楽の幽玄な楽音等を織り交ぜ（ママ）て事変色濃き元旦の聖なる参拝風景を新しいマイクワークで描写して全国に中継放送し神国日本の原姿を示すもので（後略）

この伊勢神宮からの音声中継は勅題「神苑朝」に〈因んで〉行われた。参拝者の足音や柏手の音、川の流

図5　平井保喜作曲『漁村の曙』の楽譜
（溝部国光編、日本楽譜出版社、1941年）

れ等の自然音まで放送しようというこの企画は、和歌における作者のような特定の表現主体を持たない。あえて「作者」を求めれば、それは元日から神宮に参拝する人々、国民であり、引用にある〈神国日本〉そのものである。それらが〈戦時体制下〉において自らの〈原姿〉を〈全国の聴衆〉に向けて示すという。そのときその表現は、個別的な聴取者に〈神国日本〉とその理想的な国民への同一化を迫る圧力として立ち現れる。

ところで、勅題がラジオやレコードにより表現され始めたとき、勅題と人々との関わり方にはどのような新しい展開が見られたのだろうか。重要な点はいくつかあるが、まず前提として、音響メディアを通じて勅題を表現できる人々は専門的な修練を積んだ少数者に限られていたことを押さえておきたい。つまり大多数の人々は、専門家が表現した勅題を聴取するだけの立場に置かれた。そのとき、その内容に創造的に関わる余地はほとんど残されていなかった。

二つ目に、音響メディアにより大量複製された勅題の表現は人々を教育する効果も担うことになった。先に確認した伊勢神宮からの生中継が聴取者に〈神国日本〉とその理想的な国民像を提示したことを思い出したい。また、これも前記した流行歌「田家の雪」では西条八十が次のような歌詞を書いていた。[*44]

（一）飛んで寒かろ　冬田の雀
　今日もちらく　藁家（わらや）の廂（ひさし）
　満州想はす　想はす　雪が降る
（二）我が子可愛いや　御国（みくに）の柱
　はやく名誉の　大功樹（た）てた
　旗が揚げたや　揚げたや　雪廂

この歌の視点人物は雪深い農村に住む老母である。彼女は、満州に出征した〈御国の柱〉である子が〈名誉の大功〉を立てる日を待っている。この歌をレコードやラジオで聴いて老母の愛息への情に共感した人々は、一方で、当時国策として展開していた満州経営の重要性を再認せずにはいないだろう。このように勅題を用いた表現は音声と接合することで時局的な性質を帯びて人々の前に現れた。当時のラジオあるいはレコードをめぐる政治的状況を勘案すれば、[*45]それは自然な流れだった。

六、おわりに

これまでの歌会始についての先行研究では、宮中の儀礼と天皇に向けて作歌——詠進する人々の行為に注意が向けられてきた。しかし、本章は社会における勅題の広がりに着目し、人々と勅題との多様な関わり方を考察してきた。そこから得られた主要な知見をまとめておく。

一つには、人々は勅題を和歌以外の諸文芸でも表現した。漢詩、俳句、都々逸、言葉遊び、狂歌、狂句、狂詩などである。また、勅題は文芸以外の諸芸術、たとえば絵画や写真、歌曲などのモチーフとなった。さらに菓子や料理、着物や雑貨などの意匠にまで応用された。それらの表現を細かに見れば、人々の機知やユーモア、創造性を確認できる。文芸による表現のなかには、驚くべきことに、和歌を詠進する人々を笑いのめそうとする作品、詠進される吉慶の歌とはまったく異なる不吉、不穏な作品さえ見られた。

二つめに、多様な勅題表現は人々のコミュニケーションの場でも用いられ、それを助けた。友人知人と年賀葉書を交換し、新年の客を勅題菓子で饗応した。また、勅題柄の衣装を贈答し親睦を深めた。そうした行動は人々の水平的なコミュニケーション行為の一環をなしていた。

三つめに、勅題表現は社会的にはビジネス、経済行為とも結合した。とくに日露戦争前後期に資本側は勅題関連商品を積極的に開発して利益を求めた。資本の創出した「流行」に煽られるように、それらの商品を享受した消費者もあったと思われる。

四つめに、勅題は謡、箏曲、唱歌などに応用され、音声としても表現された。さらに昭和戦前期にはラジオやレコードなどの最新のテクノロジーとも結合し大量に複製された。流行歌「田家の雪」などは現時の国家における重要事項を人々に示す教育機能も担っていた。

ところで、とくに上記一~三の知見については、勅題の魅力や求心性を示す例と考える人もあるだろう。論者も、勅題が多くの人々の気を引くものであったことは否定しない。しかし、本稿が強調したいのは、和歌をもって天皇と仮想的にコミュニケーションするという歌会始の正統的な目的やルール（勅題が規定されていること、詠進の作法など）を横目に見ながら、その目的には応ぜずに、ルールや勅題を自分たちの暮らしのために流用する人々の実践の諸形態である。そこから看取される、したたかでたくましい人々の実践はミシェル・ド・セルトーの言う「戦術」の理念とも通じ、その意義は充分に評価できる。*46

急ぎ、もう一点つけくわえておく。先行研究は、和歌の詠進行為により〈臣民〉が創出されると繰り返し論じてきた。説得力ある見解だが、しかし、詠進歌を選定する御歌所歌人たちが次のような不快の念を吐露していたことには注意しておきたい。

如何に拙い歌であらうとも、相当の式をすました後両陛下の御手元へ御覧にかけるのである。斯ることは昔からためしのない光栄といはねばならぬ。それだのに、披講されざるが故に除外されたかのやうに思ひなし、預選に入らざるは詰らぬといふ風に云ひもし、考へもするのは甚だしい間違である。[*47]

過去の詠進者の多数は、制に応じて詠進するといふことを主眼とせず、只々選に入るといふことを唯一の目的となすが如き傾向が有るのは、甚だ遺憾であつて（後略）[*48]

詠進者には〈選に入る〉かどうかを最重要と考えるものがいた。実際、預選されることで手に入る世俗的な利益は多かった。新聞や雑誌に「名誉の預選者」として掲載されるばかりでなく歌碑が造成された例もあった。交友関係は拡大し、弟子を取るほどの歌人ならば門下の掌握、新弟子の獲得などにもつながったろう。[*49]そのことを考えれば、入選するかどうかが多くの詠進者の主目的となっていたとしても不思議ではない。御歌所歌人たちの詠進者への不信が根拠のあるものならば、その人たちすべてをひとしなみに〈臣民〉と断じてしまうことが果たして妥当かどうか。〈臣民〉と呼ばれた一人一人のリアリティについて再考する必要がある。その作業からも、権威を流用し、自己の生を充足させようとする人々のたくましさ、したたかさを看取できる可能性は十分にある。

注

1 戦前のその儀礼については御会始、御歌会始などいくつかの呼称が併用されていたが、本章では「歌会始」の語に統一して呼ぶ。

2　内野光子『短歌と天皇制』（風媒社、一九八八年）。

3　村井紀「歌会始め―天皇制の創出」（『批評空間』一九九九年一月）。

4　阿毛久芳「帝王の歌・臣民の歌―御歌所と歌会始」（『帝国の和歌』所収、岩波書店、二〇〇六年）。

5　栗原彬「現代天皇制論」（網野善彦ほか『天皇と王権を考える1』岩波書店、二〇〇二年）。

6　勅題の応用例に言及する少数の論考については本文中で触れている。

7　近代以降の歌会始の歴史的な変遷については青柳隆志「明治初年の歌会始―和歌御会始から近代歌会始への推移」（『和歌文学研究』二〇〇二年一二月）に詳しい。

8　宮本誉士『御歌所と国学者』（弘文堂、二〇一〇年）。

9　高崎正風編『埋木廼花』（宮内省、一八七六年）。

10　高崎正風著、遠山稲子編『歌ものがたり』（東京社、一九一二年）。

11　大口鯛二「御題の取材範囲及び詠進者の心得」（『短歌雑誌』一九一七年一二月）。

12　詠進歌数については、それぞれ『明治天皇紀 三』（吉川弘文館、一九六九年）、「読売新聞」（一八九四年一月二〇日）、「読売新聞」（一九三二年一月一五日）を参照。

13　高浜虚子「松影映水」『俳諧馬の糞』（俳書堂、一九〇六年）。

14　奈良都亭桜升「どゝ一」（『団団珍聞』一九〇一年一月一日）。

15　朝音庵夜阿响子「まつにつる」（『団団珍聞』一九〇〇年一月一日）。

16　風呂主「狂歌」（『団団珍聞』一九〇二年一月一八日）。

17　詠進された和歌と都々逸や狂歌との違いは大きい。たとえば、「松上鶴」題での預撰歌〈大君のちとせをよばふたづかねに松のあらしはしづまりにけり〉（尾上柴舟）を見ると、ここで〈たづかね〉＝鶴や〈松〉は物象としてのかたちをそのままとどめている。かつ、その儀礼にふさわしく天皇の長寿を言祝ぐものとして表現される。

18　与謝野晶子「新年御題　社頭松詠進歌に就いて」（「東京二六新聞」一九〇八年一月二二日）。

19　ほかにも、同誌には「新年山」題にちなんだ餅廼家図武六〈和歌の数かさねし年の十二支の巳はとぐろを巻の山の詠草〉（一九〇五年一月一日）、「巖上松」題への詠進者を揶揄した〈預選歌の名誉は他にとられつゝ君巖上のまつ甲斐もなし〉（一九〇四年一月三〇日）、〈預選歌希望の平凡雅人の心を推しはかりて〉と詞書がつけられた餅珍子による〈雲のうへの雲をつかむの願ひかな調子のひくき腰をれの歌〉（一九〇八年一月一二日）のような歌も掲載されている。

20　北根豊「刊行にあたって」（『団団珍聞　一巻』復刻版、本邦書籍、一九八一年）。

21　道笑「社頭杉」（「突評子」「読売新聞」一九一四年一月二五日）。

22　細野正信「横山大観勅題画シリーズを中心として」（『横山大観勅題画展』毎日新聞社、一九八〇年）。

23　丸山晩霞、田南岳璋による「勅題と新年掛傑作画会」（俳画堂主催）、島崎柳塢による「勅題新年掛用画頒布」（春秋会主催）が、それぞれ「読売新聞」の一九一八年一一月一一日、同年一一月二七日に広告されている。

24　佐藤守弘『トポグラフィの日本近代　江戸泥絵・横浜写真・芸術写真』（青弓社、二〇一一年）。

25　黒川翠山については大塚活美「写真家黒川翠山の人と作品について―京都学・歴彩館所蔵の資料を中心に」（「京都学・歴彩館紀要」二〇一九年）を参照。

26　菓匠会編『御題菓子　明治百年』（製菓実験社、一九六八年）、さらに中山圭子「和菓子・五感で味わう歌心」（浅田徹ほか編『和歌の図像学』（岩波書店、二〇〇二年）にも同様の見解がある。

27　当該記事の前には一八八一年一二月二日付の歌会始の記事があるのみである。

28　すべて「朝日新聞」で一八八五年一二月一一日、同一五日、翌八六年の一二月一七日。

29　「勅題菓子」（「少年園」一八九二年一月）。

30 野中正『料理辞典』(家庭経済社、一九二二年)は「新年勅題宴會料理」を提案するが、これも新年の賀客をもてなすためのものと考えられる。

31 神野由紀「消費の近代化と初期百貨店」(『服飾研究』二〇一六年)。

32 初田亨『百貨店の誕生』(三省堂、一九九三年)は、三越などが明治後期から大正期にかけて〈古い保守的な呉服店を、高級なイメージをもった近代的商店の百貨店に脱皮させる〉べく国の内外の貴顕を接待し、建築や設備面の充実に気を配っていたと指摘する。勅題関連商品の販売も皇室の権威を背景とした高級イメージの創出に寄与したものと類推できる。

33 「来春の勅題模様」(『みつこしタイムス』一九一〇年一二月)。

34 花上こね平「詠進の歌を読みて」(『朝日新聞』一九〇一年一月二四日)、大塩鯨麿「御歌所歌人なし」(『読売新聞』一九〇五年一月三一日)など。

35 たとえば「観世」(一九三三年一月)に勅題謡「朝海」について報じた観世左近の記事がある。

36 「勅題と小謡」(『朝日新聞』一九〇八年一二月二五日)では「雪中松」題で金剛宗家鈴之助、喜多流の堀池延叟が小謡を作曲したと報じられる。

37 宮城道雄「『春の海』のことなど」(『夢の姿』那珂書店、一九四年一月)。

38 吉川英史・上参郷祐康著『宮城道雄作品解説全書』(邦学社、一九七九年)。

39 滋賀県彦根幼稚園の保母中澤登免は勅題の唱歌をつくり曲譜を付して幼児に歌わせ、〈勅題を保育の材料に応用〉した。「勅題の唱歌」(『婦人と子ども』一九一七年一月)より。

40 「れきおん」は歴史的音源配信サービスのこと。(https://rekion.dl.ndl.go.jp/)二〇二〇年四月二九日確認。

41 勅題「河水清」にちなむ曲の演奏は「読売新聞」(一九二六年一月一九日)の記事より。

42　観世左近「勅題小謡に就いて」（『能楽随想』河出書房、一九三九年）。

43　「元旦　耳へ贈り物　勅題に因み伊勢神宮から」（「読売新聞」一九三七年一二月一〇日）。

44　『西条八十全集 八巻』（国書刊行会、一九九二年）。三番まであり、〈雪にこゝろが若しあるならば／降れよつもれよ満洲の空は／母の思ひで思ひで温かに。〉と続く。

45　倉田喜弘『日本レコード文化史』（岩波書店、二〇〇六年）によると一九三四年に内務省によるレコードの検閲が始まった。やがて一九三七年七月に日中戦争が始まると、〈レコードは国家目的を遂行する一手段として、完全に統制のわく内に組み込まれた〉。「田家の雪」の発売はその半年前、二月のことである。

46　セルトーは、「戦術」を〈自分にとって疎遠な力（エトランジェ）が決定した法によって編成された土地、他から押しつけられた土地のうえでなんとかやっていかざるをえない〉ような〈「敵の視界内での」動き〉そして〈弱者の技〉と考えている。『日常的実践のポイエティーク』（山田登世子訳、国文社、一九八七年）。

　ところで、幸徳秋水は一九一〇年の勅題「新年雪」を「爆弾の飛ぶよと見てし初夢は千代田の松の雪折れの音」と詠んだ。そしてそれが大逆を企む証拠とされ刑死した。あからさまな抵抗の許されない社会、時代状況下にあって〈弱者の技〉がどのように発揮されたか、その意義を考える必要があるだろう。

47　大口鯛二注11に同じ。

48　入江為守「勅題詠進者の為に」（『短歌講座 二巻』改造社、一九三一年）。

49　桜園社編・発行『梅のゐまひ』（一九一一年、非売品）は、名古屋の歌人大島為足が一九一〇年に預選されたことを祝って門下や知己二〇〇余名が開いた祝賀会、記念歌会の様子を記録する。

5

明治「敗者史観」と植民地台湾

「北白川宮」言説を中心に

呉　佩珍

一、はじめに

日本と台湾との近代関係史は、一八七四年の「台湾出兵」から始まったといえる。「台湾出兵」(「牡丹社事件」ともいう)の起因は、一八七一年に琉球の漁船が遭難した際、台湾南部の恒春半島に漂着し、五四名の漁師が台湾原住民によって殺害されたことにある。日本は中国に抗議をしたが、中国は台湾のことを「化外の地」と主張し、積極的に対応しなかった。これによって、日本が台湾へ出兵した。これが近代において台湾と日本との最初の遭遇だった。*1 それから、「台湾出兵」のもう一つの目的は、明治維新以後、「秩禄処分(ちつろくしょぶん)」によって失業した武士階級の不満を解消するためでもある。実際に「台湾出兵」の前には、「征韓論」という主張もあった。「征韓論」をめぐって、西郷隆盛(さいごうたかもり)は明治政府に不満を抱いて、下野して鹿児島に隠遁していた。「台湾出兵」には、さまざまな錯綜する要素が絡んでいたとはいえ、実際に明治政府が西郷隆盛を懐柔するための手段のひとつだったともいわれている。その統帥は弟の西郷従道(さいごうつぐみち)でありながら、実際に軍隊を調達したのは西郷隆盛といわれている。[*2] 台湾出兵以後、士族の不満は解消されたどころか、ますます高まっていき、自由民権運動に拍車をかけた。このような情勢のなかで、一八七七年に日本最後の内戦、「西南戦争」が起こった。その終焉にしたがい、不安な情勢もようやく収束し始めた。一八九四〜一八九五年の日清戦争、そして一九〇四〜一九〇五年の日露戦争では、中国とロシアを破ったと同時に、清国に台湾を割譲させて、日本は最初の植民地を手に入れた。以上述べてきたことは、日本近代に流通している主流の史観から見れば、いわゆる近代史の「通説」である。すなわち、明治維新以後、薩摩藩および長州藩が主導権を握る「勝者史観」でもある。実のところ日台の近代関係史は上述の史観に基づいて綴られ、日本の台湾植民史もこの「勝者史観」により決定され「構築」されている。

「歴史」について、成田龍一がかつて次のように指摘した。『「歴史」とは、国民国家を作り出し、支えていくうえで非常に重要な装置だった」、「だからこそ、歴史学においては、国民国家への批判というものがなかなか入りこめなかったのだ」。[*3] 上述からわかるように、歴史学は国民国家への批判がなかなか介入しづらい。冷戦体制が崩壊した後、日本の「旧植民地」から戦前および戦争の責任への追及は、このような歴史の枠組みを支えてきた近代の国民国家への問いかけともなる。これで、国民国家のあり方と歴史の特権性を持っていた歴史学の地位とともに危うくなった。そして、歴史もまた物語であるという視点が導入され、隣接領域といわれる文学との関連性が重視されるようになった。このように、文学と歴史との境界が揺らいできて、それによって「歴史」の概念が再定義されていくべきではないか、といわれている。[*4]

以上のように、日本におけるいままでの史観への再検討ないし変化を問題意識として捉えながら、今まで植民地期を対象にする台湾研究、ないし植民地研究に照らし合わせてみれば、日本の台湾を領有していた植民地研究が、主に「勝者史観」から出発したものだとわかる。それにたいして、「敗者史観」から日本の台湾領有期を検討する研究は皆無といってもよい。今まで、日本統治期の植民地者としての「日本」への認識が一枚岩になっているだけでなく、ポストコロニアル的な研究もこのような史観の影響のもとに、日本近代の「ナショナリズム」を単純化する傾向が見て取れる。そのため、一八九五年台湾に上陸した「北白川宮」能久親王——すなわち幕末に東北奥羽越列藩によって「東武天皇」として擁立された「輪王寺宮」が台湾で死去したという歴史事実をふまえて、「敗者史観」より台湾統治の象徴である「北白川宮」の位置づけを考え直したいと思う。[*5]台湾征伐途中、病没した北白川宮が、伝記と伝説という形式を通して、反復、再生され、台湾に流布され、その存在は日本の台湾統治の精神的象徴となった。

本章の目的は一八九五年北白川宮とともに台湾征討に参加した森鷗外が執筆した北白川宮伝記『能久親王事蹟』における北白川宮像を引き合わせながら、「敗者史観」という視点から、北白川宮能久親王の明治維新史、そして台湾植民地史における位置づけを改めて検証することにある。

二、佐幕敗者から台湾の鎮守神まで——北白川宮表象の変化の軌跡

日本の「台湾殖民事始」の記録をさかのぼると、当時の近衛師団団長北白川宮が基隆の澳底に上陸するところから始まることがわかる。日本の「台湾殖民事始」の歴史によれば、北白川宮は一八九五年五月三〇日に基隆に上陸し、「嘉義より南進の途中に於て風土病に罹らせ（中略）〔一〇月〕二二日台南に御入城あらせられたるが、二八日に至り病勢革り」[*6]、一〇月二八日に台南駐在所で逝去した。のちに台湾全島が征服され、また北白川宮が亡くなった同年、すでに彼を奉る台湾神社を建設しようとの声があったのだが、一九〇三年

にやがて台北の剣潭に台湾神社が落成された。北白川宮以外には、日本の開拓三神、大国魂命、大己貴命と少彦名命も同時に台湾神社に奉られていた。台湾で亡くなった北白川宮は、明治天皇の叔父にあたり、皇族でもあるため、日本の台湾統治の象徴——台湾神社の鎮座神祇になったことは、表面上はとくに疑問視されることではないが、しかしながら、それは主流史観の立場に立つ見方である。もし、東北史観から明治維新史を改めて検証すれば、いままで明治維新以後、薩摩、長州が主導していた明治政府によって構築された主流史観とは異なる歴史の側面が見えてくる。近年、日本の近代史、とくに明治維新史が再検討されるにしたがい、北白川宮能久親王（以下、北白川宮）が、明治維新の際、幕府（東軍）と朝廷（新政府、西軍）との政争に巻き込まれて、一時東北朝廷に擁立され新帝となり、謀反者とみなされた歴史が明らかになっている。

今まで、タブー視されてきたこの幕末政争をめぐる明治維新史が、戦後に入ってからようやく解禁された。そのなかで藤井徳行の「明治元年 所謂「東北朝廷」成立に関する一考察」は、戦後初めて、東北朝廷の新帝擁立言説に対して簡明に整理と分析を行った。また、滝川政次郎は、戦前タブー視されてきた南北朝の歴史、それから隠蔽されてきた後南朝、東北朝の皇統歴史を例として、政治闘争によって、天皇の正統性をめぐって分裂したという秘史を明らかにし、北白川宮にかかわる東北朝廷説もその秘史の一つであると指摘していた。[*7]

北白川宮は、一八四七年に生まれ、伏見宮邦家親王の第九子である。翌年、仁孝天皇の猶子の身分として青蓮院宮の御附弟となって、一八五二年に梶井宮となり、一八五八年に輪王寺宮の御附弟になり、親王と宣下された際、能久と名づけられ、最後の「輪王寺宮」[*8]となった。青蓮院宮、梶井宮、輪王寺宮は、すべて天台宗と密接な關係を持っている法親王家である。とくに輪王寺宮は、天台宗総館長として、比叡山、日光山と東叡山を統領し、「日光御門跡」とも呼ばれていた。「輪王寺宮」は上野寛永寺の貫主であり、徳川幕府の菩提寺日光東照宮の奉司者である。天台宗の天海大僧正は、三代将軍家光の支持を得て、寛永寺を開山しえた。開山してまもなく、代々の「輪王寺宮」は、京都より皇族を迎えた。幕府が東叡山の輪王寺宮慈性入道親王の御附弟に江戸に下ってほしいと奏請したため、輪王寺宮は勅命によって一八五三年に江戸寛永寺に赴いた。能久親王は、仏門に入り得度した際、法名が公現となったため、公現親王とも呼ばれる。一八五三年に江戸寛永寺に入ってから、のち幕末から明治維新までの一〇年間、その内戦、とくに戊辰戦争のなかでは、公現法親王が東軍にとって、重要な存在となった。[*9]

「輪王寺宮」が東北で新帝として擁立されたが、それは長い間、幕府の伝説とも密接に関係していた。天海がかつて徳川幕府に次のように献策したと伝えられる。「もしも西国が逆乱があり、今上帝を奪うとなれば、当東叡山の宮門跡をもって当今と仰ぎ、平定の軍を進めざるべからざる」[*10]。いわゆる「天海秘策」――すなわち幕府の朝廷および西側の大名に対する、謀反防止の対策であった。この「秘策」が幕府内部および箱根より東側の諸藩の間で、暗々裏に流布していた。[*11] それが理由に、代々の「輪王寺宮」は京都より宮門跡を迎えてきた。滝川政次郎はさらに「徳川将軍が『輪王寺宮』を尊崇し、その言に聴いたことは、京都の朝廷以上であつて、日光の宮様即ち東の天子であつたのである。それは丁度日光廟が東の伊勢神廟であり、東照神君が天照大神であつたのと同じである」と指摘した。[*12]「輪王寺宮」が奥羽越列藩に新帝として擁立されたのは、歴史の偶然的な出来事ではないということは、以上の資料によって裏付けられているといえよう。

一八六八年に、幕府の命令を受け京都の治安の維持を担当していた会津藩が、薩摩が主導していた政府軍と武力衝突をした。それで、戊辰戦争の緒戦といわれる鳥羽伏見戦争が勃発した。薩長両藩が牛耳っていた　新政府は、戦争が起こってから七日後、仙台藩に会津藩藩主、松平容保を討伐するという命令を下した。しかしながら、東北諸藩は、新政府軍に対して不満を抱いていただけでなく、その政権の正当性にも不信感を抱いていた。と同時に、新政府軍の松平容保を死罪に処するという要求は、私怨をはさむ報復行為と思われていた。同年五月三日仙台藩を盟主としての奥羽越列藩が正式に成立したに対して、薩長を中心とする新政府軍が東北に出兵、討伐した。いわゆる戊辰戦争である。新政府軍が上野の寛永寺を侵攻した際、「輪王寺宮」（すなわち北白川宮）が擁幕派の彰義隊に守られながら、東北に逃れ、仙台にたどり着いた。その後、東北諸藩によって「東武天皇」として擁立された。*13

　新政府軍が東北諸藩を鎮めたのち、「輪王寺宮」は投降、謝罪し、京都で閉門自省を命じられた。赦免された後、伏見宮家に復籍し、北白川宮を襲名した。*14 その後、近衛局に入り、一八九五年日清戦争の際、近衛師団長に昇進した。同年五月三〇日に師団の半分の兵力という守備態勢のまま、台湾に上陸を命じられて、台湾征討を始めた。日清戦争の際、近衛師団は元来、遼東半島に駐屯していたが、それは、万が一、清国との戦闘が拡大すれば、北京に入り守備することを想定していたからだ。しかしながら、中国の戦況が予想されたようには拡大しなかったうえ、また清国も講和を提議したため、さっそく一八九五年五月八日に下関条約を締結したのち、急遽台湾を守備するようにと、命じられた。明治政府はただちに同月一〇日に樺山資紀を台湾総督に任命し、当時の征清大総督小松宮彰仁親王は、北白川宮が率いる近衛師団を派遣し、台湾の駐屯軍に当てることを決定した。同月一六日に征清総督は、近衛師団に台湾総督の命令、そしてその指揮に従うことを命じ、待機させた。

　元来、守備軍力で遼東半島に駐屯していた近衛師団が、台湾総督樺山資紀の命令によって突然守備兵力で台湾に上陸することを命じられ、のちに戦闘体制を強いられた。それは、当時随行していた副官西川虎次郎の回顧よりわかる。「当時、我々近衛師團は、北白川宮能久親王殿下の御統卒の下に、遼東半島の下に居つたのであります。所が、突然台湾守備の命を受けまして、冬服のまま、急遽台湾に赴いたのであります。匆論我々は当時台湾に就いては何等知らず、また戦争を預期するようなことは、全然なかったのであります。運送船は蘇澳沖に集合を命じられ、以後海軍の通報に依り上陸地を定めたのでありますが、其の時になって漸く我々は、無事平穏に上陸できぬかも知れぬという疑問を抱いたのであります」[*15]。この記述のほか、西川は、当時、最も困っていたのは台湾地図がなかったことと述べた。この回顧録から、北白川宮の近衛師團が事前に戦闘態勢に入ると告げられていなかったこと、そして作戦計画と台湾地理の情報のないまま、戦闘状態を強いられてしまったことがわかる。

一八九五年一一月に西村時彦（天囚）が日本大阪朝日新聞で『北白川の月影』（一八九五年一一月六日〜一六日）を連載し、のちに同じ新聞で「能久親王を台湾に奉祀する議」を載せた[*16]。その内容は、台湾で神社を建設し、北白川宮を奉ることを主張した。また台湾神社の建設を建言する最も早いものである。翌年の一八九六年に貴族院議会では、国費で台湾神社を建設することを提案された。しかしながら、具体的な建設は、台湾の第四代総督児玉源太郎と民政長官後藤新平の任期に入ってからようやく始まった。台湾神社は植民地台湾建設の第一人者と呼ばれている後藤新平によって完成されたという事実も特別な意味合いを持っている。それは、後藤新平も東北の「敗者」藩、東北岩手水沢武士の出身だからである。「幼くして戊辰戦争の不条理を体験し、一家が肩で風を切る武士階級から水呑み百姓へと真っ逆さまに堕ちたところから、彼の青春と日本の「近代」は始まった」[*17]。東北出身者の後藤新平の任期において、台湾神社の建設が完成したことは歴史の偶然というより、「新領土」台湾で新たな出発という「敗者」の意気込みとも見て取れる。

帝国の周縁としての台湾には、前記のように後藤新平などのような東北出身の「敗者」が多く渡ってきていたため、「敗者史観」が存在することが可能であったと推測できる。また、日本領台初期において、薩長出身の総督の任期内、すでに内地の国会で提案された台湾神社建設案がひきつづき繰り下げられて、それから、北白川宮が台湾征伐の途中、台南で亡くなったにも関わらず、死去の消息が封じられたことをあわせて、考えさせられざるを得ない。

三、森鷗外『能久親王事蹟』における「北白川宮」像

一八九五年北白川宮が台湾で亡くなったのち、奉る神社を建設する提議が挙がった。しかしながら、帝国議会両院が建設の提案を決議して一年半が経ってから、当時の台湾総督府において、一八九七年九月一日に第三任台湾総督乃木希典(のぎまれすけ)によって、「故北白川殿下神殿建設調査委員会」を設けて、やっと具体的な建設計画が立てられ始めた。[*18] とはいえ、正式な建設は、一九〇〇年五月二八日にようやく始まった。同年九月一八日内務省の告示第八一号は、台湾神社の創立とこの神社が官幣大社だと布告した。一九〇一年一〇月二七日鎮座式が行われて、翌日には、北白川宮の六周年忌にあたり、第一回恒例祭典を行った。[*19]

明治二九(一八九六)年に北白川宮が率いた近衛師団に随行していた一〇余名の将校が組んでいた「棠陰会(とういんかい)」が成立し、北白川宮の代表的な伝記『能久親王事蹟』は、その尽力によって出版された。森鷗外に執筆の依頼をしたまえ、まず「棠陰会」の会員が手分けして調査し、その資料を整理したのち、同じく近衛師団に属していた鷗外に依頼した。書き上げた後、また会員によって校正が行われ、ようやく明治四一(一九〇八)年に刊行された。森鷗外の『能久親王事蹟』の影響力は、学術論文および歴史小説によって頻繁に引用されていることからうかがいしれる。同時にこの伝記は日本統治期の台湾において、在台日本人文学者にも大きな影響を与えた。[*20] 鷗外に執筆を依頼した理由は、鷗外が日清戦争に参戦した後、近衛師団の台湾移動に随行

し、台湾出兵にも参加したからである。また、鷗外研究のなかで、鷗外が日清戦争が終了したのち、ただちに緊急に異動させられ、台湾出兵に参加させられたことは疑問視されてきた。鷗外の台湾滞在と動向については、島田謹二の「征台陣中の森鷗外」が詳しい。島田謹二は鷗外の台湾戦役に関わる、たとえば『明治二十七八年日清戰史』、『明治二十七八年役陣中日誌』などの資料を、丹念に調査し、鷗外の確実な滞在期間が明治二八（一八九五）年五月三〇日から同年九月二七～二八日までだと、突き止めた。鷗外の日清戦争および台湾討伐記録の『徂征日記』では、台湾戦役についてほとんどふれられていない。そのかわりに鷗外の台湾上陸および征台戦役への参加記録は一九〇八年出版された『能久親王事蹟』のほうに詳しく綴られている。[*21] また、森鷗外は日清戦争と一八九五年の台湾上陸および征台戦に参加したとはいえ、台湾について言及しているのは『徂征日記』のほか、北白川宮伝記『能久親王事蹟』が最も多いといえよう。[*22]

『能久親王事蹟』において、幕末の「輪王寺宮」時代、とくに東北諸藩によって新帝として擁立され、のちに監禁され自省するようにと命じられていた経緯について、描写が簡略し、あいまいとしている。それと対照的なのは、北白川宮が台湾に上陸してから、南に向かって前進していた様子の描写である。たとえば、薩長両藩が率いる政府軍が上野寛永寺を攻撃したことによって、上野の「寛永寺」に駐屯して「輪王寺宮」を護衛していた彰義隊は撃退され、榎本武揚が軍艦長鯨丸で羽田湾に「輪王寺宮」を迎えに赴き、宮が東北行を決断したいきさつについて、鷗外は次のように描いている。「東叡山の道場兵燹に罹りて、身を寄すべき処なし。頃日左右に訊るに、皆江戸の危険にして、縦ひ大総督に倚らんも、また安全を期し難かるべきを語れり。よりて暫く乱を奥州に避けて、皇軍の国内を平定せん日を待たんとすと」（傍線筆者）[*23]。この視点は、明らかにこの歴史事実をぼかし、「輪王寺宮」が謀反を起こす意図がないと強調するばかりである。また、「新政府軍＝皇軍」という描き方からも、出版当時の明治政府の史観への配慮がうかがいしれる。それに対して、

「輪王寺宮」が東北に到着してから、どのように東北諸藩によって新帝として擁立されたかについて、ほとんど言及していない。東北に滞在していた期間についての描写は、主に「輪王寺宮」の側近覚王院義観の視点を通して、「輪王寺宮」がどのように江戸から東北に逃れて奥羽越列藩によって盟主として推挙されたかといういきさつを追っている。主人公の「輪王寺宮」自身の東北に到着した当時の情勢についての意志表現の描写はほとんどないといえよう。

この部分の描写は、『会津藩戊辰戦争日誌』とは好対照となっている。それは、奥羽越列藩が組織した公議府が成立したのち、「輪王寺宮」が仙台に到着したと同時に、仙台藩をはじめ諸藩要員は、親王に懇願し白石城にとどまらせようとした経過の描写である。「〔慶応四年六月〕二三日、仙台の朽木五左衛門、横田宦平、会津の小野権之丞（中略）の六人宮に謁して、速に仙台に赴かせ給ひ、白石城を旅館に充てさせ給はんことを請ふ。白石城は当時奥羽列藩の策源にして、公議府と称せり。覚王院答へていはく。仙台に赴かせ給ふ期日は、列藩の合議して給ふことならば、宮必ずやこれに従ひ給はん」[*24]。『会津藩戊辰戦争日誌』は、鳥羽伏見戦争が勃発した慶応四（一八六八）年一月から松平容保が東京に送られた一〇月まで、会津藩を中心として政局の毎日の動向を追う史料である。この史料は、慶応四（一八六八）年六月一六日に「輪王寺宮」が奥羽越列藩同盟盟主になることを承諾し、また、同年六月二三日に列藩同盟が公議府の根拠地白石城で盟主「輪王寺宮」を「東武皇帝」として擁立し、年号を大政に改元したと記録している。

東北朝廷の体制が確立したと同時に、新政府との敵対態勢も明らかになった[*25]。この「輪王寺宮」の東北時代の描写を照らし合わせてみれば、鷗外がその「謀反」した歴史事実の描写を極力回避していることがわかる。それは、「輪王寺宮」が佐幕側の東北諸藩と結託して、とうとう「新帝」としての擁立されたという一連の出来事を、すべて宮の側近、覚王院義観によるもののように描写されていることから読み取れる[*26]。また北白川宮が台湾の湾底に上陸してから、台南で亡くなるまでの征戦ぶりを詳細に記録していると比べて見れば、「輪王寺宮」時代と「北白川宮」時代のそれぞれ描写の差異は一目瞭然である。その描写からわかるように、鷗外が「輪王寺宮」時代の「謀反」歴史に対して、明治維新以後の主流の「勝者史観」をはばかりながら、「敗者」側の悲願に鑑みて「英雄」としての北白川宮像を仕上げようと苦心している痕跡が見て取れる。

鷗外が台湾征戦を詳細に描いていることは、鷗外が自らこの戦役に参加したとは無関係ではない。鷗外は、近衛師団に従って台湾に上陸し台湾討伐戦役に参加し、『徂征日記』にその征戦記録を残している。そのため、能久親王が逝去したのち、その旧部下の懇願によって鷗外が数年間を費やして『能久親王事蹟』を執筆した。このなかで、近衛師団は在台の征戦経過を詳細に記述している。それに対して、『徂征日記』ではあまり言及していない。鷗外の『能久親王事蹟』は主に北白川宮の台湾征戦の英雄的な事跡を顕彰するためにあり、その台湾征戦の功績のほか、鎮守神としての正当性を強調するのが目的と思われる。そのため、「輪王寺宮」がかつて明治天皇に反旗を翻した歴史的記憶をなるべく希薄化、ないし抹消しようとした。その「反逆」、「謀反」の前半生をあいまいにし、「悲劇的な英雄」としての後半生を浮き彫りにしようとした。村上裕紀は、能久親王の敗者としての歴史がまさにその向心力の所在であると指摘した。それは、親王が近代において皇族身分を持っている軍人英雄であるだけでなく、敗者から英雄に転身しうるものだということを意味している。また、このような生涯は藩閥と旧幕府両者の向心力を凝縮する機能をもっている。鷗外はこの伝記を執筆した際、親王に投射したこのようなまなざしに気づいたはずであろう。[*27]

四、植民地台湾のマスメディアにおける「北白川宮」
――明治「敗者史観」の再現と一九一一年の大逆事件

北白川宮が一八九五年一〇月二八日に台南で逝去したのち、台湾では、その逝去の消息は内密にされたままであり、遺体が日本に返送された後、やっと公開された。一八九五年一一月五日に国葬、そして一一月六日に上野と日光との二つの輪王寺で法事を行った。同月一一日に豊島岡に葬られた。[*28] 葬式に関する記録において、最も注目されているのは台灣教育會が編纂した『北白川宮能久親王事蹟』に収録されている「葬儀彙報」の福島議会県長の弔詞の報道である。「福島県会議長目黒重真氏は、県会の決議により、能久親王薨去に付き、去る九日出京左の弔詞を奉呈し、昨日の御葬儀に列したといふ」。[*29] 明治維新以後、廃藩置県(はいはんちけん)が実行され、明治維新の「敗者」会津藩は、「福島県」に改制された。北白川宮の葬儀には、日本全国においておそらく福島県のみ代表を派遣して参加したと思われる。明治維新前後の歴史に照らし合わせてみれば、幕末期の北白川宮と東北諸藩とのゆかりが明らかになる。また福島県議会県長が北白川宮の葬儀に参加する意味も浮き彫りにされているだろう。

植民地台湾において流通していた北白川宮の相関伝記の数は、「内地」を超えていたといえる。これは、北白川宮が幕末に佐幕派とみられる東北諸藩と倒幕の薩長勢力との戊辰戦争に巻き込まれたことと密接に関係していると思う。また、北白川宮が一八九五年に台湾征伐において第一線で征戦し、マラリアにかかり、最後台湾で亡くなったという歴史背景とも関係している。植民地政府のプロパガンダ以外に、当時台湾のマスメディアはどのように北白川宮のイメージを構築したであろうか。次に、植民地台湾で発行時間が最も長くそして発行部数の多い日本語新聞『台湾日日新報』で連載されていた講談『北白川宮殿下』(一九一一年四月三日～一九一二年一月二四日）を例として、分析する。

『北白川宮殿下』作者は講談師、松林伯知（一八五六～一九三二）である。一九一一年四月二日、つまり連載が始まる前日から、『台湾日日新報』ですでに次のように予告されていた。「新聞講談に妙技ありと伝えらるる松林伯知を起こし、特に本社の為殊に本島とは関係浅からざる台湾神社の御神霊「北白川宮」の御一生を近日より連載し聊か愛読者の眷顧を酬いる処あらんとす。筋は、殿下が未だ輪王寺の宮の時代と称し奉りたる御時代砲火と剣戟とを経緯とせる惨憺たる幕末史の一齣より近衛師団長として金枝玉葉の御身を瘴霧尚深き本島の蕃風蕃雨に浴せられ、遂に全島平定の勳業を全うせられたる御事跡に筆を結ぶ」[*30]。松林伯知の本名は柘植正一郎であり、明治期に活躍していた講談師である。別号は猫遊軒であり、明治一〇年代ごろ、かつて銀座の銀座亭で開講したことがある。同時期において、山名克巳が銀座で代言社（今日の法律事務所）、麗澤館を開設し、イギリスより留学して帰国したばかりの法学士である星亨を招聘して、法律顧問を担当してもらった[*31]。星亨は、明治一五年に自由党に入党し、自由党総理である板垣退助の重要な補佐者となった。自由民権運動の核心人物であり、日本近代政党政治の成立の立役者であった[*32]。自由民権運動時期において、自由党は、政治講談を自由民権運動を宣伝するため、利用していた。またこれでわかるように、松林伯知は、星亨などの自由民権派の分子と関わっていた。松林伯知が所属していた松林派は、即席講談、時事を講談の題にすることを得意としていて、人気を博した。松林伯知の代表作品も多数あるが、『台湾日日新報』のため、連載していた『北白川宮殿下』はいままで知られいなかった。また現存している松林伯知の講談作品には未見なものでもある。

この講談は、一三二回も連載され、あらすじは次のようである。北白川宮の誕生から、成長したのち江戸の輪王寺に入り、その後、鳥羽伏見戦争が起こって、官軍が上野に攻め入り、輪王寺宮を保護するための彰義隊を撃破した。それで、宮が江戸から逃れて最後東北にたどり着いた。この講談では、官軍が上野を襲撃する前までの話がつまびらかに綴られている。とくに、宮が、徳川幕府と薩長が中心となる官軍との間で板ばさみになり、「賊軍」という汚名まで着せられた経過と、戊辰戦争が終わり、京都に戻され、閉門自省という時期を経て、北白川宮を襲名するまでが、詳細に描写されている。連載中、松林伯知が病気のため、三ヶ月間近く休載していた。[*33] 松林伯知の講談は、同時代の政治情勢を反映させることがその特色である。この『北白川宮殿下』も同じような特徴を持っている。そのため、当時台湾で流通していた北白川宮の伝記がどのような史観、そして時事の観点が反映されることかが観察しうる。伝記の中で、北白川宮が誕生する前の「神話がかり」の描写は、まさに「日本武尊」のイメージを浮き彫りにし、台湾神社に奉られる正当性を強化している。第一二回（一九一一年四月一五日）では、北白川宮の生母、堀口女房が妊娠した際、夢枕に悪鬼が現れたことを書いている。そのとき、一人の助っ人が「遥か彼方より御黒髪を振乱し、いとも尊とき御姿にて、神馬に召させられ、剣を持て彼の悪鬼に現はれ」た。その後、生まれてきた北白川宮が、堀口女房の夢に現れた助っ人とそっくりだということに気づいた。また、日本武尊が草薙剣を手に持って烈火に対抗する錦絵を見かけたとき、それを夢の助っ人と認め、北白川宮が日本武尊の転生だと確信し、吉北だと思っていた。[*34] ここでは前述した台湾で能久親王を奉祀することを主張した西村時彦は、「能久親王を台湾に奉祀する議」[*35]において、すでに能久親王を景行天皇の皇子、日本武尊にたとえ、国のために犠牲になった皇族とみなしている構造に類似している。また、内務省が台湾総督府に宛てた台湾神社の神体に返答する照会書においても、同じく能久親王と日本武尊との類似性を強調し、それによって、台湾神社へ入祀させる正当性を裏付けている。[*36]

この伝記において、もう一つ注目すべき描写は、南北朝の隠喩が反復されていることである。四九回

（一九一一年八月一九日）において、以下のような箇所がある。官軍がまもなく江戸に入城し、輪王寺宮（注：すなわち北白川宮）の彰義隊が相次いで上野の寛永寺に集結してきた。輪王寺宮の安否を気遣い、訪れてきた曇覺大僧正（すなわち覺王院）が、輪王寺宮の机上においてある詩作を見て、その理由を尋ねた。輪王寺宮は、次のように答えた。「昨夜庭前に月を見ると吉野風景を眺め立帰って床の間を見ると吉野の風景の軸がかかって居る。フト南朝のことなど想起して作ったものを岡松に添削して貰ふた（中略）題芳野山圖 香雲香雪壓山樓 檻外清流澹不流 欲問當年興敗事 落花枝上鳥聲愁」[*37]。また、官軍が上野を撃破し、輪王寺宮と執事僧である竹林院一行は変装して逃亡していて、人を使って榎本武揚に品川に停泊していた回陽艦に搭乗して江戸を離れるかどうかについて、交渉してもらっていた。その結果を待っていた間、随行しいていた竹林坊が思わず涙を流して、次の詩句を口ずさんだ。「笠置の山を出でてより天が下には隠れ家もなし」、と同時に「後醍醐帝其古事も眼の當り」[*38]と嘆いた。

この講談が連載されていた一九一一年時代背景に照らし合わせて見れば、「南北朝」の記号はなぜ反復して現れていることかわかる。一九一〇年五月に幸徳秋水、菅野須賀子らの爆弾所持が発覚され、同年六月に逮捕された。と同時に天皇暗殺を企んでいたことで、「大逆罪」という罪名で起訴された。一九一一年一月逮捕された二四名には、死刑判決が言い渡された。同年一月末、幸徳秋水と菅野須賀子を含めて、一一名は処刑された。[*39] 瀧川政次郎によると、一九一一年大逆事件は南北朝正閏説と密接に関係している。と同時に、大逆事件もまた、一九一一年南北朝正閏説論争の引き金になったと指摘されている。鶴判事は、法廷で幸徳秋水を「貴様の行為は天人倶に許さざる大逆行為であるぞ」と叱責したのに対して、幸徳秋水は、「今の天皇は後南朝の天皇から三種の神器をかすめ取った簒奪者の子孫ではないか」と言い放った。[*40] 大逆事件の審査は非公開であったにもかかわらず、秋水のこのような発言が漏洩したため、大坂の代議士藤沢元造が議会で小松原文部大臣にこのような不穏な思想が生まれた責任追及をしようとした。このため、国定教科書を編纂した喜田真吉博士は、南北朝ともに正統な天子という内容を記載した責任を追及され、罷免処分を受けた。基本的には、日本戦前において、「南朝正統説」が主流だったが、明治天皇の系統は、北朝系統である。孝明天皇（明治天皇の父）がかつて「百二十二代孫」と自署した文書があるが、これは北朝の系統による代数である。[*41]

また、大逆事件のため、日本は、一九一一年二月から七月にかけて、「南北朝正閏説」論争が起こった。この事件は、「戦前における代表的な学問弾圧事件であり、皇国史観を国民に強制し天皇制イデオロギー確立を促した事件であった」といわれている。[*42] 松林伯知の『北白河宮殿下』において、南北朝というイコンで輪王寺宮の境遇、とくに吉野朝廷の醍醐帝を輪王寺宮にたとえていることからわかるように、松林伯知は明治維新の政治紛争を南北朝のそれにたとえる意図があったと思われる。また、一九一一年一〇月二八日の『台灣日日新報』で「北白川宮仙台御滞在中の御事」という記事が掲載された。[*43] この記事は、まず北白川宮が慶応四年（一八六八）、西軍が上野を破ったため東北に逃れ、その後、仙台および当地の仙岳院にとどまった経過を報道している。この記事は、世の中は宮様が奥羽諸藩により東北に拉致されたと風聞しているが、事実とはだいぶ異なると指摘している。また、「避難当時の事情並びに仙岳院に関する史蹟に付き、木村匡の紹介により仙台山本育太郎氏より詳細なる記事並び仙岳院の写真等を得たれば、左のように紹介する」と説明している。

この報道は輪王寺宮が当時、依然日光御門主であり、それで仙台東照宮の分院——仙台仙岳院に「動座」したことを説明している。さらに輪王寺宮は、西軍が上野の輪王宮寺を破ったのち、後山から三河島まで逃れた。その後、西軍が厳重に捜査したため、宮は、町医者の学徒に扮して、仙台藩の援護によって七月二日に仙台仙岳院にたどり着いた。その後、輪王寺宮の動向は、のちに「東北朝廷」によって「新帝」と擁立されたという説に密接に関係している。七月一〇日に宮様は仙台藩藩主、伊達慶邦と子息に令旨を下した。その部分的な内容は、次のようである。「日光宮御令旨 嗟呼薩賊、久懐兇悪、漸恣殘暴、已至客冬、違先帝遺訓、而黜攝關幕府（中略）速殄凶逆之魁、以上達幼主憂惱、下濟百姓塗炭矣（中略）輪王寺大王鈞命執達如件」*44。奥羽同盟諸藩は、奥羽越公議府という名義で全国にこの令旨を布告し、そして欧文に翻訳し各国領事にも送付した。七月一二日に輪王寺宮は、侍従僧大圓覺院と竹林院に同伴され、仙岳院を離れ、白石城に鎮座した。奥羽列藩が一致決議して、宮を總督に奉した。と同時に「日光宮御動座布告文」という布告文を発布した。この布告文は前述した令旨と同じように、薩摩藩を「薩賊」と呼んでいる。その中で、薩摩藩の罪状を詳細に列挙している。つまり、薩摩が「日光宮（筆者注：輪王寺宮）」を禍に陥れ、そして徳川慶喜に無実の罪を着せて、それによって輪王寺宮が上京し徳川慶喜のために許しを乞っていたにもかかわらず、免罪してもらえなかった。その後、薩摩は、上野の輪王宮寺を襲撃し、輪王寺宮が東北に赴くことを余儀なくされた。「凶賊を平定し、朝廷を清明にせんことを諸侯に託して玉ふ」*45。この布告文の最後は、次のように締めくくられている。「誰か皇國の民ならざらん誰か皇胤の尊知らざらん。薩賊の凶暴奸詐巳に此の如くなれば仮令天日地に落ち、海水現に涸るるありとも、此大績を東叡山に帰し奉らんことを天下の士民其の事實詳にせず、宮様の御深意を辨へず、南北両朝の故事を附会して、誣罔の説うを作さんことを恐る故に大略を記して、遠近に布告するもの也」*46。

以上の布告文からわかるように、輪王寺宮は、東北諸藩の勢力を借りて、薩摩を中心とする西軍に対抗しようとした。薩摩に対する征討の罪名は、幼主を故意に欺いた以外、輪王寺宮を禍に、そして徳川慶喜を罪に陥れたということがある。しかしながら、布告した檄文の最後からも読み取れるように、当時の民衆は、輪王寺宮の西軍に対抗する戦争を、中世の南北朝分裂として捉えていたため、民間には、風説が盛んに流布していたことがわかる。また、そのために、説明と解釈が必要とされる。川政次郎も次のように指摘した。「これに拠れば、奥羽士民の間に宮を立てて天皇となし、南北朝の故事に倣って、薩長の擁する朝廷と対抗せんとする氣運が高まっていたことが察知せられる」[*47]。

　この記事の結末に記してある日にちは、一九一一年一〇月七日であったが、しかしながら、掲載された日は、一九一一年一〇月二八日であった。掲載時期は、実際には二つの意味が読み取れる。まず、一九一一年は、大逆事件が結審し、幸徳秋水などの被疑者が処刑されたほか、幸徳秋水の尋問記録が漏洩したため、南北朝正閏説の論争を引き起こした年である。また、北白川宮が台湾でマラリヤによって逝去した記録によると、その忌日は、一八九五年一〇月二八日であった。この記事は、幕末に東西軍が對抗した際、北白川宮が東北の新帝という歴史事実を強化している以外、当時南北朝の歴史が幕末の北白川宮と薩長を中心とする西軍との関係を反映するものと捉えられていたことを如実に現している。それは、松林伯知の『北白川宮殿下』という講談形式の伝記に現れた、反復する南北朝の記号から明らかになっていると思われる。

五、おわりに

　末延芳晴（すえのぶよしはる）は『森鷗外と日清・日露戦争』のなかで、「親王が一時は朝廷に反旗を翻したものの、「東武天皇」を僭称」したと指摘した。[*48]と同時に鷗外がこの伝記のなかで、とくに親王の死因について、「親王にとって都合の悪いことや隠すべき事実は落とされたり、書き直されたりしている可能性が高いことも見落としてはならないだろう」「軍神としての親王の生を神話化するために、相当程度の潤色が加えられている可能性が高く」「鷗外は、軍部と日本政府、ひいては明治天皇の意を慮って、曲筆を弄したものと思われる」[*49]とも指摘している。また、中村文雄（なかむらふみお）は『森鷗外と明治国家』のなかで、日清戦争終了後、鷗外は即時に帰国できると期待していたが、野戦衛生官の石黒忠悳（いしぐろただのり）に命じられ、ただちに台湾に転戦することとなった。そして、その事実を『徂征日記』に照らし合わせてみれば、鷗外がそのなかで、台湾征戦をほとんど言及せずとのこと、台湾における職位の位置づけ、ないし責任帰属の不明などのことは、石黒との不仲に起因すると指摘した。[*50]一八九五年台湾征戦に際して、日本軍は、疫病と脚気の大流行によって多大の被害をこうむっていた。長い間、それは森鷗外の責任とされつづけてきたが、近年の研究によって、責任の帰属がすでに明らかになった。[*51]しかしながら、この歴史事実が明らかになったことにしたがい、一八九五年鷗外の台湾滞在の事情がより屈折、そして複雑な状況にあったことがわかる。この点を含めて、以上の先行研究が提起した問題点は、今後森鷗外の『能久親王事蹟』の視点および史観をより深く探究する手がかりになると思う

「敗者史観」から考えれば、明治維新以後、薩長両藩等という藩閥政治が主導していた時期に、明治（薩長）政府が征台戦役を利用し、過去の歴史を清算、ないし「周縁者」を排除しようとしたことは、考えられなくもない。征台戦役に臨んだ際、台湾初代総督、樺山資紀をはじめ、薩長両藩出身者が主導する台湾総督府による軍事調度の実際状況を見れば、疑問点が多い。また、森鷗外の台湾戦役への参加も例のない異動によるものだったという指摘が、先行研究からわかる。台湾戦役が明治（薩長）政府にとって、かつての「政敵」をも含めて「周縁者」を清算するには好都合なものであったと考えるのは、深読みだろうか。

北白川宮が一八九五年一〇月二八日にマラリヤで台南で亡くなった後、同年一一月に日本の新聞にはさっそく社説「能久親王を台湾に奉祀する議」が掲載された。[*52]翌年、貴族院議会でただちに国費で台湾神社を

建設することが提案された。決議過程において、徳川家達（徳川家）はいち早く賛同したが、唯一の反対者は、侯爵醍醐忠順だった。一八六八（慶応四）年幕末に、醍醐忠順の嫡子忠敬が東北に送られ、奥羽鎮撫総督府の副総督として奥羽越列藩を討伐した。侯爵はその反対理由を明らかにしなかったが、おそらくかつて敵軍盟主だった北白川宮に感情的にはしこりが残っていたのではないかと推測できる。その反対意見に対して、子爵曽我準則が提議案に賛成する演説を発表した。実際には、曽我はかつて薩長藩閥と対立していたため、軍職を辞した者で、北白川宮には好感を抱いていた。[*53] 以上のように、台湾神社建設の決議過程をみれば、幕末政争の際、「薩長」と「東北」両集団の対立は、日本が領台したのちにもまだ存在していた。菅浩二は、能久親王が外地へ遠征し、異郷で命を落としたことにたいして、当時の日本社会には「親王がこれから始まる台湾統治の人柱となられたかのやうな」感覚を抱く人が多かったと指摘した。[*54] 能久親王が鎮台の神祇になったことは、単に皇族を追悼ないし顕彰するだけでなく、それと同時に明治維新以後タブーになっているその「敗者」の歴史を救済するためにもある。

また、『台湾日日新報』の一九一一年の記事における布告文と檄文に照らし合わせてみれば、森鷗外の『能久親王事蹟』という北白川宮伝記は、東北「敗者史観」とは、大部かけ離れていることがわかる。松林伯知の『北白川宮殿下』と「北白川宮仙台御滞在中の御事」からわかるように、一九一〇年代において、台湾の『台湾日日新報』は、基本的には、東北の「敗者史観」に立脚し、北白川宮像を構築していた。

東北の「敗者史観」が、のちに植民地台湾で形成された理由、どのように在台日本人の文学観とかかわり、また「勝者史観」とはどのようにせめぎあい、植民地台湾において二つの史観がどのように現れているかは、次の段階の研究課題となる。

注

1 小森陽一『ポストコロニアル』（岩波書店、二〇〇一年）、二三～二五頁。

2 吳佩珍「日本自由民權運動與台灣議會設置請願運動─以蔣渭水〈入獄日記〉中《西鄉南洲傳》為中心─」（『國立政治大學台灣文學學報』第一二期、二〇〇七年一二月）、一〇九～一三二頁。

3 成田龍一『〈歴史〉はいかに語られるか』（ちくま学芸文庫、二〇一〇年）、一三頁。

4 同前。

5 北白川宮能久親王という呼び方は明治維新以後になる。幕末時期に上野東叡山寛永寺の「輪王寺宮」公現法親王と呼ばれ、「輪王寺宮」と通称されている。本章では、明治維新を区切りとしてその呼び名を使いわける。

6 台灣教育會『北白川宮能久親王事蹟』（一九二七年）。のちに『皇族軍人傳記集成 第三巻 北白川宮能久親王』に収録されている（『皇族軍人傳記集成 第三巻 北白川宮能久親王』ゆまに書房、二〇一〇年、一五五頁）。

7 瀧川政次郎『日本歴史解禁』（創元社、一九〇五年）。

8 輪王寺は、元来天海大僧正（一五六三?～一六四三）が徳川三代将軍家光に進言し、開山されたもので、徳川将軍家の菩提寺ともなった。その後の公海が日光門主として、後水尾天皇の皇子、尊敬親王を迎え、その初代の輪王寺宮は、為守澄法親王だ。その後、明治維新まで、計一三代一二人の法親王が日光門主「輪王寺宮」になっていた。歴代の日光門主は、幕府が皇族を迎えていた。そのため、「輪王寺宮」が日光宮門主となり、江戸東叡山輪王寺、すなわち上野の寛永寺に駐在していた。北白川宮能久親王が還俗する前、その最後の輪王寺宮であった（菅原信海『日本仏教と神祇信仰』春秋社、二〇〇七年、一六五～一九一頁を参照）。輪王寺宮（のちの北白川宮）は、弘化四年生まれ、満宮と命名され、伏見宮邦家親王の第九子である。二歳に仁孝天皇の養子となり、一二歳に「輪王寺宮」の御弟となり、一三歳に江戸の東叡山に入る（『皇族軍人傳記集成　第三巻　北白川宮能久親王』〔ゆまに書房、二〇一〇年一二月〕の年譜を参照）。

9　稲垣其外『北白川宮　上巻』（台灣經世新報社、一九三七年、一～六頁）。また、菅浩二《日本統治下の海外神社》（弘文堂、二〇〇四年、二三七～二三八頁）。

10　藤井徳行「明治元年　所謂「東北朝廷」成立に関する一考察」（手塚豊編『近代日本史の新研究1』北樹出版、一九八一年、第二節「輪王寺宮の制度的意義」二一七～二三一頁）を参照。また、長尾宇迦「「東武皇帝」即位事件―最幕末に存在した、歴史に埋もれたもう一人の天皇」（『歴史読本』二〇一〇年八月号、一二六頁）を参照。

11　長尾宇迦「「東武皇帝」即位事件―最幕末に存在した、歴史に埋もれたもう一人の天皇」（『歴史読本』二〇一〇年八月号）、一二六頁。

12　瀧川政次郎「知られざる天皇」（『新潮』四七―一〇、一九五〇年一〇月）、一二四頁。

13　百瀬明治「奥羽越列藩同盟―その成立から解体まで」（歴史讀本編輯部編『カメラが撮られた会津戊辰戦争』新人物往来社、二〇一〇年）、六～二七頁。

14　奥羽越列藩の敗戦後、「輪王寺宮」が「官軍」に謝罪、投降を決意し、執当僧だった義観と堯忍が免職となった。のちに義観が東京糺問司に送られ、尋問調査を受けた。義観がすべての責任を負うことになり、次のように供述した。「春来の事一として〔「輪王寺宮」が彰義隊に擁立され、佐幕路線を決定したことを指す〕親王の意に出るに非ず、皆野衲一人之が計を為したのである」と自分に全責任を課した。のちに義観（覚王院）のこの自白によって「輪王寺宮」が奥羽越列藩同盟の盟主と「東武天皇」になったのは、「輪王寺宮」の本意ではなく、義観の唆しだったとされた（藤井徳行「明治元年　所謂「東北朝廷」成立に関する一考察」、手塚豊編『近代日本史の新研究1』北樹出版、一九八一年、三〇六～三〇八頁を参照）。

15 西川虎次郎「北白川宮能久親王殿下の御征戦に従ひて」(『台湾』一九三六年一月)、四頁。

16 〔西村天囚〕「能久親王を台湾に奉祀する議」(『大阪朝日新聞』一八九五年一一月七日)。

17 山岡淳一郎『後藤新平　日本の羅針盤となった男』(草思社、二〇〇七年)、一〇頁。

18 菅浩二『日本統治下の海外神社』(弘文堂、二〇〇四年)、二四九頁。

19 同前。

20 たとえば、島田謹二「征台陣中の森鷗外」、藤井徳行「明治元年 所謂「東北朝廷」成立に関する一考察」(手塚豊編『近代日本史の新研究1』北樹出版、一九八一年)、そして吉村昭の歴史小説『彰義隊』(新潮社、二〇一〇年)は、『能久親王事蹟』を引用すると同時に、この伝記の影響もふれられている。

21 島田謹二「征台陣中の森鷗外」(『華麗島文学志―日本詩人の台湾体験』明治書院、一九九五年)、六五～六七頁。

22 同前、九四頁。

23 森鷗外「能久親王事蹟」(『鷗外全集』第三巻、岩波書店、一九八七年)、五三六頁。

24 同前、五四一頁

25 菊地明編『会津藩戊辰戦争日誌』(上)(新人物往来社、二〇〇一年九月)、三三〇頁、三四〇頁。

26 注23を参照。

27 村上祐紀「「皇族」を書く―『能久親王事蹟』論」(『鷗外研究』八八號、二〇一一年一月)、五二～五三頁。

28 吉野利喜馬『北白川宮御征臺始末』(台灣日日新報社、一九二三年)。また『皇族軍人傳記集成 第3巻 北白川宮能久親王』(ゆまに書房、二〇一〇年一二月)、九四～九五頁。

29 台灣教育會編撰『北白川宮能久親王事蹟』(台灣教育會、一九三七年)。また『皇族軍人傳記集成 第3巻 北白川宮能久親王』(ゆまに書房、二〇一〇年一二月、二八九頁)。

30 「新講談預告」『台灣日日新報』（一九一一年四月二日）。
31 篠田鉱造『銀座百話』（岡倉書房、一九三七年）。紀田順一郎『近代世相風俗誌集7』（クレス出版、二〇〇六年）、四八頁。
32 Japan Knowledge「星亨」項目を参照。
33 『北白川宮殿下』は一九一一年五月二〇日第四七回の後、病気で休載し、同年八月一七日にまた復活した。
34 松林伯知『北白河宮殿下』第一二回（一九一一年四月一五日）。
35 西村（時彦）天囚「能久親王を台湾に奉祀する議」（『北白川宮の月影』大阪朝日新聞会社、一八九八年）。
36 菅浩二『日本統治下の海外神社』（弘文堂、二〇〇四年）、二五〇～二五一頁。
37 松林伯知『北白河宮殿下』第四九回（一九一一年八月一九日）。
38 松林伯知『北白河宮殿下』第一〇二回（一九一一年一二月一八日）。
39 清水卯之助『菅野須賀子の生涯』（和泉書院、二〇〇二年）、三〇七～三〇八頁。
40 瀧川政次郎『日本歴史解禁』、一一四頁。
41 Japan Knowledge「南北朝正閏論」（尾藤正英）項目を参照。
42 Japan Knowledge「南北朝正閏論」（阿部恒久）項目を参照。
43 「北白川宮仙台御滞在中の御事」『台灣日日新報』（一九一一年一〇月二八日）。
44 同前。
45 同前。
46 同前。
47 瀧川政次郎『日本歴史解禁』、一四一頁。
48 末延芳晴『森鷗外と日清・日露戦争』（平凡社、二〇〇八年一二月）、一〇一頁。

49　同前、一〇〇～一〇一頁。

50　中村文雄『森鷗外と明治国家』（三一書房、一九九二年一二月）、一二一～一二二頁。

51　山下政三『鷗外森林太郎と脚気紛争』（日本評論社、二〇〇八年）。山下政三によると、台湾征戦において、軍隊間に脚気病が大流行していた責任は、森鷗外にあるではなく、その長官の石黒忠悳にあるという。また、鷗外がかかわっていた「臨時脚気病調査会」の調査によると、ビタミンBの欠乏が脚気になる原因だと究明したのは、軍事医学には多大な貢献だと指摘されている。

52　「能久親王を台湾に奉祀する議」『大阪朝日新聞』（一八九五〔明治二八〕年一一月七日）。

53　菅浩二「「台湾の総鎮守」御祭神としての能久親王と開拓三神―官幣大社台湾神社についての基礎的研究―」（『明治聖徳記念学会紀要』復刊第三六号、二〇〇二年一二月）、一〇一～一〇六頁。

54　同前、一〇八頁

参考文献

浅見雅男「北白川宮能久親王―明治帝を激怒させたドイツ貴族との婚約」（『文藝春秋』、二〇一一年）。

稲垣其外『北白川宮 上巻』（台灣經世新報社、一九三七年）。

上田正昭『日本武尊』（吉川弘文館、一九六〇年）。

菅原信海『日本仏教と神祇信仰』（春秋社、二〇〇七年）。

菅浩二『日本統治下の海外神社』（弘文堂、二〇〇四年）。

菅浩二「「台湾の総鎮守」御祭神としての能久親王と開拓三神―官幣大社台湾神社についての基礎的研究―」『明治聖徳記念学会紀要』（復刊第三六号）（二〇〇二年一二月）。

菊地明編『会津藩戊辰戦争日誌』（上）（新人物往来社、二〇〇一年）。

紀田順一郎『近代世相風俗誌集7』（クレス出版、二〇〇六年）。

小森陽一『ポストコロニアル』（岩波書店、二〇〇一年）。

吳佩珍「日本自由民權運動與台灣議會設置請願運動—以蔣渭水〈入獄日記〉中《西鄉南洲傳》為中心—」『國立政治大學台灣文學學報』第一二期、二〇〇七年一二月）。

篠田鉱造『銀座百話』（岡倉書房、一九三七年）。

島田謹二『華麗島文学志—日本詩人の台湾体験』（明治書院、一九九五年）。

清水卯之助『菅野須賀子の生涯』（和泉書院、二〇〇二年）。

末延芳晴『森鷗外と日清・日露戦争』（平凡社、二〇〇二年）。

台灣日日新報社「北白川宮仙台御滞在中の御事」（『台灣日日新報』一九一一年一〇月二八日）。

台灣教育會『北白川宮能久親王事蹟』（台灣教育會、一九三七年）。

滝音能之「ヤマト政権にとっての「出雲神話」を読み解く」（『歴史読本』五八巻六号、中経出版、二〇一三年）。

瀧川政次郎「知られざる天皇」（『新潮』四七巻一〇号、一九五〇年）。

瀧川政次郎『日本歴史解禁』（創元社、一九五〇年）。

長尾宇迦「「東武皇帝」即位事件—最幕末に存在した、歴史に埋もれたもう一人の天皇」（『歴史読本』、新人物往来社、二〇一〇年八月）。

中村文雄『森鷗外と明治国家』（三一書房、一九九二年一二月）。

成田龍一『〈歴史〉はいかに語られるか』（ちくま学芸文庫、二〇一〇年）。

西川虎次郎「北白川宮能久親王殿下の御征戦に従ひて」（『台湾』、一九三六年一月）。

西村天囚［時彦］『北白川宮の月影』（大阪朝日新聞会社、一八九八年）。

〔西村天囚〕「能久親王を台湾に奉祀する議」『大阪朝日新聞』（一八九五年一一月七日）。

藤井徳行『近代日本史の新研究1』（北樹出版、一九八一年）。

星亮一『奥羽越列藩同盟—東日本政府樹立の夢』（中央公論社、一九〇五年）。

松林伯知「新講談預告」（『台灣日日新報』一九一一年四月二日）。

松林伯知「北白河宮殿下」『台湾日日新報』（台灣日日新報社、一九一一年四月三日—一九一二年一月二四日）。

村上祐紀「「皇族」を書く—『能久親王事蹟』論」『鷗外研究』八八號、二〇一一年一月）。

森鷗外『鷗外全集』第三巻（岩波書店、一九八七年）。

山岡淳一郎『後藤新平　日本の羅針盤となった男』（草思社、二〇〇七年）。

山下政三『鷗外森林太郎と脚気紛争』（日本評論社、二〇〇八年）。

ゆまに書房編『皇族軍人傳記集成 第3巻 北白川宮能久親王』（ゆまに書房、二〇一〇年）。

吉野利喜馬『北白川宮御征臺始末』（台灣日日新報社、一九二三年）。

吉村昭『彰義隊』（新潮社、二〇一〇年）。

歴史讀本編輯部編『カメラが撮られた会津戊辰戦争』（新人物往来社、二〇一二年）。

著者不明『台灣史料稿本』C00158~C0159號公文
Japan Knowledge

6　日本植民地時代の朝鮮伝統チュムの変化と隠滅

李　鍾淑

（日本語翻訳　呉鉉烈・監修　徐禎完）

一、はじめに

本章は朝鮮時代の「チュム」[*1]継承の主体であった妓女（キニョ）と舞童（ムドン）の動態が日本帝国による植民時代の社会制度統制のもとで起こったチュムの変化の様相を明らかにすることを目的とする。

朝鮮時代の妓女と舞童は、国家の楽を司る機関である掌楽院（チャンアグォン）所属でありながら、同時にその下部機関であった全国官衙の教坊に属して楽歌舞の活動を担う者であった。妓女と舞童は身を以て楽歌舞の役に服する「身役」を担った官属人として主に官衙や宮中で催す宴饗での楽歌舞を担当した。もちろん楽は主に楽工が奏したが、朝鮮前期の内宴[*2]では妓女が楽器演奏者と歌舞担当者とに分けられて公演に臨んだ。舞童は主に外宴[*3]または中国からの使臣のための歌舞公演を担った。

記録によって確認される朝鮮時代まで伝承されている妓女と舞童のチュムの種目はおおよそ六〇前後と推

算される。これらは、日本植民地時代に生じた変化の様相を比較説明するための対照群として確認しておく必要がある。それぞれのチュムと種目を、時代別・形態別に提示すると以下の通りとなる［表1］。

この表を簡単に説明すると、新羅の古事や『郷樂雜詠』の詩文を通じて起源を知り得るチュムが〈無垢舞〉、〈処容舞〉、〈黄昌舞〉である。〈獅子舞〉は崔致遠(チェ・チウォン)の郷楽詩(ヒャンアック)〈猊狻〉によると新羅ですでに伝承されていたチュムの種目であることがわかる。そしてこれらのチュムが朝鮮時代の外方教坊や宮中の宴饗記録からも確認されることから、その長い伝承過程を推察することができる。

一方、高麗時代には唐楽形式の五つのチュム[*4]が新たに登場するが、第一一代王の文宗の燃燈會と八関会において妓女による唐楽風のチュムが舞われており、『高麗史・樂志』からは五つのチュムの伝承が確認できる。つまり、唐楽チュムとは、宋代に高麗に伝承された当時の外来楽歌舞を通称する。以降、高麗の唐楽チュムは朝鮮前期と後期の唐楽呈才(ジョンジェ)への形式的継承を経て創作の基礎が提供され、朝鮮建国と保全に努めた太祖(テジョ)・太宗(テジョン)・世祖(セジョ)関連を讃する歌詞を郷楽・唐楽形式の調べに合わせ、その音楽に和して舞うチュムを指す。

以上の俗楽チュムは唐楽とは異なり、新羅時代から継承された高麗時代の固有性を持つチュムである。〈舞鼓〉〈牙拍〉〈鶴舞〉がそれである。これらの楽歌舞の郷楽形式[*5]を基に朝鮮初期に創られた郷楽呈才には〈定大業」〈保太平〉〈鳳来儀〉〈発相〉〈文徳曲〉などがある。

朝鮮後期に創られた多くの呈才は、たいてい朝鮮第二三代王純祖の息子孝明世子が母親純元王后の一八二八年生誕と父親純祖(スンジョ)の一八二九年生誕および在位三〇周年記念行事のために楽章歌詞を新しく創り、楽歌舞で構成して宴のときに捧げたものである。朝鮮後期の唐楽呈才も同じである。一方、〈船遊楽〉〈項荘舞〉〈剣舞〉〈初舞〉などの朝鮮後期の郷楽チュムは、外房の妓女によってすでに活発に演行されて有名になった後、選上妓[*6]によって朝廷の祭りのときに宮中でも演行されたチュムである。

［表 1］朝鮮時代の内宴伝統チュムの種目

<table>
<tr><th>国名</th><th>形態</th><th>宴響伝統チュム種目</th><th>合計</th></tr>
<tr><td>新羅</td><td>俗樂</td><td>無㝵舞、處容舞、黃昌舞（一 假面劍舞）、獅子舞</td><td>4</td></tr>
<tr><td rowspan="2">高麗</td><td>唐樂</td><td>獻仙桃、壽延長、五羊仙、抛毬樂、蓮花臺、曲破</td><td>6</td></tr>
<tr><td>俗樂</td><td>舞鼓、牙拍（＝動動）、鶴舞</td><td>3</td></tr>
<tr><td>朝鮮</td><td>唐樂呈才</td><td>夢金尺（＝金尺舞）、受寶籙、覲天庭、受明命、賀聖明、荷皇恩、聖澤、六花隊</td><td>8</td></tr>
<tr><td>前期</td><td>鄕樂呈才</td><td>響鈸、鳳來儀、定大業、保太平、文德曲、發祥、教坊歌謠</td><td>7</td></tr>
<tr><td>朝鮮</td><td>唐樂呈才</td><td>演百福之舞、長生寶宴之舞、帝壽昌、催花舞</td><td>4</td></tr>
<tr><td rowspan="2">後期</td><td>宮中
鄕樂呈才</td><td>佳人剪牧丹、公莫舞（男性舞／劍舞）、慶豐圖、高句麗舞、廣袖舞、萬壽舞、望仙門、舞山香、撲蝶舞、寶相舞、四仙舞、影池舞、尖袖舞（葉舞／劍舞）、春光好、春臺玉燭、春鶯囀、獻天花</td><td>17</td></tr>
<tr><td>外方
鄕楽 チュム</td><td>劍器舞（女性舞／劍舞）、關東舞、船遊樂、初舞（＝イップチュム、凌波舞）、項莊舞、響鈴舞、僧舞（⇒閑良舞）、舞童（⇒廣袖舞）</td><td>8</td></tr>
<tr><td>大韓帝国</td><td></td><td>手巾 イップチュム（立舞⇒サルプリチュム）、男舞</td><td>2</td></tr>
<tr><td colspan="3">※以上のチュムは同一系統のものをまとめて数えることも、あるいはそれぞれ特色を備えた別のチュムとして数えることもできるので厳密な数を定めることは容易ではない。
俗楽（国風楽）：新羅 俗楽、国風楽。新羅で発生し、伝承された楽歌舞。高麗の俗楽は、高麗時代に発生し形態をなしたと思われ、それが後代に継承される楽歌舞である。鄕楽または土俗楽と似た概念用語であるが『高麗史』や三国関連記録には「俗楽」と表記される。だが、朝鮮の『楽学軌範』には「鄕楽」と表記される。各記録の表記に従い「俗楽」と「鄕楽」に整理した。
唐楽：高麗時代宋から輸入され、宴に用いられた楽歌舞を唐楽と通称する。唐楽は輸入楽器の唐楽器で演奏されチュムを舞うとき宋代に流行った詩歌詞である宋詞形式の歌を歌い、楽歌舞を演行する特徴を持つ。
唐楽呈才：高麗時代輸入された唐楽で演行される楽歌舞をとくに唐楽呈才と表記した。呈才とは才を奉る、あるいは捧げるの意だが、朝鮮時代から宮中や官衙の宴で楽歌舞を演行することをさす言葉である。
鄕樂呈才：鄕樂器で奏する鄕樂伴奏に合わせて歌舞を演行する行為を表す用語。</td><td>59</td></tr>
</table>

朝鮮後期、外房で流行した〈船遊楽〉〈項荘舞〉〈僧舞〉〈男舞〉などはすべて劇舞形式へと発展して配役のあったチュムであった。チュムの発展史の中で多くの配役があった劇舞の解体は多様な独舞を誕生させ、新たな形式および形態へと進んだ。このような現象が主に日本による植民地時代に起こった事実に注目し、注意深く観察すべき現象であると考える。

すなわち、礼楽としての宴饗チュムに娯楽的・劇的要素が次第に拡大し、全国に広がったのが朝鮮後期の傾向だとすれば、大韓帝国以降、日本による植民地時代、権力による妓生の制度的統制と演戯主体者の自助活動や時代的要求の中でチュムがさらに娯楽化・個人化されたという事実をこの論考で説明することにする。

二、警視庁の妓生制度介入と朝鮮伝統チュムの価値認識の低下

警視庁は、一九〇八年九月三〇日、「妓生団束令」と「娼妓団束令」を発布した。日本帝国は、妓生及び娼妓を職業として生活を営む者に対して管轄警察署を経由して警視庁から許可証を受領してから従事するよう制度を設けた。[*7] 日本帝国はこれを通じて官妓である妓生と芸娼妓である三牌(サンペ)[*8]を区分し「朝鮮女性芸術活動を通じた税収の拡張」という利益を得、「同時に朝鮮妓生に対する技芸――セクシュアリティのイメージを公認させ、刻印させること」に成功した。[*9]

また、妓生と三牌の差別を社会的パラダイムとして具体化することによって、妓生は「大韓帝国の様々な公私事において宮中呈才及び女楽を繰り広げ、近代式妓生制度下で歌舞を専業とする専門歌舞演行者としての活動[*10]が公認されたという。妓生には直ちに「妓生組合」に属する優越な地位と特恵が与えられた。したがっ

て、「妓生は自分たちを三牌から区別することに熱を上げた」[11]という。

一方、芸妓でありながら「売淫女の娼妓としても存在した」[12]三牌は「娼妓組合」に属し、性病検査を必ず受けなければならない公娼制度に強制編入された。[13]これは妓生に比べて三牌を社会通念上低級な存在として差別する法的制度として定着した。これをうけ、娼妓組合の芸妓である詩谷妓生[14]たちは「三牌の身体を統制」[15]する社会的差別認識を克服するために、売淫する娼妓という汚名を脱ぎ、優秀な技芸を備えた名実共に妓生として扱われるよう孤軍奮闘することになった。

以上のような日本帝国の妓生組合と娼妓組合システムは組合間の競争を煽り、また、詩谷の三牌は一般人を対象とした呈才公演の大衆化に一助した。[16]李晶魯(イ・チャンノ)によると、詩谷の三牌芸妓が「妓生身分」を持つようになった背景には、近代劇場での降仙楼の公演のような活動が有効に働いたという。[17]

詩谷芸妓は一九一二年に団成社で公演した「旧日の歌舞を改良」した創作チュムである〈庶民安楽舞〉〈電気チュム〉〈(電気)蝴蝶舞〉〈鶯蝶舞〉[18]や朝鮮時代から伝承される伝統呈才類である〈響鈴舞〉〈獻蟠桃〉〈長生寶宴舞〉〈舞鼓〉〈佳人剪牧丹〉〈抛毬樂〉〈剣舞〉〈僧舞〉などを興行した。[19]大韓帝国期から見られる〈男舞(＋男舞拍地)〉や〈八仙舞〉〈スンジンム〉[20]〈性真舞〉なども公演した。降仙楼[21]一行の公演中、詩谷三牌のチュム演行は檀聖寺での興行を成功させ、観衆の人気を博した。[22]このような活動によって詩谷の芸妓は「一九一四年に信彰妓生組合という名前を付けて妓生――娼妓の抑圧から抜け出し始め、一九一六年に名実共に妓生[23]」と公認された。これにより妓生と三牌を統合して「芸妓生」と通称する法が発令された。[24]まるで妓生と三牌の差別をなくしたかのようだが、翌年の一九一七年、いずれも日本式の妓生に再編することで、通称「朝鮮妓生文化」の内鮮一致を成し遂げた結果であった。

本来、官妓と三牌は一九〇二年に皇室劇場「戯台」によって一緒に募集し、混在する状況で公演活動を行った。当時、この「戲台」[*25]を通じて「協律社のような専門演戲会社が誕生」[*26]し、西洋式室内プロシニアム舞台であったこの劇場では唱劇、才人・広大（道化師）の綱渡り、地芸、舞童など、各種芸とタルノリ（仮面遊び）が妓生の伝統チュムと同じ空間で総合芸能としての商業活動を展開した。この公演のために協律社では官妓と三牌、そして預妓を募集して一緒に練習して呈才を公演させた。[*27] この時の伝統チュムの呈才は各種の広大ノリ（遊び）公演の最後の順序に置かれ彼らの呈才公演はハイライトだった。当時、呈才の現場を直接観覧するために「熱狂した群衆が劇場に集まった」[*28]という。

これは「近代的文化を学習し楽しむようになった大衆の誕生と商業的興行による大衆文化の構成」[*29]という変化の出発点だった。協律社が繰り広げた「戲台」での笑春臺遊戲のような総合演戲形態は、一九一二年の団成社の降仙樓一行の公演にも影響を及ぼし、平壌ナルタルペ（道化師の一種）と詩谷妓生の公演が興行を目的に舞台に上がった。また、詩谷の三牌は公的な空間で官妓よりも多くの公演活動を繰り広げたという。[*30]

京城では「一九〇七年以降多数の私設劇場ができ、官妓は主に円覚社（旧・協律社）または長安社で、三牌は主に団成社で」[*31]一般大衆を対象とした呈才スタイルの伝統舞踊公演を行った。ところが、円覚社所属の妓生二四人は主に宋秉畯（ソン・ビョンジュン）、閔丙奭（ミン・ビョンソック）など高位官僚の遊宴に動員され、前・協律社公演場で公演した。[*32] そうかと思えば、一九〇七年九月一日〜一一月一五日まで開催された京城博覧会のときには大韓帝国妓生と三牌、そして「日本妓生」の三つの集団が交互に演芸園にて歌舞公演を行っている。[*33] 朝鮮人妓生と三牌は、社会通念上、その位階序列が明確に区別されるなかで、日本妓生と共に各自が属する集団にて一日一度の公演への義務があった。

一九一五年の施政五年記念共進会においては茶洞・広橋・信彰の三組合の妓生が九月から一〇月までの五〇日間四一種目のチュムを舞った。[*34] 朝鮮時代の伝統呈才の意味を活かした創作チュムも茶洞組合の妓生によって「施政五年聖澤舞」という名前で再構成された振付で公演するほど妓女たちの各呈才チュムに対する内容的理解度も深かった。[*35] つまり、妓生はもちろん、三牌は日本の植民地時代、呈才流の伝統チュム伝承者の主流だった。大韓帝国から日本による植民地時代を貫通し、芸術活動を主業として生活した妓生と三牌は、各自の組織の内で能力を発揮できる多様な呈才を体系的に学習していたといえる。それだけでなく、個人の特技として掲げるべく楽歌舞を個別に修練して伝承した。このような背景があったからこそ、多くの人員によって公演が可能な博覧会場の特別な舞台で四一種目にも及ぶ多様な呈才の公演が実現できたのであった。

このように芸術活動を展開した通称「妓女」たちは、商業的大衆劇場の舞台空間で呈才を興行・公演する傍ら観客のニーズに合わせた新しいチュム、たとえば幻灯（照明）施設を活用した感覚的な〈電気チュム〉または〈電気蝴蝶舞〉のような創作物を舞うなど、伝統の伝承者であると同時に創作者としても活動した。[*36] 概して宮中および両班社会の高級文化と認識されていた妓女の呈才は、今や大衆文化として日本の植民地時代に劇場興行の頂点を占め、一般大衆が共有し享有できるチュムとしてその認識が変化しつつあった。

一方、一九一七年に「妓生組合の名称を券番に変えたのは、朝鮮の妓生が日本の芸妓とほぼ同じ方式で営業するようになったことを意味する」[*37]。券番とは「日本で芸妓の仲介業や花代の清算などを行う事務所」[*38]であるが、券番制度以降の妓生の公演活動は甲種料理店の特設舞台と座敷内で主に展開された。券番は関連学習機関を通じて幼い入所者に歌とチュムを教え妓生を養成する一方、妓生の料亭への出入りを管理・統制する一方で妓生への花代をもらってくれる中間役割を果たした。[*39] 料亭や酒宴に呼び出される妓生は自分の芸を発揮する場が主に特設舞台や座敷であったので、そこでおのおのの楽歌舞特技を演行するのが主な業務であり収入活動となった。

料亭の特設舞台は「中小規模の空間的特性から二〜四名の群舞」が収容可能であったため、「独舞を活用したダイナミックな二人舞の開発に影響を及ぼした」という。[40] したがって、これらの特設舞台では舞台空間の広さと客の財政的能力によって二名、四名あるいは八名が共演する〈剣舞〉と二名による〈双僧舞〉〈獅子舞〉などの種目が選択的に行われた。座敷はさらに狭い空間のため「一名ないし二名によるチュムが行われたであろう」という。つまり、狭い空間的制約により、〈僧舞〉〈春鶯舞（春鶯囀）〉〈舞山香〉〈男舞〉〈立舞〉〈サルプリチュム〉などが主に行われた。[41]

三牌と妓生の区別がなくなってからは、通称「妓生」と称される者はおのおのの収入によって人気と地位が形成される傾向を生み、「カフェ、女給文化が形成されるにつれ妓生も伝統的な歌舞よりは流行歌や社交ダンスを好むようになった」[42]という。芸妓のチュムは低級だという芸妓文化に対する社会的認識の低下が次第に速度を増すようになる。

要するに、日本の植民地時代、妓女たちは公演主管者が提供する劇場式舞台の広さとその環境によって保守的な伝統呈才公演と進歩的な創作公演を並行し、伝統チュムを拡張発展させていった。狭い舞台では一～二人で舞える余興のチュムを個人の特技として公演した。経済的側面での彼女たちの主な収入源は座敷だったので、狭小な空間でのチュムは「足踏みや動作表現が繊細になり、呼吸と内面の感情もより細かく濃密な味わいを引き出す」という内的変化を起こしたという。[43] つまり、空間の形態や場所によって観客の人数が制限されることで、以前では珍しかった独舞が個人の芸を発揮できるように開発され、流行し、チュムの舞台芸術化が進んだ。

そのため、現在、独舞として行われている〈僧舞〉や〈サルプリチュム〉、〈入（立）チュム〉などが妓房の座敷芸として伝承される転換期となった。大型興行の舞台で公演できる四〇余りの呈才種目と座敷芸能としての小規模演行チュムの文化は日本の植民地時代の妓女たちがその担い手であった。

それでも一九三〇年代は「妓生のチュムを古芸術と認識[*44]」していて、そのような「古芸術を以て新たな生命を吹き込んでは本来の朝鮮の生命を生かそう[*45]」という新たな社会啓蒙運動が展開された。日本人の石井漠(いしいばく)(一八八七〜一九六二)から新芸術形式のチュムを徒弟式の下で習得した崔承喜(チェ・スンヒ)(一九一一〜一九六九)と趙澤元(一九〇七〜一九七六)などの新人芸術家に当時のエリート階層の視線が集中し、新進の芸術家に対する評価も急上昇した。その反面、「妓女たちが舞っていた従来の伝統チュムである呈才は、民間化し娯楽化された低級なチュムとして位置づけられた。このような流れによって妓生のチュムは当時すでに「民間のチュム」に転落し、妓女界で細々と演戯されたが一九四〇年頃に消滅した[*46]」と表現されるほど、日本の植民地時代末期には伝統チュムに対する認識が底をついたものと考えられる。

日本帝国によって、「強制的に移植された日本式〈公娼制度[*47]〉」は「近代式妓生制度」として韓半島に定着した。この制度のもと、妓生と娼妓の二つの集団に対する社会的差別認識を助長し、娼妓の属する三牌芸妓を奮い立たせた反面、呈才を商業的大衆娯楽化の前に積極的に露出させた。一九一六年、信彰妓生組合が甲種妓生として公認されるに至ると官妓と三牌の区分は公的に無意味となった。そして、これらはすべて一九一七年から日本式の和風券番として再編され、芸妓の個人営業は主に料理店と座敷での活動として行われた。妓生たちのチュム――呈才は大衆のための余興チュム、民間のチュムという認識への変化をもたらした。しかし、このような民間のチュムという認識は、以下の李王職雅楽部舞童の誕生と彼らの成長を通じて宮中ものと民間のものとがより明確に区分されるようになる。それが韓半島の伝統文化芸術の統制と変形・死滅の結果を招いたのだ。

三、総督府の舞童制度の導入と朝鮮の祭享チュム、宴饗チュムの変化

韓国の伝統チュムの伝承者は、妓女以外に、日本の植民地時代のもう一つの伝承者として李王職雅楽部の雅楽部員養成所を経て成長した雅楽部員雅楽生がある。一九一九年に李王職雅楽部の演奏人材補充養成を目的に、朝鮮総督府と宮内省の許可を得て一三～一九歳前後の養成所一期生九名を募集選抜して開所した。[*48]一九一五年ごろの雅楽部には総人数五七名のうち雅楽人員がわずか四六人で、「この数字では正常に宗廟祭礼を行うのに困難であっただけでなく、雅楽手が高齢化していたため、補充が必要な時点であった」[*49]。

一九二〇年に発表された李王職雅楽部「雅楽生養成規定」第六条によると「教科目は楽理・楽調・楽器の使い方・佾舞であり、必要に応じて修身・漢文・習字及び日本語などの概要を習得させる」とある。[*50]これにより、雅楽生を養成する重要目的が音楽演奏と佾舞学習であったことがわかる。つまり、一九一〇年八月三〇日付の「日本天皇陛下調書に基づき、昌徳宮李王が「嗣後此隆錫を世襲し、其の宗祀を奉納させ」[*51]と略条しているように朝鮮王家の奉祀をするためには礼楽の一編である李王職雅楽部の音楽活動が必須であったのである。ところが、先に指摘したように、一九一五年の時点の「雅楽手四六名」の現状はすでに登・軒架で祭祀音楽を演奏するにも足りない状況であったため、雅楽生の補充は避けられない課題であった。

養成所第二期生であった金千興（キム・チョンフン）は一九二二年の秋の学期に入学し、一九二六年三月に卒業した雅楽生であった。[*52]金千興は卒業とともに雅楽手補に任命されているが、彼が雅楽生の時代から見てきた宗廟大祭での佾舞は「東西南北に腰を曲げてお辞儀だけをする動作」[*53]であった。当時の佾舞は実際の学科目として伝統佾舞を学習したというよりは「腰を曲げてお辞儀だけをする動作」を音楽に一致させる内容のものであったろうと考えられる。

宗廟祭礼と文廟祭礼にて舞った儀礼用チュム〈佾舞〉の内容的歪曲はとくに総体的な現象だった。『朝鮮楽概要』（一九一七年）によると、当時三六名が演行する六佾舞が舞われた。[*54] そのチュムの名称は〈保太和之舞〉〈享萬年之舞〉であった。朝鮮の〈保太平之舞〉〈定大業之舞〉ではなかったことに注目する必要がある。[*55] 当時、李王職雅楽部には実際に演奏する人員以外には佾舞が舞える人員がいなかったので、祭祀を行う時は雇立楽手[*56]を臨時雇用して佾舞を演行せざるを得なかったという。[*57]

これら楽の名称が〈保太和〉〈享萬年〉へと変わり、朝鮮宗廟祭礼の本来の意味を失い、日本皇室のためのものとなった。楽章歌詞の文字を一部変え、朝鮮王室宗廟祭礼の意味を取り除くことでその意味を変えたのである。『世祖実録』宗廟祭礼楽譜に記載されている固有音楽の拍子と節奏が完全に無視され、中国の雅楽化がすすめられたのである。[*58]

このような「四方にお辞儀だけをする方式の」植民地期の宗廟佾舞を金寧濟（キム・ヨンジェ）は『時用舞踏』という当時の李王職所蔵資料であった佾舞譜を参考にして一九三〇年代に再現したのが現行の国家無形文化財宗廟佾舞である。[*59] 一九二六年、純宗の崩御後に宗廟佾舞が『時用舞譜』を通じて再現されたのは特別なケースであったと見なければならない。すでに歌詞も歪曲されているうえに楽曲も縮小された正常とはいえない宗廟祭礼楽に、佾舞がよりによって純宗の死後に日本帝国に迎合した雅楽師によって改められ再現されたのであった。[*60]

さらには、李王家内部の宗廟だけで行われた宗廟祭礼楽が「一九二六年に初めて宗廟ではない場所で公開」[*61]され始めた。一九二六年に皇民化政策の一環として朝鮮神宮が現在のソウル南山に建てられたが、当時の武井楽部長は「雅楽で内鮮一体をするという意思を明らかにし」[*62]、李王職雅楽部はその年の一〇月一七日、朝鮮神宮の最初の例祭が催された日、本殿の外に位置する拝殿にて祭礼楽と年礼楽を交互に演奏したという。本殿では「朝鮮王族と貴族、官僚、朝鮮総督、社会指導層の人々が拝礼のために参加し、宮内省楽部長一行が作った御神楽で儀式を行った」という。[*63]

朝鮮神宮例祭用余興音楽演奏のために李王職雅楽部が動員され、ここで宗廟祭礼楽と文廟祭礼楽および各種の年礼楽を演奏した。[*64] 純宗の国喪が一九二六年四月一五日であったので、当時は音楽を演奏できなかった謹弔期間であったはずである。にもかかわらず、李王職雅楽部は朝鮮神宮の例祭のために余興音楽を演奏し、以降、毎年七～八曲の祭礼と例年の音楽を演奏している。朝鮮神宮の行事を起点に李王職雅楽部の対外活動は非常に活発になったといえる。[*65] 李王職雅楽部の「朝鮮の音楽と文化は神宮を通じて活用され、新しい風俗の一つとなり、内鮮融和の標本として活用されていた」[*66] のである。

朝鮮神宮例祭の式後の拝殿余興行事で、「一九三九年には朝鮮雅楽と舞楽が演奏され、一九四一年には奉讃展で舞楽が演奏された」[*67] という。ここでいう「舞楽」とは、李王職雅楽部の舞童の宴饗チュムの呈才流を意味するが、朝鮮舞楽とも呼ばれた。李王職雅楽部の舞楽は朝鮮総督府が一九三一年六月二九日に撮影した白黒無声映画が二つのフィルムとして伝わるが、一つには〈鳳来儀〉〈宝相舞〉〈舞鼓〉〈長生宝宴之舞〉〈拋毬樂〉があり、もう一つには〈処容舞〉と〈響鈴舞〉が収録されている。これらの宴饗用の呈才を李王職雅楽部で教習し始めたのは一九二二年末であった。一九二二年の春には養成所第二期生九名が入所しているが、秋に九名を追加入所させている。一九二三年三月二五日の純宗誕辰五〇周年記念宴を控えた時期のことであった。彼らは入所するやいなや舞童教育を通じて公演者として出演させようとする計画が進められた。[*68]
一九二三年三月二日付の『毎日新報』によると、李王殿下の誕生祝賀宴に李王職が準備した「大餘興」において舞童呈才を捧げると紹介されている。[*69] そして三月二五日、舞童たちは仁政殿御前で夜宴が開かれた際にそれまで学習した呈才を無事に捧げている。[*70]

これら雅楽生たちは、本来、李王職関連の祭祀音楽演奏者になるために入所したのであるが、一九二二年初冬から急遽チュム教育が実施されている。教育生が戸惑う中、舞童教育が実施されたのである。[*71] 養成所第一期生から二名、第二期生から九名が抜擢され、約五ヶ月にわたって〈佳人剪牧丹〉〈長生宝宴之舞〉〈演百福之舞〉〈舞鼓〉〈抛毬樂〉〈宝相舞〉〈寿延長〉七種と独舞である〈春鶯囀〉を主に雅楽師李寿卿（一八八二〜一九五五）の下で指導を受けた。一方、〈処容舞〉は身体的条件が大柄な雅楽手と雅楽生が別々に選抜されて教習を受け、公演にまで及んでいる。[*72]

一九二四年末ごろには京都を訪れては「我々の宮廷音楽と舞踊」を初めて日本に紹介する公演も行ったという。[*73] 日本帝国との緊密な関係の中で、李王職雅楽部雅楽生が師匠である雅楽師金寧濟（一八八三〜一九五六）、咸和鎮（ハム・ファジン）（一八八四〜一九四八）、李壽卿（イ・スギョン）（一八八二〜一九五五）から学んだ呈才は計一二種目である。[*74] そのうち、鄕樂呈才は〈處容舞〉〈舞鼓〉〈響鈴舞〉〈寶相舞〉〈春鶯囀〉〈佳人剪牧丹〉〈萬壽舞〉〈鳳來儀〉で、唐樂呈才は〈壽延長〉〈抛毬樂〉〈演百福之舞〉〈長生寶宴之舞〉である。概して組合や券番の妓女が教習を受けた呈才四五種目や前掲の［表1］に掲出したチュムの種目と比べると、断片的な教習にとどまっていることを確認することができる。

整理すれば、李王職雅楽部は一九一九年雅楽生を選抜指導する時は祭祀に動員するための音楽の演奏人員補充のために養成所を開所した。しかし、一九二三年、純宗の誕生五〇周年行事を控えて雅楽生を舞童として訓練させ、呈才をも教習する正規科目設置へと方針を変えた。一九二六年四月、純宗の昇遐後、朝鮮神宮で最も大規模な例祭のとき、李王職雅楽部は毎年祭礼楽と例年楽を観覧客対象の余興として演奏活動を続けるようにあった。一九二七年から一九三一年までは昌慶院（チャンギョンウォン）の仮設舞台において夜間公演も行っている。[*75] このような李王職雅楽部のため、日本帝国は「一九三三年六月、古宮型式の雄大で蒼然とした古色美を備えた」[*76] 新しい庁舎を敦化門（トンファムン）前に建て与えている。

日本帝国に呼応した李王職雅楽部は、朝鮮祭礼楽舞と宴響楽舞を展示用または娯樂用の見せものとしてその内容を変えることで大衆化させた。その結果、本来妓女によって伝承されてきた伝統舞踊である呈才流を養成所で教育を受けた李王職雅楽部の舞童が公演すれば、それもまた宮中のチュムであり音楽であるという間違った認識を大衆に植え付けることになった。当時の幼い雅楽生でさえ、自分たちのチュムは宮中舞踊であるという認識と自負心を有していた。結局、李王職雅楽部を主導的に率いた咸和鎮、金寧濟、李壽卿雅楽師による宗廟祭礼楽の歪曲とそのほかの積極的な親日的行為により、李王職雅楽部はその実際は日本帝国の庇護を受けながら、表では朝鮮の宮中音楽文化の伝承者としての偽りを糊塗装していたのである。

一九三〇年代まで李王職雅楽部で指導・学習した朝鮮舞楽（舞童呈才）一二種目は、京城内の多くの券番で伝承された四〇種目以上の種目と比べれるとその数が非常に少ない。一九一八年、大正券番の妓女であった李蘭香は当時一九歳であったにもかかわらず、〈剣舞〉〈僧舞〉〈呈才四六種舞〉〈西洋舞蹈〉〈『内地舞〉まで舞える技量を有していたという。[*77]『朝鮮美人宝鑑』に登録された六〇五人の妓女のうち二〇五人が呈才を得意としたように、[*78]伝統チュムである呈才の伝承の担い手は日本植民地時代の妓女たちであった。ところが、李王職雅楽部の朝鮮舞楽は宮中を背景とする法楽であるという認識をつくり、一方の妓女による呈才は「民間のチュムに転落」したものとする認識が構築されたのである。一九二九年の朝鮮博覧会で李王職雅楽部が演奏したプログラムの説明には、各曲目ごとに「宮中宴礼及舞蹈」[*79]を奏したと強調している。すなわち、李王職雅楽部が朝鮮宮中楽の嫡統継承者という認識を一般大衆に刻印させたのである。舞童のチュムがすなわち宮中舞踊であるという歪曲された認識が形成されたのだ。

四、おわりに

以上、日本帝国による社会制度の統制のなかで朝鮮時代のチュムを継承した妓女と舞童のチュム文化の変容の様相を見てきた。これまでの内容を整理すると次のようになる。

第一に、警視庁の妓生制度への介入によって朝鮮伝統チュムである呈才の伝承主体者(担い手)である官妓(妓生)と三牌(芸妓)は互いに反目し、競争相手になった。妓生は優越な地位を公認されたが、三牌は低級な存在として扱われたので、社会的認識を克服しようとする努力を伴った動きを見せた。一九一六年になってようやく三牌芸妓は妓生と同等の地位が認められるに至り、一九一七年には三牌と妓生の区別なく券番の下で再編された。結果的に全国の妓生の数は急増し、券番を通じて管理される妓生の個人営業は狭い料亭の舞台や座敷での公演を強いられ、チュムを舞う人口の減少を避けられなくなった。

1 芸術活動を展開した通称「妓女」は商業的劇場で行われる大衆公演において呈才を商業的興行の目的に合わせて観客のニーズに沿った新しいチュムの開発にも参加した。伝統呈才を活用した形式の創作チュムを積極的に開発し、芸術性指向の舞台化を主導した。

2 日本による植民地時代の前半期は、公演芸術史の面で伝統チュムである呈才舞の活用によって両班文化が大衆化へと向かう変化が生じる契機となった。また、芸術舞台化や娯楽化の変化も現れた。

3 三牌と妓生の区別がなくなってからは通称「妓生」は各自の収入によって人気と地位が形成された。通称「芸妓」による芸妓文化に対する社会的認識の低下が次第に広がった。

4 空間の形態や場所によって人数が制限されることで、以前は例が乏しかった独舞が個人の技量を発揮する手段として開発されては流行し、チュムの舞台芸術化が加速化した。呈才の伝統とその意味は次第に薄れてゆき、「妓女界の民間チュムに転落」したという認識が広まっていった。

第二に、朝鮮総督府の舞童制度の導入にともなう朝鮮の伝統祭享チュムと宴饗チュムの変化が大きく目立つようになった。李王職雅楽部の活動によって朝鮮の楽歌舞はその意味が歪曲され変容したにもかかわらず、雅楽部のチュム（楽）は「宮中の高級文化」という認識を大衆に植え付けた。

1　一九一九年、李王家の祭祀を円滑に奉行するために雅楽部員養成所を置いて雅楽部の雅楽手補充計画が実行された。

2　一九二三年三月二五日の純宗誕生記念行事を口実に第二期生を二倍に増員して入所させ、彼らに舞童教育を実施し、呈才八種目を指導し公演させた。その後、三〇年代まで計一二種目を指導した。

3　一九二六年、純宗の国葬の際、日本帝国は京城の南山に朝鮮神宮を建設し、日本帝国の内鮮一致事業に参加した李王職雅楽部はこの朝鮮神宮外殿で宗廟祭礼楽と文廟祭礼楽、宴饗楽などを大衆のために演奏し、チュムも娯楽として披露した。昌慶院の仮設舞台でも夜間公演を行い、李王職雅楽部は李王家とは別の公演活動を展開した。

4　宗廟祭礼楽の歪曲に関しては、一九一八年の『朝鮮楽概要』によってすでに確認済みであり、佾舞は四方に向かって拝む動作から一九三〇年代の『時用舞譜』での型をもとに現在の型に再現されるに至っている。拍子と節奏の両方が破壊され、縮小された音楽に合わせて佾舞が再現された。したがって、それもまた節奏のない歪曲された佾舞に他ならない。さらに付言すれば、純宗の死後に佾舞の再現が試みられたことについては、その理由や目的を明らかにするための課題が残る。

5 妓生による伝統呈才の継承と比べると、舞童によるシンプルな呈才（朝鮮舞楽）を宮中舞踊と命名し、大衆に宮中舞踊という認識を植え付けた。その歪みによって、妓生のチュムは民間のチュムとして扱われた。

一方、日本帝国は日本の新興舞踊を崔承喜という少女を通じて朝鮮半島に移植し、妓生チュムと朝鮮の旧式文化を低級なものと認識させた。崔承喜のチュムは新知識人の芸術舞踊としての高級な価値を持つ反面、そのチュムの素材である妓生の伝統チュムと伝統文化は、古臭くて陳腐なものであるゆえに一新しなければならない対象であるという認識を拡散させた。

以上の過程で妓女による伝統チュムである呈才は民間呈才への転落にとどまらず、光復後（植民地から解放され独立後）、妓生に対する蔑視の視線を避けて伝承者が身を隠し、その結果、彼女たちのチュムも隠滅するに至る。現在はその痕跡さえ微々たるものしか確認できず、限られた文献と伝わる実技を頼りに辛うじて〈舞鼓〉と〈剣舞〉を再構築するところまでたどり着いている現状である。

以上の結果から見ると、日本帝国の権力機関である警視庁は妓生社会を統制する手段として一九〇八年に妓生団束令と娼妓団束令を発令しただけとし、これを「近代式妓生制度」と評価することもある。しかし、これは一種の社会的統制の大きな場を提供した結果だった。「日本式公娼制度」の下で韓半島には数多くの妓生が量産され、各自生活現場で生活を営むために芸術活動にとどまらず身体をも売らなければならない低級な存在においやられた。その中、朝鮮総督府の支援で比較的安定的に芸術活動を展開した李王職雅楽部内は、李王職の権威を十分活用して自分たちこそが宮中文化の伝承者であることを誇示し広報した。そして日本帝国の要求に積極的に応じて、自らの位置を安定させる利益を得た。

大日本帝国統制下の妓生チュムの変化と隠滅は、伝統チュムの伝承の次元から見て、李王職雅楽部の舞童チュムとは本末転倒であり、真の伝統文化を抹殺させた結果だった。被支配者の立場から見れば、二度と取り返しのつかない大切な伝統無形文化遺産を失った痛ましい時間として記憶されなければならない。

注

1 拍子に合わせたり、興に乗じて体を律動的に動かす行為をさす韓国の固有語。今日、「舞踊」という用語を一般化して用いられる場合が多い。しかし、この「舞踊」も一九二〇年代に日本から渡った新しいチュム(new dance)という芸術行為をも含めた概念として韓半島に定着したことばである。朝鮮時代には漢字表記の際、「楽」や「舞」一文字であった。一方、現代中国では「舞蹈」と記す。これに対して「チュム」は動詞として「チュダ」がありその名詞が「チュム」韓国固有の語である。広義の英語の「dance」に近いといえる。日本語での静的な「舞」と動的な「踊り」と「チュム」との関係も容易に仕分けできない点もあり、本章では、朝鮮王朝固有の「チュム」で統一する。

2 朝鮮時代の大妃・中宮・公主などの内賓および内命婦と外命婦の妻のために行う宴。女性の目上の人に捧げる宴は内進宴とも呼ばれていた。

3 朝鮮時代の君王と群臣が集まって行う男性中心の宴。王に捧げる公の宴は外進宴という。

4 唐楽を舞う者には演劇にも類似した各自の配役がある。その配役は、竹竿子(竹竿に竹の実を象徴する水晶玉を付けた舞具)を持つ二人とチュムの中心人物の西王母、共にチュムを舞う挟舞、そのほか、引人仗、鳳扇、龍扇、旌節、蓋などの儀物を取っている威儀などで構成される。チュムを舞う形式は、竹竿子が仙界の人物の西王母と挟舞、威儀らを連れて舞場に入室する。竹竿子は太平盛大を為した君王の徳に感銘を受け、長寿を祝寿しようと舞場に来た経緯と意味を報告する役を担う。竹竿子の役が終わると本チュムが始まるが、王母と挾舞たちも自分の役割に応じた頌詞を歌い、舞うのを交互に行う。各自担当した役割のチュムと歌がすべて終われば再び竹竿子が前に出て舞場から退場して仙界に戻ることを報告した後、皆を率いて出ていく。竹竿子が登場して舞う形式のチュムを唐楽舞唐楽呈才という。

5 唐楽舞形式に対して竹竿子などの特別配役がなく、舞踊手として入退場を行う。舞踊手が入場すると、すぐに宴の主人公に向かってお辞儀をした後、チュムを舞い、チュムを終えた後退場する時もお辞儀をしてから立ち上がってすぐ退場する。郷楽形式のチュムは主に郷楽器である牙拍、舞鼓、響鈸などを演奏しながら舞った。または〈鶴舞〉や〈處容舞〉のように仮面を着用したものもある。朝鮮初期まではハングルで書かれた郷歌を歌いながら舞う形式を主に指していた。『楽学軌範』によると、郷楽の独特な演奏法もあった。しかし、朝鮮後期にはほとんど郷歌が使われず、漢文の歌を新しく作ってチュムと歌を演行した。

6 国の大きい宴のとき、各地から楽歌舞に優れた妓女を選んで宮中に送ったがその妓女を指す言葉。その選上妓たちは宮中の宴で郷・唐楽呈才を公演したが、宴が終わるとすぐ国へ戻った。高宗のときには経済的理由で宮中所属の尙房や太醫院の妓女らが選上妓と共に公演したりもした。

7 『皇城新聞』一九〇八年九月三〇日一面の「廳令」。

8 大韓帝国時代芸術活動と娼妓とを兼業した存在を指した言葉。芸術活動が主な業務の官妓に比べ売淫もする妓生類を区別して使った。最上位の妓生を指す言葉は文献に見当たらないが、二牌と三牌、以下売淫を専業とする蝎甫と娼女などがいたという（水谷清佳「植民地時代における『妓生』と『三牌出身』の概念的区分に関する研究：『妓生』と『三牌出身』の『法的・政策的・社会的属性』との概念的差異」、『東アジア文化研究』Vol.87、漢陽大学東アジア文化研究所、二〇二一年、七九七頁）。

9　權度希「二〇世紀官妓と三牌」（『女性文学研究』一六、韓国女性文学学会、二〇〇六年）、八二頁。

10　水谷清佳「植民地時代における「妓生」と「三牌出身」の概念的区分に関する研究：「妓生」と「三牌出身」の「法的・政策的・社会的属性」と概念的相違」（『東アジア文化研究』Vol87、漢陽大学校東アジア文化研究所、二〇二一年）、五五三頁。

11　前掲權度希、一一〇頁。

12　前掲の水谷清佳論文、五五一頁。

13　水谷清佳、「大韓帝国期および植民地時代の在韓日本人による妓生史および妓生像の歪曲に関する研究」（『文化と融合』四三、韓国文化融合学会、二〇二一年）、七八五頁。

「大韓帝国期の「三牌」は、一八九九年の三牌を含む売淫婦廃止政策（妓生を除く）、一九〇四年の三牌の集娼（妓生を除く）、一九〇六年の三牌の性病検査（妓生を除く）、一九〇七年の三牌の売淫税徴収（妓生を除く）、そして一九〇八年の娼妓取締令による「公娼制度」への編入（妓生は妓生取締令により「近代式妓生制度」に再編）などのように、着実に藝娼妓として統制、管理されており、むしろ妓生（官妓、二牌）とは異質的な属性を持つ集団として法的、政策的、社会的な認識の面においても「妓生（官妓、二牌）」としては扱われなかった。」

14　一九〇四年六月警務使が各地の売淫女性を詩洞（シドン）に住まわせ居住地を制限した。芸術と売淫を兼ねていた三牌もこの時から詩洞に集まって住むようになり、菅妓とは違う娼妓として下為されるようになる。詩洞を詩谷（シゴック）とも言っていたので詩谷妓生とは詩谷に住む三牌を指す（權度希「大韓帝国期以降の三牌の政治学：「アンジン・ソリ（楽）」の記号的意味」、『韓国古典女性文学研究』三八、韓国古典女性文学会、二〇一九年、二四九頁）。

15　權度希「大韓帝国期以降の三牌の政治学：「アンジン・ソリ（楽）」の記号的意味」（『韓国古典女性文学研究』三八、韓国古典女性文学会、二〇一九年）、二六三頁。

*なお「アンジン」は「앉은」の口語的表現で「座してする」という意味である。

16 李晶魯「日帝強占期『朝鮮踊り』の展開様相研究」(韓国学中央研究院博士論文、二〇一四年)、四七頁。

17 前掲李晶魯論文、三〇頁。

18 『毎日申報』一九一二年四月三〇日三面、演芸界:降仙樓の善悪一評。

19 『毎日申報』一九一二年四月二六日三面、登降仙樓。

20 ソンジンム(性真舞)を口語または方言として音をそのまま表記したものと考えられる。漢字表記ができないのでハングル音に最も近いカタカナ表記にした。

21 団成社が興行のため設立した団体。もともと降仙樓は平安南道成川郡成川面にある朝鮮時代の成川客舎の樓亭の名称である。これを興行団の名にした。

22 『毎日申報』一九一二年五月一六日三面、演芸界 ▲降仙樓 中部 罷朝橋(把子橋)(団成社降仙楼で詩谷妓生が興行して以来、毎晩人波が寄せるようになったのだが、今夜の演劇材料は左と同じである。)

23 前掲權度希論文「二〇世紀観妓と三牌」、一〇七頁。

24 前掲權度希論文「大韓帝国期以降の三牌の政治学:「アンジン・ソリ(楽)」の記号的意味」、二八二頁。

25 演戯場、協律社劇場の舞台を戯臺といい、公演の名称は笑春臺遊戯と名付けた。

26 チョ・ヨンギュ『協律社と圓覺社研究』(延世大学校博士論文、二〇〇六年)、一一七頁。

27 『皇城新聞』一九〇二年八月二五日の一面記事。妓司新規:協律司にて各色娼妓を組織したが、太醫院所屬醫女と尙衣司針線婢等を移屬して名曰官妓といい、無名色三牌等を幷付して名曰藝妓といい新音律を敎習するにまた近日官妓と自願新入者有すれば名曰預妓といい官妓藝妓之間に處して無夫治女を許付た。勿論某人と一〇人二〇人が結社し、預妓に願入する女子を請願すれば、該司にて依願許付する次に定規したのであった。

28　エミール・ブルダレ著、チョン・ジングク訳『大韓帝国最後の息吹』（グルハンアリ、二〇〇九年）、二五九頁。

29　權度希「大韓帝国期皇室劇場の大衆劇場への転換過程に関する研究：希代・協律史を中心に」（『国楽院論文集』三二輯、国立国楽院、二〇一五年）、一二六頁。

30　前掲權度希論文「大韓帝国期以降の三牌の政治学：「アンジン・ソリ（楽）」の記号的意味」、二四八頁。

31　前掲權度希論文「大韓帝国期以降の三牌の政治学：「アンジン・ソリ（楽）」の記号的意味」、二四七頁。

32　『大韓毎日申報』一九〇八年八月一一日二面；同紙一九〇八年一〇月二二日二面の●雑報／尹氏戯謔・円覚社は、一九〇二年設立した協律社が門を閉じたが一九〇八年七月朴晶東・金相天・李人稙などが空いていた店を賃貸し内部を修繕した劇場をいう。

33　『皇城新聞』一九〇七年九月六日三面●博覧會記・「演芸園では、一週日に三次式　我国妓生及三牌と日本妓生が各一日式　歌舞を秩奏したが、伊日には、三牌　康津と蓮心と歌客の李順書が、雑歌を迭蕩に唱うと、観客が此処に来集し、広場が満員で」。

34　キム・ヨンヒ、キム・チェウォン、キム・チェヒョン、李鍾淑、チョ・ギョンア『韓国チュム通史』（보고사、二〇一四年）、三二〇頁。

35　前掲『韓国チュム通史』、三二一頁。

36　前掲『韓国チュム通史』、三二三頁。「ロイ・フラー［Loie Fuller, 1862-1928］が自分が着用したふくらんだスカートや布に降りかかる光と色彩の変わりやすい遊戯に焦点を合わせたタイプの踊りを創案したというが、ロイ・フラーの踊りが日本を通じて入ってきて〈電気チュム〉として舞われた可能性がある」と述べている。

37　パク・チャンスン、「植民地時代の多重的表象としての平壌妓生」（『東アジア文化研究』六二、漢陽大学校東アジア文化研究所、二〇一五年）、二一一頁。

38 前掲パク・チャンスン論文、二一頁。
39 妓生：券番は…ネイバー（Naver）文化原形百科、［二〇二二年二月二六日検索］、https://terms.naver.com/entry.naver?docId=1763519&cid=49230&categoryId=49230
40 李晶魯、『近代朝鮮舞踊の持続と変容』、八八頁。
41 前掲の李晶魯著書、九一頁。
42 妓生：券番は…ネイバー（Naver）文化原形百科、［二〇二二年二月五日検索］、https://terms.naver.com/entry.naver?docId=1763519&cid=49230&categoryId=49230
43 前掲李晶魯、九五頁。
44 前掲李晶魯、一四五頁。
45 韓青山「妓生撤廃論」（『東光』二八、一九三一年一二月、キム・スヒョン・イ・スジョン編『韓国近代音楽記事資料集』三、民俗院、二〇〇八年）、五一六頁。
46 金千興『心韶金千興舞樂七十年』（民俗苑、一九九七年）、四一頁。
47 水谷清佳「妓生及び娼妓に関する書類綴の改題と‚近代式妓生制度のはじまり‚に関する研究：一九〇八年九―一〇月、一九〇九年三月に作成された‚妓生関連書類‚を中心に」（『韓国音楽史学報』Vol.69、韓国音楽史学会、二〇二二年）、二〇五頁。
48 李秀晶『李王職雅楽部の組織と活動』（韓国学中央研究院博士学位論文、二〇一六年）、五三頁。
49 前掲李秀晶論文、五三頁。
50 前掲李秀晶論文、五五頁。
51 『毎日申報』一九一〇年八月三〇日、会外、一面。日本天皇陛下詔書。

52　金千興『心韶金千興舞樂七十年』、七七頁。
53　前掲金千興、七〇頁。
54　李王職雅楽隊『朝鮮楽概要』、国立国楽院所蔵、遺物000240。
55　金龍著、李鍾淑編『克日のための金龍の宗廟祭礼佾舞譜：『時用舞譜』の原理と実際』（今風流ウリエトゥル、二〇二二年）、一六頁。
56　雇立は代わりの人を使い賦役や兵役を賄うことをいう。雇立楽手は李王職雅楽部が行うべき佾舞を前日募集した臨時雇用人を使い祭享の佾舞を演行したものをいう。
57　前掲『心韶金千興舞樂七十年』、七七頁。
58　李鍾淑「日本植民地時代に変質した朝鮮王朝宗廟祭礼楽の諸考」（『帝国日本の文化権力：学知・文化媒体・公演芸術』三、徐禎完・宋錫源・任城模、小花、二〇一七年）、二四二〜二四四頁。
59　李鍾淑『【時用舞譜】の舞節構造分析と現行宗廟佾舞の比較』、龍仁大学博士号論文、二〇〇三年）、四頁。
60　前掲李鍾淑「日本植民地時代に変質した朝鮮王朝宗廟祭礼楽の諸考」、二四二〜二四四頁。
61　李秀晶「朝神宮例祭と李王職雅楽部」（『梨花音楽論集』Vol.23 No.1、梨花女子大学音楽研究所、二〇一九年）、九五頁。
62　前掲李秀晶、九三頁。
63　前掲李秀晶、九四頁。
64　前掲李秀晶、一〇一頁。
65　前掲李秀晶、一〇一頁。
66　前掲李秀晶、一〇〇頁。
67　前掲李秀晶、九八頁。

68　前掲金千興、三四〜三六頁。

69　『毎日申報』一九二三年三月二二日三面、「昌徳宮の誕辰祝賀」記事。

70　前掲金千興、三七〜三九頁。

71　前掲金千興、三四頁。

72　前掲金千興、三六頁。

73　前掲金千興、四六頁。

74　李鍾淑「順宗誕生五旬晩餐演の舞童呈才研究」（『舞踊歴史記録学』四二号、舞踊歴史記録学会、二〇一六年）、八七頁。李鍾淑「李王職雅楽部呈才音楽研究：李炳成・成敬麟　舞譜を中心に」（『公演文化研究』三四集、韓国公演文化学会、二〇一七年）、一八四頁。

75　前掲前掲金千興、七八頁。

76　前掲前掲金千興、七八頁。

77　朝鮮研究会編著、宋放送索引・李振源解題『朝鮮美人宝鑑』（民俗院、二〇〇七年）、二九頁。

78　李晶魯『近代朝鮮舞踊の持続と変容』、八一頁。

79　李秀晶『李王直雅楽部の組織と活動』、一二九頁。

参考文献

李王職雅楽隊『朝鮮楽概要』、国立国楽院所蔵、遺物000240。

権度希「大韓帝国期皇室劇場の大衆劇場への転換過程に関する研究：希代・協律史を中心に」（『国楽院論文集』三二集、国立国楽院、二〇一五年）。

権度希「大韓帝国期以降の三敗の政治学:『安珍音』の記号的意味」(『韓国古典女性文学研究』三八、韓国古典女性文学会、二〇一九年)。

権度希「二〇世紀観奇と三敗」(『女性文学研究』一六、韓国女性文学学会、二〇〇六年)。

キム・スヒョン・イ・スジョン編『韓国近代音楽記事資料集』三(民俗院、二〇〇八年)。

キム・ヨンヒ「二〇世紀初めの僧舞の形成過程の考察:一九〇〇、一九一〇年代を中心に」(『国楽院論文集』三九集、国立国楽院、二〇一九年)。

キム・ヨンヒ、キム・チェウォン、キム・チェヒョン、李鍾淑、チョ・ギョンア『韓国チュム通史』(ボゴ社、二〇一四年)。

金龍著、李鍾淑編『克日のための金龍の宗廟祭礼舞妓:『詩龍武宝』の原理と実際』(今風流ウリエトゥル、二〇二二年)。

金千興『心韶金千興舞樂七十年』(民俗苑、一九九七年)。

水谷清佳「植民地時代における『妓生』と『三牌出身』の概念的区分に関する研究:『妓生』と『三牌出身』の『法的・政策的・社会的属性』との概念的差異」(『東アジア文化研究』Vol.87、漢陽大学東アジア文化研究所、二〇二一年)。

水谷清佳「大韓帝国期および植民地時代の在韓日本人による俳人史および俳人像の曲曲に関する研究」(『文化と融合』四三 九、韓国文化融合学会、二〇二一年)。

水谷清佳「妓生及び娼妓に関する書類綴の改題と,近代式妓生制度のはじまり,に関する研究:一九〇八年九―一〇月、一九〇九年三月に作成された,妓生関連書類,を中心に」(『韓国音楽史学報』Vol.69、韓国音楽史学会、二〇二二年)。

エミール・ブルダレ、チョン・ジングク訳『大韓帝国最後の息吹』(グルハンアリ、二〇〇九年)。

李秀晶『李王職雅楽部の組織と活動』(韓国学中央研究院博士学位論文、二〇一六年)。

李秀晶「朝神宮例祭と李王職雅楽部」(『梨花音楽論集』Vol.23 No.1、梨花女子大学音楽研究所、二〇一九年)。

李晶魯「日本植民地時代の『朝鮮舞踊』の展開様相研究」(韓国学中央研究院博士学位論文、二〇一四年)。

李晶魯『近代朝鮮舞踊の持続と変容』(昭明出版、二〇一九年)。

李鍾淑『『時用舞踏』の舞節構造分と現行宗廟舞の比較』(龍仁大学博士号論文、二〇〇三年)。

李鍾淑「順宗生誕五旬晩餐演の舞童呈才研究」(『舞踊歴史記録学』四二号、舞踊歴史記録学会、二〇一六年)。

李鍾淑「李王職雅楽部呈才音楽研究:李炳成・成敬麟 舞譜を中心に」(『公演文化研究』三四集、韓国公演文化学会、二〇一七年)。

李鍾淑「日本植民地時代に変質した朝鮮朝宗廟祭礼楽の向上」(『帝国日本の文化権力:学知・文化媒体・公演芸術』三、徐禎完・宋錫源・任城模、小花、二〇一七年)。

李鍾淑「朝鮮後期、外方郷妓の教坊チュム研究」(『無形遺産』第一一号、国立無形遺産院、二〇二一年)。

朝鮮研究会編著、宋放送索引、李振源解題『朝鮮美人宝鑑』(民俗院、二〇〇七年)。

チョ・ヨンギュ「協律社と円覚社研究」(延世大学博士号論文、二〇〇六年)。

韓青山「妓生撤廢論」(『東光』二八、一九三一年一二月)。

『皇城新聞』一九〇二年八月二五日一面◉妓司新規。

『皇城新聞』一九〇七年九月〇六日三面●博覽會記。

『皇城新聞』一九〇八年九月三〇日一面〇廳令。

『毎日申報』一九一〇年八月三〇日、回外,一面 日本天皇陛下詔書。

『毎日申報』一九一二年四月二六日三面●登降仙樓。

『毎日申報』一九一二年四月三〇日三面・演藝界:降仙樓의善惡一評。

『毎日申報』一九一二年五月一六日三面・演藝界:▲降仙樓。

『毎日申報』一九二三年三月二二日三面・昌徳宮の誕辰祝賀。

『大韓毎日申報』一九〇八年八月一一日二面；同紙一九〇八年一〇月二二日二面。

妓生：券番は…ネイバー文化原形百科、［二〇二二年二月二六日検索］、https://terms.naver.com/entry.naver?docId=1763519&cid=49230&categoryId=49230

第2部　読者・文壇・教育の動向と相関性

7

織田完之と近代の平将門観

『国宝将門記伝』刊行の前提、画期としての明治三十四年

鈴木　彰

一、はじめに

明治七年（一八七四）八月、神田神社の将門霊神が本殿から別祠に移される（祭神降格）が、それは准勅祭社として皇城鎮護を期待され、東京府社三社の一つとして民衆教化の拠点とされていた同社の祭神として、将門が相応しくないという判断によるものであった。[*1] 同年二月八日には、教部省が「惟非望神器ヲ覬覦スル者ハ、天地ヲ窮メ古今ニ亘リ賊臣平将門一人而已」という見解を発表しており（『新聞雑誌』）、天皇を中心とした国家を作り上げていく過程で、こうした動きに代表される将門を叛逆者とする認識が自覚化され、全国へと伝播し、浸透していくことになる。以後の歴史教科書で将門は一貫して「叛臣」とされていくが、[*2] 子どもへの教育が将来の国家を支える国民の感性を涵養することにおのずとつながるという、長期的な展望のもとにあることはいうまでもない。将門をそのような人物と理解する大人（国民）が、継続的に育まれていったのである。

織田完之は、とくに明治三〇年代後半から大正期にかけて平将門弁護論を展開し、将門の雪冤・顕彰運動に従事した。織田は天保一三年（一八四二）三河国額田郡高須村の生まれで、一八歳のとき名古屋の松本奎堂に入門する。天誅組総裁となった師が戦死したのちも、尊攘派の志士として奔走した。岩国獄舎内で維新を迎え、明治二年（一八六九）に出獄したのちは、弾正台や若松県に赴任、明治四年（一八七一）一一月から大蔵省記録寮に入り（数え年で三〇歳）、同七年（一八七四）三月に同省勧業寮に転じる。大蔵省では、佐藤信淵の影響を受けて治水事業に関心を寄せ、勧業権頭であった松方正義の知遇を受けて農政史の研究に取り組み、以後、農業の啓蒙を図る著作を多数執筆していく。また、明治一四年（一八八一）四月には農商務省農務局に異動し、農書の調査・収集に従事するとともに、膨大な数の農書を編纂し、また、印旛沼開鑿事業にも精力的に取り組んだ。印旛沼の事業は、渋沢栄一・品川弥次郎らの支援を得ながら進められたが、結局中止されることとなり、織田はその経緯をまとめた『印旛沼経緯記』を編纂して明治二六年八月に刊行している。[*3]

将門の雪冤・顕彰に関わる活動は、印旛沼開鑿事業の断念を境に公職を退いた織田が、その後半生のなかで取り組んだ多くの営みのなかのひとつにすぎない。したがって、その活動の質やそれを支えた織田の心性・思想を理解し、的確に評価するためには、出生以来の経歴はもちろん、たとえば農学者・農政家としての姿勢や業績、公職を離れたのちに設立した碑文協会に関わる活動実態、将門に限らぬ歴史上の人物の顕彰を意図した著述活動など、織田の生涯にわたるじつに多様な活動との関係性を視野にいれなければなるまい。ただし、そうした検討は今のところごくわずかになされているのみである。[*4]

また、これまでの研究では、織田の将門関係の代表的な著作といえば、『国宝将門記伝』（明治三八年〈一九〇五〉七月）と『平将門故蹟考』（同四〇年〈一九〇七〉六月。以下、『故蹟考』と略称）があげられ、とりわけ後者は、その独特な将門観がよく表れた著作として扱われてきた。両著は、将門が天位を覬覦する者ではなく、日本にはかつて一人も叛臣がいなかったことを明らかにするという意図のもとで編まれている。併せて、これによって宝祚無疆（皇位が限り無く続くこと／続いてきたこと）を海外万国に知らしめることで、「皇国之光輝」を添えることや「皇威」の宣揚につながるという見通しも表明されている（『国宝将門記伝』所収「上二内閣総理大臣一書」、『故蹟考』「総論」）。世間に定着している将門への歴史的な評価を正すことで、新たな歴史理解と伝統を創り出すことが意図されていたことになる。

右のような性格を踏まえて、これら二著は、対外戦争を経て「国威の発揚」がなされ、「国家主義的思想が濃厚になってきた時期」の影響が「もっとも典型的にあらわれている」ものと評価されており[*5]、学術的な視点から黒板勝美や大森金五郎が同時代的に批判を加えたことも知られている。しかし、この両著がどのような経緯で生み出され、二年のあいだに続けざまに刊行されたのか、また同時代的にいかなる評価を得ていたのかについては、じつはまだ充分に明らかになっていない。たとえば、明治四〇年に明治財政史編纂会が、大蔵省構内のいわゆる将門塚の上に故蹟保存碑を建てたことについては、同会委員長阪谷芳郎に織田が勧めた／促したという関係でこれが説明されてきたが[*6]、このこと自体再考の余地がある[*7]。その関係の如何が、この事業にあわせて『故蹟考』を著した織田の活動の質と密接にかかわってくることは言うまでもない。また、見落とされがちであるが、織田は『平将門故蹟考』に「平将門絵伝二巻」（田中長嶺画）を添えて明治天皇に献じている[*8]。「絵伝」の原本は現存が確認できないが、幸いその下書きは残されており、これに関する分析もまた、これら二著と並んで取り組まれるべき課題といえる。

本章では、織田が展開した将門雪冤・顕彰運動の総体をさまざまな観点から再検討することを展望しつつ、その手始めとして、まずははじめて公刊された将門関係の著書である『国宝将門記伝』の刊行に至るまでの織田をとりまく動きについて、諸資料から掘り起こしていくこととしたい。

流通経済大学図書館が所蔵する祭魚洞文庫資料のなかに、織田完之旧蔵本（織田文庫本）が含まれており、そのなかに織田が一連の将門雪冤・顕彰運動の過程で収集・整理した諸資料がまとまって残されている。そこに含まれる『将門関係書類』そのほかの、もともと織田自身の手元にあった資料群が、以下の分析ではとくに重要な意義をもつ。これらはすでに複数の博物館企画展や諸氏の論文でも部分的に利用されてもおり、その存在自体は知られているものだが[*9]、織田の具体的な活動の解明に向けて充分に活用されてきたとは言いがたい状況にある。本章ではそれらを通して確認できた、従来知られていなかったいくつかの事実を踏まえながら、前述した課題に取り組んでいくこととしたい。

二、雪冤運動を支えた意識の萌芽

まずは、『国宝将門記伝』刊行に先だって、のちの精力的な雪冤・顕彰運動につながるような目的意識が、いつどのようにして織田のなかに芽生えたのかについて考えておきたい。

これまで、織田が将門／将門伝承に関心を持ち始めた時期についていては、織田の著書『印旛沼経緯記』の明治二一年（一八八八）九月六日の、利根運河工事の視察の帰路、「相馬将門ノ古城」と伝えられている守谷を訪ねたという記事に、「嘗テ聞ク、昔将門印旛沼開鑿ノ創意アリト。故ニ古城趾ヲ訪テ懐古ノ情起ル」のように将門伝承への言及がみえることが注目されている。栗原東洋氏はこの記事をもとに、織田が自らが推進する印旛沼開鑿事業にそうした前史／民間伝承があることに興味を持ち、そこから将門の故蹟を踏査するようになったのではないかと推察する。[*10] 印旛沼開鑿事業に取り組むという互いの立場や境遇の重なりから将門への関心を抱いたということ自体はありうることであろう。ただ、そうした関心は、将門は叛臣ではない、日本には歴史上叛臣はいなかったのだという、のちの著作群での主張に貫かれている将門雪冤という志向とは質を異にしている。そうした意味で、この出来事と後の雪冤運動とを直結させるのには躊躇せざるを得ない。

また、樋口州男氏は、織田が碑文協会を設立して将門の復権に取り組んだのと同じ時期に、戊辰戦争で賊軍とされた会津藩と旧会津藩主松平容保（まつだいらかたもり）の雪冤をはかる動きが社会的に展開していたことに注目し、かつての赴任地での体験にもとづく若松県（会津）への思いが、将門雪冤運動の背後にあったことを想定している。[*11] たしかに、明治後期から大正期にかけて展開していく二つの動きに、織田が雪冤という共通項を看取していたとしてもおかしくはない。とはいえ、樋口氏が述べているのは、会津藩関係の運動に刺激されて織田が将門雪冤を思い立ったという流れではない。将門雪冤を志向する織田の目的意識が芽生えた時期をここから絞り込むことは難しい。

ここで参照してみたいのが、『将門関係書類』の内容である。同資料は全一七冊（第一〜第一六。第一〇は上・下に二分冊）からなる袋綴じ本で、織田の著作の草稿、『将門記』の写本・板本、諸書からの記事抜書のほか、新聞等からの切り抜き記事や織田宛ての書簡・はがき、小冊子類を貼り込んだり、一緒に綴じこんだりしたもので、全体としては織田が収集した将門関係の情報をことごとく詰め込んだ雑記帳のごとき内容となっている。

まずは第一冊の冒頭に掲げられた目次によって、全体の概要を示しておこう。

第一

一、国宝将門記伝供　天覧凜申書　印刷書
明治三十八年七月廿八日
二、国宝将門記伝　原本写書

第二

一、国宝将門記伝　印刷本
二、平将門故蹟考　印刷本
三、将門遺事彰考　未定稿
四、〈将門／事蹟〉守谷志　齋藤隆三著　印刷本
五、〈下総国／結城郡〉栗山観世音略縁起　印刷本
六、〈将門／事蹟〉懐古百首　立入喜六詠　写書
七、国王神社保存碑記　写書

第三

一、国宝将門記伝稿本

第四

一、国宝将門記伝浄写本

第五

一、将門記　寛政丁巳版
二、大須本将門記補修　写本
三、将門記　水戸延方学校本　写本

第六

一、将門記彰考　原稿

第七

一、将門遺事彰考一

第八

一、将門遺事彰考二

第九

一、将門遺事彰考三

第十

一、将門遺事彰考四

第十一

一、将門故蹟考原稿

一、将門記彰考詩稿

二、将門事蹟関係雑纂

第十二

一、神田神社由緒畧記　写本

二、〈神田山／延命院〉久古谷原両不動尊略縁起　印刷書

三、神社秘録〈神田大明神ノ記事アリ／穂積隆彦所蔵本〉　写本

四、神田神社沿革誌　久保季茲著　写本

第十三

一、神田神社記　御府内備考続編九

第十四

一、千葉系図　寛文十二年千葉助平尚胤筆

二、千葉大系図　写本

三、千葉史稿本　冊末残欠　写本

第十五

一、千葉史稿　前記ノ稿本ヲ浄写シタルモノ

第十六

一、常陸大掾系図　三巻合冊　写本

この内容をていねいに読み解くことで、じつにさまざまな事実が明らかとなる。将門に関わる織田の活動は、彼の手元資料を網羅したこの資料群を視野に入れずに進められるものではない。その詳細は続稿を用意して順に示していくつもりだが、ここではまず、織田の将門への関心が深まった時期を絞り込むために、本資料のなかに貼り込まれた新聞記事の年代に注目してみたい。

新聞記事の切り抜きは第五冊～第一〇上冊（計六冊）にみえるのだが、それらのなかには明治二〇年代のものはひとつも存在せず、すべて明治三八年以降のものである。前述した神田神社の一件を含めて、明治二〇年代以前にも各新聞紙上には将門関連の記事が多数掲載されている。にもかかわらず、このなかにひとつも貼り込まれていないということは、新聞が保存しにくい／されにくい媒体であることを勘案しても、織

田は明治二〇年代にはまだ将門関係記事を新聞等から集める作業は開始していなかった可能性が高いということを意味しよう。

それに加えて、明治二〇年代の新聞や雑誌に掲載された文章・記事を、織田は筆写する形で本資料のなかに収めていることも参照しておきたい。そうした例としては、『将門関係書類』第五に収められた「明治二十四年二月五日発兌／会通雑誌第二号抄録」と題する記事や、それに続く「将門考の一種」と題された『読売新聞』明治二四年二月二〇日掲載の記事、同第六所収の「史学雑誌〈二号／解題〉　将門記考　星野恒」[*12]がある。記事を切り抜いて集めるという手法を厭(いと)わぬ織田の姿勢を勘案すれば、これらの記事は、刊行から程なく入手した原本から筆写したというよりは、のちになって何らかの方法で誰かが所有していたものを写すことで収集したものと考えるのが自然であろう。

以上のような新聞・雑誌記事の扱いかたからみると、明治二〇年代の織田は、のちの雪冤運動につながるような目的意識や関心、思想をまだ持ち合わせてはいなかった可能性が高いと言えよう。

三、「将門記関係往復書雑件」――織田の机辺の『将門記』

この『将門関係書類』を含む、流通経済大学図書館祭魚洞文庫に組み込まれた旧織田文庫資料のなかには、織田による将門雪冤運動の始発期をうかがわせる別の興味深い資料が存在する。織田の自筆による雑記的資料のひとつ『五色石(ごしきいし)』全五六冊のなかの第一六冊に収められた「十五　将門記関係往復書雑件」(目録題)・「十五　将門記関係雑件」(扉題)と題された一群の資料がそれである。

内容は次のとおりである。

①尾張大須本将門記序
＊明治三十四年十月、織田完之識。

②桓武平氏系図・将門系図

③中田憲信（なかだのりのぶ）書状（織田完之宛）
＊明治三十四年七月四日消印、二日付。

④大槻吉直（おおつきよしなお）書状（織田完之宛）
＊明治三十四年七月四日消印、四日付。

⑤中田憲信書状（織田完之宛）
＊明治三十四年七月十日消印、九日付。

⑥佐藤精明書状写（織田完之宛）
＊七月九日付。鉛筆書き。封筒なし。「別冊添」と附記あり（別冊は⑦に該当）。

⑦日高誠実（ひだかのぶざね）「平将門論」

⑧石井新吾（いしいしんご）書状（織田完之宛）
＊明治三十四年七月十一日消印、十日付。

⑨石井新吾書状（織田完之宛）
＊明治三十四年九月四日消印、四日付。

⑩石井新吾書状（織田完之宛）
＊明治三十四年十月十二日消印、十二日付。

⑪石井新吾書状（織田完之宛）
＊明治三十四年十月三十日消印、三十日付。

⑫中田憲信書状（織田完之宛）
＊十一月九日付。封筒なし。

⑬織田完之書状案（中田憲信宛）
＊十一月十日付。

⑭中田憲信書状（織田完之宛）
＊明治三十四年六月三日消印、二日付。

⑮田中茂兵衛（たなかもへえ）書状写（織田完之宛）
＊十二月二十九日付。封筒なし。

目録題に「往復書」とあるように、大半が明治三四年に織田のもとに届いた書状を貼り付けたもので、右の一覧で消印の情報を附記したものについては、そのときの封筒も片側の長辺と底面を切って開き、表裏両面（宛名・差出人の記載）がわかるような状態にして貼られている。⑦は内容からみて、⑥の書状に同封する形で織田のもとに届けられたものと考えられる。したがって、①②もいずれかの書状との関係で理解すべきものであることが予測できる。

①との関係では、⑨⑩には『将門記』の板本に関する話題がみえることを確認しておく。また、②の桓武平氏系図は内容的に相馬師常・義胤に至る流れが意識されたもので、将門系図のほうは将門の親と兄弟を整理した系図であるが、③⑧⑪の書状は将門系図を含む内容であること、とりわけ③は相馬系図に関するやりとりを含んでいること、④の差出人大槻吉直は元相馬藩士で、「磐城相馬中村」から書状を発信していることにも留意したい。こうした一連のやりとりは、明治三四年の織田完之が、将門に関わる系譜や伝承、さらには『将門記』に対して、特別な関心を抱いて行動していたことをうかがわせる。*13

さて、これらのやりとりのなかで、ひときわ目を引くのは、織田が下総船橋町在住の石井新吾（『印旛沼経緯記』にもしばしば登場）とやりとりである。⑨の書状は「将門記板本云々御尋之趣承知仕、此ハ当所太神宮蔵書ニ有之候」と、織田が探していた『将門記』の板本を「当所太神宮」（いまの意富比神社〈船橋大神宮〉か）で見つけたとする報告から始まり、「此将門記抜萃・前記、為御参考申上候」と述べて結ばれている。そして実際に、「前記」からの引用記事と、「冊尾ニ」として松岡牡鹿輔の識語と寛政一一年六月の植松有信の識語、そして天明二年八月の稲葉通邦による巻頭解説「将門乃記」が記されている。現存する『将門記』板本は二種（植松有信模刻本と群書類従本）のみであるが、この識語から判断するに、このとき見つかったのは、寛政一一年（一七九九）に板行された前者であったと考えられる。なお、植松有信模刻本はいわゆる真福寺本を「模刻」したものであることをあらかじめ確認しておく。

この書状には、『将門記』の板本を織田が「御尋之趣」云々とある。つまり、明治三四年九月四日の時点では、織田はまだ『将門記』板本を所蔵していなかったことがわかる。この点は、織田の机辺の環境の一部として、見のがせない事実と言えよう。

四、真福寺本と植松有信模刻本

織田に③⑤⑫⑭の書状を送った中田憲信は、明治二九年、六二歳で司法省を休職し、このころは休職判事として過ごしていた人物である。[*14]『皇胤史』『各家系譜』(ともに国立国会図書館蔵)ほか、多くの系図編纂に携わってもいた。中田はこののち、「正五位」という身分表示とともに『国宝将門記伝』に序を寄せることになるわけだが、それはこの時期には始まっていた将門をめぐる一連の交流を承けてのことであった。中田との一連の書状では、相馬氏、将門や藤原純友に関する情報を織田に提供するようすが確認できる。なかでも、③の書状にみえる次の文言は見のがせない。相馬氏の系図に関する記述に続く記事である。

次ニ前回御状之回答ニ移り可申候、偖尾張大須本将門記之序中披見致候、其文中、
平将門為下総国相馬郡御厨下司、為岩井御厨実為外宮供物調進致也、
と有候、……

ここには、「尾張大須本将門記序」なる文章を中田が披見した上で、そのなかの表現を引用しつつ意見が述べられている。しかし、いわゆる真福寺本『将門記』に序文は存在しない。では、「尾張大須本将門記序」とは何か。

ここで想起すべきは、織田がこの年の一〇月に記した①「尾張大須本将門記序」の存在である。織田は先に①の草稿にあたるものを中田に送っていて、中田はそれに対する意見を③の書状で返してきたものと考えられる。中田は、右の引用部のあとの文面で、「相馬郡御厨」とは言わず「相馬御厨」と言うのだなどと、その記載内容に改めるべき点があることを指摘している。つまり、織田はこのころ、「尾張大須本将門記」という著作をまとめようとしており、その「序」を執筆中だったと考えられる。七月四日付のこの書状を受けたあとの、一〇月の識語をもつ①も、いまだに随所に訂正・改稿が加えられた草稿段階の原稿である。なお、①の文面には右の引用にあたる表現が存在しないのだが、それは①が中田の指摘を受けての改訂後の原稿だからだと考えられる。なお、真福寺本には将門が相馬御厨の下司になったという記事自体が存在しないため、その「序」の内容として相応しくないことは言うまでもない。

ところで、織田の次女種子の婿である織田雄次（おだゆうじ）の著『鷹州織田完之翁小伝』が、「翁又曾て名古屋市大須宝生院真福寺に秘蔵せる将門記を読み其巻首を缺失し且つ行文渋滞して通読し難きを解釈し……」と記しているため、従来の研究史では、織田はいわゆる真福寺本『将門記』原本を直接見ているものという理解が醸成されていたように思われる。しかし、織田がいつどのようにそれに接したのか、あるいは接していない可能性も含めて、それはまだ解決していない問題である。そのことを念頭におきつつここまでの検討を整理してみると、明治三四年七月の時点では、織田がすでに「尾張大須本将門記」（いわゆる真福寺本）の存在を把握していたこと、そしてそれに関する自らの著作を念頭においた序文の草稿を記すほどになっていたことが確認できる。とすれば、これ以前に何らかの形での真福寺本との出会いがあったに違いない。

ここで参照したいのが、『将門関係書類』第五に収められた「将門記撮要」である。「明治三十四年十一月織田完之撰」という識語をもつ序文を備えた本書は、『将門記』を全三〇段にわけて、その内容を簡潔に把握できるようにした漢文表記の梗概書である。そして、次のように始まるその序文は、傍線部に明らかなように、真福寺本の奥書を踏まえたものとなっている。

> 此将門記。天慶三年庚子六月所レ記。後一百五十九年承徳三年己卯正月廿九日於二大智房一酉時許書了。同年二月十日読了。距二明治三十四年辛丑一。八百零三年前所レ写。字体亦奇古。天慶記録無レ有二于此外一。
>
> ……

つまり、本書は真福寺本の内容を整理したものとなっているわけで、こうした書物をまとめられるということは、この時点ですでに織田は真福寺本の内容を読み、手元にその本文を備えていたと考えざるをえない。ただし、注意すべきは、「将門記撮要」の各記事の末尾に付された「一之表裏」「一之二」「二之裏」「三之表」……「十七裏」……「廿九」「卅二」「卅一」「卅一二」という小字で書かれた数字である。その様相から、各段の記事のもとになる『将門記』の該当箇所が載っている丁数とその表裏を示した注記であることはただちに理解しうる。

しかし、真福寺本の原本は巻子本である。仮に織田が巻子本を底本として本書をまとめたとすれば、「表」「裏」と記されることに違和感が生じる。織田の手元にある写本が冊子本で、その丁数を附記した可能性もあるが、本書の数字と各記事の内容を、試みに寛政一一年植松有信模刻本と照合してみると、その丁数及び記事内容と見事に合致することがわかる。

先に述べたように植松有信模刻本は真福寺本の「模刻」本で、その本文と紙面の状態をそのままに伝えることが意図されている。また、板行に際して付された数種の識語の類（秦檍丸序文〈跋文〉・松岡牡鹿輔識語・植松有信識語・植松茂岳識語。伝本によって位置に異同あり）や稲葉通邦の巻頭解説を読めば、この板本が真福寺本をもとにした模刻本であるという事情を理解することもできる。

こうした点を勘案すると、織田が参照し、自らの著作の底本としたのは真福寺本そのもの（の写本）ではなく、真福寺本を模刻した植松有信模刻本（の写本）であり、その本文が真福寺本に基づくがゆえに、織田はこの模刻本の内容をもって「尾張大須本将門記」と称していたと考えられる。つまり、織田と真福寺本（の内容）との出会いは、真福寺本の原本ではなく模刻本との関係で理解すべきものということになる。

模刻本の本文に接し、その写本を手元に備えるまでの事情や時期は、明治三四年からさほど遡らない時期であろうことは推測されるものの、現時点では特定することが難しい。ただし、そこに中田憲信が深く関与していたであろうことは、後述する「尾張大須本将門記補修序」の内容から察しうるのだが、この件は別稿であらためて論じることとしたい。

以上を踏まえると、織田は、明治三四年時点では植松有信模刻本の写本[*15]のみを手元に所持した状態で、著述そのほかの活動を進めていたと考えられる。それゆえ、やはり板本自体を入手したかったのだろう。諸方にそれを求めた結果、この年の九月四日の石井新吾からの知らせで、その所蔵先のひとつを確認したのであった（前述）。ちなみに、織田はこののち明治三七年一一月になって、ついに板本を入手している。『将門関係書類』第五の冒頭に綴じられたその板本の最終丁表には、「明治三十七年十一月廿五日武田信定氏より譲受／珍重、、 （印・完之）」と小さな字で記されており、表紙題簽と第一丁表本文行頭部分に「織田完之／図書章」（陽刻楕円朱印）の蔵書印、表紙には右下部に「東京市牛込区／拂方町九番地／織田完之」（陽刻子持枠付き長方形）の朱印が押された状態となっている。

五、「尾張大須本将門記補修」の意義

ところで、『将門関係書類』第五では、前述した「将門記撮要」（明治三四年一一月序）と植松有信模刻本の写本、「群書類従三百六十九　将門記」、「大日本史巻之二百二十八　平将門之伝」、「相馬系図　正五位中田憲信考」、「平将門論　日高誠実」、「将門遺事伝聞　石井新吾」等複数の資料を一括して綴じており、それら全体の序として「尾張大須本将門記補修序」という文章を置いている（識語「明治三十四年十一月於東京牛込宮賓閣／鷹州逸史織田完之撰幷書」）。

この明治三四年一一月の時点で、織田は「尾張大須本将門記」とどのように向きあっていたのであろうか。「皇統一系三千年来。未丙嘗有乙一人覬二覦天位一者甲。」（「上二内閣総理大臣一書」〈『国宝将門記伝』所収〉）、「我国開闢以降溥天率土。未下曾有中一人覬二覦天位一者上矣哉」（同・自序）のような、のちの将門雪冤・顕彰運動を支えた認識との関わりでは、「尾張大須本将門記補修序」が次のように結ばれていることを参照しておかねばならない。

……予熟二読将門記一。自撰二撮要一。掲二之巻首一。供二捷覧一。冊尾掲二中田氏所レ考相馬系図及諸氏論説等一。厳重之有二考據一。将門者固無下為二朝敵一之実上也。於是乎断曰。本朝自レ古未下曾有中為二朝敵一者上也。

ここでは、自撰の「将門記撮要」やそれと一括した中田憲信考定の「相馬系図」、そのほか諸氏の論説など、つまり「尾張大須本将門記補修」として一括した資料群を確かな「考據」として、将門が朝敵ではなく、本朝には古(いにしえ)より朝敵はいないのだとする主張がなされている。この主張は、『国宝将門記伝』以降明確に提示されていく認識とほぼ等しい輪郭をもっている。このように、織田はのちの『国宝将門記伝』、さらには『平将門故蹟考』の編纂・刊行等へとつながっていくような将門認識や朝敵をめぐる本朝史理解を、明治三四年一一月の時点で、自著のなかでは主張し始めていたのである。これまで『国宝将門記伝』以前のこうした状況が顧みられなかった理由は、ひとえにこの「尾張大須本将門記補修」なる資料群が公刊されなかった編著であるからというほかない。

ところで、この点と併せて、『五色石』一六に収められた⑧石井新吾書状のなかに、次のような文面がみえることを視野に入れておくべきだろう。

〇平将門ハ朝敵ニハアルベカラズト奉存候

この発言は、石井が織田から求められて将門の戦地を中心とした情報を列挙するなかに、箇条書きされるかたちで書き添えられている。同年七月一日付のこの発言が織田のもとに届いたのは、言うまでもなく同年一一月に成った前掲「尾張大須本将門記補修序」の執筆に先立つ時期であった。

石井は別の書状⑪で、「拙家ノ祖先石井清左衛門ハ将門属臣ノ者」だと織田に伝えているが、そのなかでも、

> 将門ノ顚末愈御調査済、朝敵ニ非ル事明瞭、序文も御出来ノ云々拝承仕候、将門ノ行状、文明ノ日ニ至リ未有朝敵者也ト確認セラル、ニ於テハ、将門地下ニ在リテ欣花不斜事ト奉推察候、

という発言が挟み込まれている。「文明」の今における将門の雪冤という要素を内在していることに注意したい。こうした人物からの言葉もまた、織田の将門認識の形成に少なからず作用していたであろうことを見過ごしてはなるまい。「尾張大須本将門記」という資料から読み取った理解は、こうした生きた人々の声と重なることでいっそう深く織田の心に刻み込まれ、将門雪冤へと向かう姿勢を確立させていったと考えられる。明治三四年の織田は、そうした関係性のなかでその将門認識を固めていったのである。

六、日高誠実「平将門論」への共感

そしてもうひとつ、この年の織田には重要な出会いがあった。それは佐藤精明なる人物から提供された日(ひ)高誠実(だかのぶざね)の「平将門論」という小冊子との出会いである（『五色石』一六所収⑥佐藤精明書状写および⑦）。

日高は天保七年（一八三六）生まれのもと日向高鍋藩士。江戸で儒者古賀精里(こがせいり)の孫謹一郎(きんいちろう)に学び、明治元年に藩校明倫館(めいりんかん)教授となった。維新後は陸軍省に勤務、公務を退いたのちは市原の梅ヶ瀬に私塾梅瀬書堂を開き、大正四年（一九一五）に没するまでそこで生活した。[*16] 佐藤は織田に、日高は「上総国市原郡白鳥村梅瀬と申所ニ住居」（⑥佐藤書状）している人物として紹介しており、「平将門論」（⑦）の冒頭には日高の名の下に「江戸古賀門高足」と注記されている。この「平将門論」のことは佐藤の書状に「別冊添」と付記され

ており、『五色石』一六ではそれに続けて罫紙に墨書されたその写本（計四丁。本文は三丁表まで）が綴じられている。

日高はこの論を次のように起筆している。

> 予嘗読㆓東京地誌㆒、祀㆓平将門㆒者多矣、将門之叛逆暴戻、果如㆓史所㆑言、関東之民宜㆑慶㆓其敗滅㆒已、而祀㆑之愈久愈熾、豈非㆑可㆑怪哉、[*17]

日高は、「関東之民」が将門を久しく「祀」ってきたという事実に注目し、将門の「叛逆暴戻」が史実なのかという問いを発する。そしてその生涯を綴っていくのだが、「将門不幸、進不㆑得㆑奉㆓職于京師㆒」と記すような筆致や、貞盛の妻を捕らえたが害を加えなかった将門と、身籠もった新婦の腹を割いて胎児を取り出して自分の病を治すための薬とした平貞盛を対比する構成などに、将門寄りの姿勢があらわれている。そして、滅ぼされた将門を関東の人々が長く慕い続けたようすを次のように記している。

> 関東士民、見而知㆑之、自有㆓公論㆒、故不㆑惜㆓国香之敗㆒、而悲㆓将門之死㆒、曰有㆑灾、曰為㆑祟、陽設㆓之辞㆒、陰慕㆓其人㆒、千載修祀、而国香等之鬼幾餒矣。

引用冒頭にいう関東の士民が見ていたものには、文脈上、貞盛の妻を丁重に扱う将門の姿などが含まれている。

また、この文章の結びは次のようにある。

夫相門弄レ権、上下隔絶、朝廷既信二貞盛之誣一、誰知二将門之冤一、及二貞盛奏レ捷、威望顕赫、其子孫相継為二関東諸州守介一、縦有二知之者一、不レ得レ不三為護二名誉一、世代推移、曲直顚倒、将門之冤、終無二伸雪之日一矣、若夫擅動二干戈一、国有二常刑一、然平良文之於二源宛一、平惟茂之於二藤原師種一、皆私闘也、而　朝廷不レ問焉、源義家討二清原武衡一、其功尤偉矣、而　朝廷猶以二私闘一論レ之、不二為加一レ賞、夫義家不レ足レ賞、則武衡不レ足レ罰也、当時　朝廷不深責二私闘之罪一、亦可二以観一矣、将門之防戦、何独怪焉、

当時の権力争いの結果、朝廷が「貞盛之誣」を採用したため、以後貞盛の子孫は関東での地位を得た。その反面、「将門之冤」は誰にも知られることなく、たとえ知っている者がいたとしてもそうした状況下では声をあげられなかった。そして世代が移り変わり、「曲直顚倒」したままで、ついに将門は雪冤の機会を失った。引用前半部における日高の認識はこのようなものと理解できる。続く引用部後半では、私闘をくり広げたにもかかわらず朝廷が不問に付した例、軍功をあげたにもかかわらず私闘だとして朝廷が賞を与えなかった例を列挙して、当時の朝廷では「私闘之罪」は重くなかったとして、「防戦」した将門だけがこのような扱いを受けていることに疑義を呈するかたちとなっている。

織田は『五色石』所収のこの写本のほか、『将門関係書類』のなかにも二度にわたってこの「平将門論」を収録している（第五、第八）。そのうち第五では、「尾張大須本将門記補修」の一部として、将門が朝敵ならざることを証明する重要な論拠のひとつとしてこれを扱っていた（前述）。こうした扱いかた自体、織田が日高の論を重視し、深く共感していたことを意味しよう。右の引用部にみえる波線部は、「将門之冤」「伸

雪」という語を含むことからわかるように、将門雪冤の訴えにほかならない。このの ち将門雪冤・顕彰運動を展開していく織田の将門観の根源に、この日高の「平将門論」が大きく作用していることは確実である。

織田がこの日高の論を重視した理由として、もう一点留意しておきたいことがある。この日高の将門論では、権力の所在や国家体制が変化することによって、敗れた側の論理や姿勢の意味は正当には受け止められず、誤解であっても声を上げる状況がないままに時が過ぎると、それ自体がやがて社会から忘れ去られていって、歴史的な「曲直」が定まってしまうという流れ、いわば政治と時間と歴史の力学を扱うものとなっている。本論のなかで日高は、そうした見方をいわゆる水戸天狗党の乱の評価とのかかわりで導き出し、将門評価のありようとの類似性を主張しており、その点こそが日高の将門論の大きな特徴となっている。

> 予嘗云、近世水戸之乱、有レ類二于此一者、武田正生・市川弘美等、結レ党私闘、弘美知二力不一レ敵、巧説二幕府一、請レ兵而撃レ之、幕府之信二弘美一、朝廷之信二貞盛一一也、将門之所レ悪在二貞盛一、党レ之者皆其敵也、正生之所レ悪在二弘美一、党レ之者皆其敵也、却掠二総野一、殺二傷士民一、敢抗二幕府之兵一、転戦至二越前一就レ刑、自二幕府一視レ之叛賊已、年未レ久、世形一変、前日之叛賊、忽辱二官祭一、幸矣、将門不幸、進不レ得レ奉二職于京師一、退不レ能レ安二身于旧土一、欲レ復二先人之業一、而乗二騎虎之勢一、遂以負二叛逆之名一、其死而不レ瞑宜矣、

「近世水戸之乱」とは、明治三四年現在から溯ること三七年、元治元年（一八六四）に尊王攘夷派の水戸藩士ら（天狗党）が筑波山で挙兵した事件をさす。日高はこれが将門の件と「類」するものとみている。武田(たけだ)正生(まさなり)（耕雲斎(こううんさい)）と市川弘美(いちかわひろとみ)がそれぞれ党を結び、一方の市川のほうは幕府の信用を得た。日高は、これは「私

闘」であり、幕府が市川を信じたのと朝廷が貞盛を信じたのは同じことで、武田が「悪」むのは市川、将門が「悪」むのは貞盛という関係を読み取る。こうして市川と幕府の関係を、貞盛と朝廷の関係と重ねている。武田らは最終的に越前で幕府軍に降伏し処刑されたわけだが、これを幕府の立場から「視」れば「叛賊」だということになるとする。ただし、今の世では幕府がなくなり世の中が「一変」したため、かつての「叛賊」は官吏として働くという「幸」いを得ているが、将門は遂に「叛逆之名」を背負わされたままであり、死しても瞑することがないと述べる。この点にこそ、日高にとっての将門雪冤への動機が生じているわけである。

じつは、織田は二三歳のころ、江戸にいて天狗党の筑波山蜂起を聞き、現地に駆けつけたという過去をもつ。

> 元治元年甲子の春、慨然蹶起江戸に出つ。時に年二十三。偶々水戸藩の浪士武田耕雲斎等筑波山に據りて兵を挙け、大に尊攘の大義を唱ふ。幕府急を聞て、之か鎮撫の兵を派するに際し、翁旗本某氏に従て常陸に赴き、具に戦況を視察し、且つ実情を究めて深く感ずる所あり。帰来常野紀聞を著し、以て同志の警発に力む。
>
> （織田雄次『鷹洲織田完之翁小伝』）

「大に尊攘の大義を唱」えた人々の「実情」に「深く感ずる所あ」って『常野紀聞』を著すにまで至るその行動は、天狗党に対する尊王の「同志」としての共感に支えられていたとみて大過あるまい。

日高は、水戸天狗党の乱と将門の乱の類似性を看取し、その再評価を促すという枠組みで、雪冤の主張を含む将門評を提示しているわけだが、この文章に接した際、織田が若き日のこの実体験を想起しなかったとは考えにくい。織田にとって、日高の将門評への共感は、水戸天狗党の行動への評価への共感でもあったと考えられる。そして、日高の論理にしたがうと、将門の生涯や行動への評価のありようを、水戸天狗党への評価をあいだに並べることで、織田自身の生涯や功績への評価とも相似形をなすように重ね合わせて受け止めることが可能になる。

右の文中にもあるように、今生きている者たちは、変化した今の世での地位を得ることで相応の「幸」を得ることができるのかもしれないが、将門や天狗党の人々のようにすでに死んでしまった者たちは、その歴史的な評価が変わることでしか「雪冤」に至らない。織田が日高の将門論に深い共感を覚えたのは、自らの人生とも交叉する問題を内在化していたことが大きかったのではないか。織田にとって将門の雪冤運動は、かつてその「同志」という自覚のあった水戸天狗党の人々の行動を再評価することとも、理念としては重なり合っていたと考えられるのである。織田の将門雪冤運動への動機の強固さは、かつて自らが体験した幕末の尊王運動に根ざした自らの人生との共振・共鳴を感じていたことに、ひとつの理由があるように思われるのである。

七月九日の書状とともに日高の「平将門論」に接した織田は、そのあと日高にいくつかの質問を含めて書状を送ったようだ。その返信（辛丑〈明治三四年〉一一月一〇日付、一二日消印）が、『五色石』二に収録されている。日高は、貞盛が胎児を薬とした話について、「割孕婦之一条ハ今昔物語巻廿九悪行之部ニ相見」などと、いくつもの将門関係の話題を提供している。

まさにこの一一月に、織田は「尾張大須本将門記補修序」を記していたことを、あらためてふり返っておきたい。明治三四年という年は、織田の将門雪冤・顕彰運動のあゆみを考える際、大きな画期として記憶されるべき一年であったと言えよう。

七、おわりに

本章では、織田完之の将門雪冤・顕彰運動の始発期における諸状況を、おもに流通経済大学図書館所蔵祭魚洞文庫に含まれる『将門関係書類』や『五色石』といった、織田の手元にあった資料群をもとに検討してきた。ここまでに述べてきた内容を踏まえて、『国宝将門記伝』出版に至る前夜の様相を整理しておこう。

明治二〇年代の後半、織田は『印旛沼経緯記』を刊行して公職を退くが、そのころにはまだのちの雪冤運動につながるような問題意識を将門への思いを抱えてはおらず、将門に関わる積極的な動きを始めていなかったと考えられる。本章では、その始発期における画期として、明治三四年という年の重要性を指摘してきた。この年の一〇月、織田は「尾張大須本将門記」なる著書を用意し、その序を記している。また、一一月には「将門記撮要」という真福寺本の内容を要約した梗概書を作成し、さらにそれを含めた「尾張大須本将門記補修」という一括した資料群を編纂し、その序も同月に記してもいる。すでにその机辺には、真福寺本『将門記』の本文が備わっていたと考えられるわけだが、しかし、じっさいに織田が手元に置いていたのは、真福寺本をもとにした植松有信模刻本（寛政一一年板本）の本文であったと考えられる。織田はこれをもって、真福寺本として扱っていたと考えられる。このことは、『国宝将門記伝』の巻末に、稲葉通邦・松岡牡鹿輔・植松有信の識語が収められていることからも確認できることを補足しておこう。同書の底本は植松有信模刻本と考えるのが妥当である。その意味で、織田が真福寺本を実見して行動したという理解はあらためる必要がある。

他方、織田は諸方に『将門記』板本の所在を確認していたようで、この年の九月四日付の石井新吾からの書状にて、その所在のひとつを知ることになった。板本の所在確認の動きは、それ自体を入手するためのものであったと推察されるが、織田が植松有信模刻本そのものを入手したのは、このあと明治三七年一一月二五日のことであった。言いかえれば、それまでは織田は手元に備えていた植松有信模刻本の転写本で、将門関係の著述をはじめとするもろもろの活動に取り組んでいたということになる。

織田がのちの活動につながるような将門観を抱くようになった要因のひとつは、確かに真福寺本の内容との出会いであったと考えられる。ただし、それに加えて、この年の七月や一〇月の石井新吾の書状に確認できたように、「平将門ハ朝敵ニハアルベカラズト奉存候」といった言葉が織田のもとにくり返し届いていたであろう状況を無視することはできまい。織田は、書物から得た知識と、将門ゆかりの土地で生きる人たちからの声とが共鳴する環境のなかにいたのであった。

そして将門の雪冤という問題に、自らの人生経験に根ざした実感を与えたのが、日高誠実の「平将門論」であったと考えられる。水戸天狗党の評価と将門への評価が内在する力学を自覚させるその文章に、織田はこの年の七月に出会っている。その中には、のちに織田が用いることになる将門雪冤のことばときわめてよく似た表現が使われているのであった。

将門雪冤・顕彰運動とのかかわりでみるとき、織田完之にとっての明治三四年は、やはり画期であったとみてよいだろう。ここから明治三八年の『国宝将門記伝』刊行までの流れ、さらには明治四〇年の『平将門故蹟考』の刊行、「平将門絵伝二巻」の制作等を経て大正期へと続いていくその活動については、続稿で順に論じていくことにしたい。

注

1 神田明神史刊行会編『神田明神史考』(同刊行会、一九九二年五月)、岸川雅範「将門信仰と織田完之」(『国学院大学大学院紀要―文学研究科―』三四、二〇〇三年三月)など。祭神移転の翌月一九日に、明治天皇が神田神社に立ち寄るという出来事も、その動きと不可分なものと考えられている。

2 佐伯有清ほか『研究史　将門の乱』(吉川弘文館、一九七六年九月)など。

3 織田の経歴については、織田雄次『鷹州織田完之翁小伝』(私家版、一九二九年一月)、栗原東洋『印旛沼開発史第一部　印旛沼開発事業の展開(下巻)』(印旛沼開発史刊行会、一九七三年一月)第七章「織田完之と二十年の苦闘」。のち第七章のみ抜粋して同『織田完之伝(印旛沼開発史・人物伝シリーズ・第一集)』(印旛沼開発史刊行会、一九七三年二月)として刊行、注1岸川論文、織田完之史料室パンフレット(二〇〇七年)、樋口州男『将門伝説の歴史』(吉川弘文館、二〇一五年八月)などによる。

4 注1岸川論文、注3樋口著書。

5 注2佐伯ほか著書。

6 『神田明神史考』は、阪谷は「織田完之のすすめによって」同碑を建立したとする。注1岸川論文は、建碑は「阪谷芳郎の首唱であったが、それを促したのは織田であった」と述べる。

7 この問題については、本章を踏まえて続稿で具体的に論じる予定である。

8 注3織田雄次『鷹州織田完之翁小伝』。

9 千葉県立大利根博物館編『英雄・怨霊　平将門~史実と伝説の系譜~』(千葉県立大利根博物館・千葉県立関宿城博物館共同企画展図録、千葉県社会教育施設管理財団、二〇〇三年五月)、村上春樹『平将門――調査と研究――』(汲古書院、二〇〇七年五月)、注1岸川論文、注3樋口著書など。

10　注2栗原著書。

11　注3樋口著書。樋口氏は会津関係の動向について、田中悟『会津という神話――〈二つの戦後〉をめぐる〈死者の政治学〉――』（ミネルヴァ書房、二〇一〇年三月）の指摘を踏まえる。

12　正しくは『史学会雑誌』。その第二号は明治二三年一月刊行。

13　ちなみに、③④⑤⑧の書状は、岩代郡安積郡山町の旭館（旭楼）に滞在中の織田に宛てられたものである。

14　その経歴は、国立公文書館蔵「叙勲裁可書・明治四十三年・叙勲巻一・内国人一・休職判事正五位勲五等中田憲信」参照。

15　それは『将門関係書類』第五所収の写本である可能性が高い。

16　日高誠実の経歴については、渡邉茂男『房総の仙客 日高誠實 日向高鍋から上総梅ヶ瀬へ』（創英社・三省堂書店二〇一七年五月）、大室晃「日高誠実」（『千葉県の歴史』五、一九七三年二月）、市原蒼海『如淵日高誠實先生傳』（千葉県図書館、一九三七年六月）等参照。

17　「平将門論」の引用は『五色石』一六所収の写本による。ただし、底本には返り点がついていないため、『将門関係書類』第五所収の同文に朱書で付されたものを、織田の読みかたを示唆するものとして採用して示すことにする。

［付記］

貴重な資料の調査をお許し下さった流通経済大学図書館の関係各位に、心より御礼申し上げます。

参考文献

大森金五郎「平将門の本質と偽宮」（『歴史地理』二―九、一九〇〇年一二月）
大森金五郎「下総国岩井附近に散在する平新皇の遺趾に関する伝説」（『歴史地理』三―一〇、一九〇一年一〇月）

織田完之『印旛沼経緯記』（金原明善　一八九三年八月）
織田完之『国宝将門記伝』（会通社、一九〇五年七月）
織田完之「将門墳墓考」（『東京経済雑誌』一三〇五、一九〇五年九月）
織田完之『平将門故蹟考』（碑文協会、一九〇七年六月）
織田雄次『鷹洲織田完之翁小伝』（非売品、一九二九年一月）
梶原正昭・矢代和夫『将門伝説―民衆の心に生きる英雄―』（新読書社、一九六六年七月→新版一九七五年）
神田明神史考刊行会編『神田明神史考』（同会、一九九二年五月）
岸川雅範「将門信仰と織田完之」（『國學院大学大学院紀要―文学研究科―』三四、二〇〇三年三月）
岸川雅範「東京奠都と神田祭――明治初年の神田祭の変遷を粗描する――」（『明治聖徳記念学会紀要』復刊四六、二〇〇九年一一月）
久保勇「『将門記』の流布をめぐって――植松有信模刻本板行の経緯と影響――」（『武蔵野文学』六七、二〇一九年一二月）
栗原東洋『織田完之伝』（印旛沼開発史刊行会、一九七三年二月）
黒板勝美『国史の研究』（文会堂、一九一八年四月）
佐伯有清・坂口勉・関口明・追塩千尋『研究史将門の乱』（吉川弘文館、一九七六年九月）
阪谷芳郎「大蔵省邸内平将門の墳墓に就て世の識者に質す」（『東京経済雑誌』一三〇五、一九〇五年九月）
田口卯吉「平将門」（『史海』二六、一八九三年三月）
千葉県立大利根博物館編『英雄・怨霊　平将門―史実と伝説の系譜―』（千葉県立大利根博物館・同関宿城博物館共同企画展図録、二〇〇三年五月）
樋口州男『将門伝説の歴史』（吉川弘文館、二〇一五年八月）

星野恒「将門記考附将門記略」（『史学会雑誌』二、一八九〇年一月）

松本修『鷹洲刊書記』（碑文協会、一九一二年三月）

村上春樹『平将門伝説』（汲古書院、二〇〇一年五月）

村上春樹『平将門―調査と研究―』（汲古書院、二〇〇七年五月）

8 明治期の文章活動における文壇とその裾野の相互作用
読者が表現者となるとき

湯本優希

一、はじめに

明治期の特徴のひとつとして〈作文〉が挙げられる。投書雑誌がひしめき、作法書類や文範書類などの作文に関連する書籍が数多く刊行された。[*1] これまでも注目されてきたように、『国立国会図書館所蔵明治期刊行図書目録』第四巻語学・文学の部（国立国会図書館、昭和四八〔一九七三〕年）にある「収録タイトル一覧」では、一位の「近代小説」三〇七一点に次いで二位が「作文」であり、その点数は二七一三点にものぼる。三位の「読物・実録」が一八一二点であることに鑑みれば、明治期の作文という文化の盛り上がりは看過できないといえるだろう。

また、同時期の雑誌には投書欄が数多く創設されており、この欄にはいわゆるアマチュアの層からの投稿が寄せられている。そして、これらの投稿文に対し作家たちが講評を加える動きも散見される。つまり、この文化は文壇とその裾野とでもいうべき層を巻き込んだ一種のムーブメントであったことがわかる。[*2]

渡邉直政編『美文資料美辞麗句』再版（大学館、明治三四〔一九〇一〕年）には、

世の青年文士が作文の資料に充てんが為めに和漢数百の文章中より、所謂美辞麗句を抜萃して編纂したるものなり

とあり、こうした文彩に拘泥した表現を「美辞麗句（びじれいく）」と称し、美文の資料としていたことがうかがえる。そしてそれらは「青年文士」という層に向けて出版されていたのである。

このような明治期の状況を考えるにあたり、この作文という現象をかたちづくっていた層に目を向けることで、いわゆる文壇における文学史にとどまらない、いわば言語文化史として包括的に同時代の人びとの文章活動を捉え、かつ、その動向がまた文壇に対しどのように作用していたのかということを明らかにすることが本章の目的である。

二、美辞麗句集について

まず、先にも触れたように、明治期の作文という文化の普及を支えた重要な存在のひとつに、作文に関連する書籍の多数の刊行があるといってよい。なかでも本章では美辞麗句集をめぐる動向に注目したい。

こうした作文の流行の背景として、このとき、明治二九（一八九六）年に博文館より刊行された大町桂月（おおまちけいげつ）・

塩井雨江（しおいうこう）・武島羽衣（たけしまはごろも）による合著『美文韻文花紅葉』に端を発し、瞬く間に広がりを見せた「美文」があった。この「美文」は、狭義には擬古文の一種とされながらも、美しい文章全般を指すことばとしても用いられており、いわゆる「美辞麗句」が多用された、形式を重視した文体の一種であるといえる。

この美文の流行を機に、美文集、文章作法書、文範書、美辞麗句集といった〈書く〉、つまり〈作文〉のための資料集が数多く刊行されたのである。その中のひとつである美辞麗句集とは、竹井駒哲（不老庵主人）編『文章良材　美辞類纂』（杉本書店、明治三四〔一九〇一〕年）の例言において、

> 本書は吾人が天地間の万象に感触して、神揺き情熱するや発して詩歌となり文章となるに際し其文詞をして円美ならしむるの資料に供せんが為優麗美妙の文辞を作るに最も有力なる美辞麗句を蒐集したるものなり

と述べられているように、書き手が表現したい題材ごとにそれらを表現するための「美辞麗句を蒐集」した作文書類の中の一形態を指す。

さらに同時期の古川喜久郎編『国語綴方辞典　附録・美辞麗句集』（金昌堂、明治三五〔一九〇二〕年）では、書名にあるように「附録」として「美辞麗句集」が収載されていた。その内容は次のようなものである。

> 新年＝年甫（トシノハジメ）○履端（上同）○元日（一月一日）○元旦（上同）○新玉のとしたちかへる空の景色うらゝかに晴れ渡れり○旭日輝々たり○瑞雲靄々たり○禁苑瑞鶴舞ひ、御溝霊亀遊ぶ○拝年の客は織るが如し○人びとよろこびして走りさわぎ、車の音も当よりはことに聞えておかし。

春＝梅唇已に開けども、柳眉猶顰む○花は籬に笑ひ、鳥は梢に歌ふ○日は麗に風も絶え、いつしか花は咲き出でぬ○軽風剪々として柳篠を動かし、細雨蕭々として残雪を消す○春宵一刻値千金○日頃目馴れし名所も春は殊更の眺望にて、江堀口には崇徳天皇の社を拝み、阿部野には兼好法師が旧跡を訪ひ、浅緑にぞ春は見えける。

ここでは美辞麗句集の冒頭に「四季之部」と題されており、「四季」にまつわる区分けがなされている。その中でその題材を描く際に使用することができる美辞麗句が「○」で区切られるかたちで採録、列挙されているのである。このように語句ごとに「○」で区切られ、詰めて列挙されている形態はほかの資料においてもよく見られる形式である。[*3]

美辞麗句集は明治期の人びとの間でも「美辞麗句」が並べられている刊行物として認識されており、そこに需要があったことがわかる。

こうした美辞麗句集にはもちろんさまざまな形式があるが、二段もしくは三段の構成が多く見られる。二段の場合は、同じ題材に関して、上段に語が列挙され、下段に句が列挙されるといった形態がほとんど一般的である。[*4] さらに三段構成では、上段に語、中段に句、下段に文例があるなど、[*5] 同じ題材の中で文例の中の句を入れ替えたり、さらにその句の中の語を入れ替えたりといった使用法が想定されている。前掲書『美辞類纂』は二段構成であるがこれとは逆の配置で、下段に紙幅が割かれておりそこに美辞麗句、上段には参考のように文例が並ぶ。

いずれにせよ、こうした美辞麗句集の構成要素で重要視すべきなのは、列挙された美辞麗句を単にうつしとって使用するというわけではなく、そこからさらに語や句を個人の趣味で入れ替えて文章を作成することができるようになっているということである。

なぜこれが重要なのかといえば、学習によって得られた漢詩文や和歌といった典拠に基づく文章作成法から、自らのアレンジを加えていくといった文章作成法に移行を始めた契機であることが見て取れるからである。典拠を共有できる人間同士の文章から離れた部分ができたということは、美辞麗句が一見すると紋切り型の表現にとどまるという見方を改めることにつながるのではないだろうか。

漢学塾等で典拠を習得することがなかった層であっても、美辞麗句集を用い、書きたい題材を確認することで誰でも自由に文章を書くという行為をはじめることができたのである。

つまり、それまで典拠と密接につながりをもっていた美辞麗句は、美辞麗句集に編まれる際に、典拠からすこしだけ離れることとなり、それらが先に述べた「青年文士」によって、辞書的に、機械的に使用されアレンジが加わったとき、典拠から乖離することとなったといえよう。

もちろん、明治期における美辞麗句のすべてが典拠から切り離された表現であったとは言えまい。依然としていわゆる文壇で発表される文章は、基礎的教養を持ち、漢詩文や和歌に基づいた表現をよしとしていただろう。しかしながら、たとえば雑誌という媒体において、文壇と裾野(＝投稿者)が混じり合っていたころ、無意識的にしろ片隅にはそのような典拠から離れゆく文章活動がさかんに行われていたのである。

三、美辞麗句集の与えた影響

明治三〇年代に大量に刊行された美辞麗句集は、またたくまに版を重ねるほどの売れ行きを見せるものも多く出た。それほど人びとは〈作文〉に熱狂し、〈文章表現〉を志したのだといえる。

美辞麗句集を繙くと、風景描写のための美辞麗句に大幅に頁を割いているものが数多い。これは紀行文の流行と影響しあっていると考えられるが、美辞麗句集の題材と同じものを描くことができるという点も大きいだろう。先人のたどった道程をなぞりながら、先人の美辞麗句というフィルターを通して風景を見、またその風景を先人のフィルター越しになぞって描写していった。殊更山水が多く描写されるのは、めったにその景色が変わることがないからだろうか。

しかし、この紀行文に用いる美辞麗句において、独特な流れが起きていた。明治三〇年代の『文芸倶楽部』の紀行に関わる欄では、景色を描写するために美辞麗句を用いていた動きに逆らうように、景色を数値化する動きが観察できたのである。[*6] ここでは美辞麗句の働きに疑義が呈され、実際の自然との乖離があるのではと目された。

しかし、この数値化された自然もまた、数値の優劣のみで景色の優劣が決まってしまうのではないかと憂慮され、極端に数値化された風景描写も徐々に落ち着いていったのである。

ここで注目したいのは、この明治三〇年代が終わりに向かうにつれ、美辞麗句および美辞麗句集が衰退していったということは、ここで言われていたように〈実像〉からかけ離れたことを嫌がられたという理由だけであったのだろうかということである。

美文という文体が擬古文の一種であるとされ、自然主義がおこったことで潮流から外れていったという見方は広く知られたものであるだろう。

しかしそこには、自然主義というものから逆算された見方が強く顕れているともいえるのではないだろうか。

本節では、美辞麗句および美辞麗句集に集められた非難の声をいま一度検証することで、果たして美辞麗句とは自然主義や写生文に飲み込まれた文体であると一本の流れで捉えてよいのかを再考する。

なかでも中心に取り上げるのが、小島烏水（こじまうすい）と田山花袋（たやまかたい）である。

まずは小島烏水であるが、小島烏水といえば紀行文を記した登山家として名高い人物である。志賀重昂（しがしげたか）の『日本風景論』（政教社、明治二七〔一八九四〕年）の影響を受け、山岳紀行の新たな道筋を示したとされており、日本山岳会を創立、そして初代会長を務めている。この小島烏水は、雑誌『文庫』の中で投稿者としてスタートし、評者となっていった。

初期はほかの投稿者とともに美辞麗句を駆使した文章を綴っていた烏水であったが、評者として次のように述べている。

明治三〇（一八九七）年『文庫』九月号に掲載された紫水生「古城の感懐」において、烏水はそれまでにないほど紙幅を割いて、この作品の評を記した。[*7]

言ふまでもなく古今東西の美文なるものは、二一天作の五と算盤玉によりて割り出したるにあらすして、一里をも十里と映したる眼球を通して得来れるものなり、則ち知的にあらすして感情的より生れたるなれは。仮を認めて真となし、幻を捉へて実となし、影を逐ふて形となすこと、活火の如き人間の霊性にありては遍有のことなりとす、この故に石を虎となし、花を雲となし、白帆を鴎となすこと絶えて無しといふ可らす。若し夫れ、科学的よりいへば、世にいかなる仙術あれはとて、石に魂を入れて虎と化せしめ（中略）故にかくの如き形容詞を用うるは到底真実を破却するものとして、一も二もなく排斥するを得べし。併しながら、その所謂真実なるものにつきても亦疑なき能はす。

烏水は「帆船」を「鴎」だとするような「誇張に失し」た文章が立て続けに送られてくるようになったと述べており、紫水生個人への批評というよりは、この場を借りた同時代投稿者全体への苦言であると捉えられる。

一見すると語気が強くうつる烏水の批評であるが、こうした比喩や表現そのものを批判しているのではない。烏水が「美文」としている文章は「則ち知的にあらずして感情的より生れたる」ものであるからこそ、「仮を認めて真となし、幻を捉へて実となし、影を遂ふて形となす」ことがなされる文章なのであり、こうした表現、すなわち美辞麗句自体を無くすべきだとは決して説いていない。

烏水は、誇張が膨れあがった文章を声高に難じたのちに、次のようなことばで締めくくる。

> 是に於て改めていふ、かゝる形容詞、若くは譬喩なるものは、自然に会得したる時に限り（則ち衒ふものと気取るものを除きて）用ゐて不可なきのみならず、却て全文に精彩を添うるを信す。

ここでもまた、それ自体に疑問を抱いている様子ではない。ここに、烏水の論述の特徴があるように思う。「自然に会得したる時に限り」使用することをよしとする、という一定の線引きと譲歩が垣間見える。これは着目してよい。それはつまり、美辞麗句全般を否定することがこの時の烏水にはできなかったということなのである。

美辞麗句そのものを非難するのではなく、その用いる姿勢こそを烏水は非難している。

明治三六（一九〇三）年には、烏水は「紀行文に就きて」において、次のように著わした。

即ち文字で自然を写生するのは、画で写生して、川が直立して砥石のやうに見えたり、鼻持ちのならぬ偽はつた感情を寓した、所謂美文や、西詩直訳無断嵌入の所謂散文詩や、漢文形容語彙纂ともいひつべき所謂紀行文やらに比べると、遙かに無難に出来るとおもふのである[*8]

ここでも強い批判をしている文章となっているが、見方を変えれば、「漢文形容語彙纂」となっている紀行文や美文による紀行文は、種類の異なるものとして並列されているともいえる。烏水が「鼻持ちのならぬ偽はつた感情を寓した」とまで言うほどに、批判的な気持ちが強まっていることは看取できるが、その一方で、それらを別種のものとして置いているのである。

このころ美辞麗句集が流行し、青年文士たちがそれに夢中になり、雑誌は投書欄を創設、そしてそこに美辞麗句集で習得した美辞麗句をふんだんに用いた文章を青年文士が投稿するという現象が起きている。ここに勝算を見いだしているのが出版社で、美辞麗句集だけでなく文章の書き方を提示する作法書類もひんぱんに刊行された。そしてそれは著名な作家たちが担っている。とくに明治四〇年前後では叢書形式のものが刊行されているのである。

これらを踏まえ叢書の一冊として『美文作法』[*9]を執筆した田山花袋の言説を見ていこう。

田山花袋『美文作法』が博文館から出版されたのは明治三九（一九〇六）年のことである。

ここでの記述を細かく見ていこう。

まず、花袋の美文に対する認識である。

かういつて来ると、美文はあらゆる文体に関係を持つて居る。美文と謂ふ文字は文体ではなくて、各種の文体に必要なる分子であるといふことも解る。更に詳言すれば、美文とは文章各種に於ける美の表現、即ち修辞上の美的発現の方法、思想上の美的修養の手段に就いて縦から一貫した形で、もしこれを厳密に説かうとすれば、一面修辞学から一面審美学の深奥なるあたりまで進まねばならぬ。

この記述は、当時の共通認識である美文の特徴を端的につかみ取っているといってよい。つまり、美文とは、美の「分子」そのものとして共有されていたのである。それはすなわち美辞麗句であるといえ、花袋は美文が修辞学や審美学にまで至るものだと留保しつつも、その内実に関する詳細についてはほかに譲るとしており、主に外的な要素、文章の体裁の話となっている。

このように美文を「美」の「分子」を含むものと捉えたとき、その文章ジャンルは多岐にわたる。花袋の記述に戻ろう。その美文について、花袋は次のように述べている。

著者の経験話と言ふのも可笑しいが、私は五六年前は随分美文を作つたもので、今でも紀行文を書く時には稍々美文めいたものを作るが、凡そ美文ほど虚偽虚搆（ママ）の多いものはあるまい。

ここでの花袋の言う批判は、先に挙げた烏水の批判と通底するものがあるだろう。すなわち、美辞麗句で綴られていた自然は〈実像〉と乖離しているというものであり、それは先にも述べたように『文芸倶楽部』内においても発生した議論であった。もちろんここに、写生文や自然主義を見ることはできるし、それは当然汲むべき問題である。

一方で、花袋の論調にも烏水の論調にも顕現しているのは、かつての自分も美辞麗句での文章を執筆していたことがある（花袋には未だに紀行文でのみ美文を書いていると書き添えている）からなのか、完全なる非難をしきれていない、ということである。

さらに田山花袋『小説作法』[*10]でも紀行文について次のようにある。

近頃、紀行文の面白くないことを言はれる人が大分ある。何うも千篇一律でいけない。何処の山を描いても皆な同じ山、何処の水を描いても皆同じ水、何処の村落を描いても皆な同じ村落で面白くないこんな文章なら書かん方が好いと言ふ人さへあります。

こちらは紀行文についての記述だが、同じような景色となることへの非難が見られる。

同時期に美文に関する作法書はほかにも刊行されており、久保天随『美文作法』（実業之日本社、明治四〇〔一九〇七〕年）では次のように著されている。

初学の多数は唯だ筆を執るに臨みて、はじめて、熟語辞典や、麗句集などを繙き、目にも眩き綺語を引綴するに止まり、遂に、竹に木をつぐの醜態を演ずるに過ぎず。

この久保天随の苦言には、烏水や花袋にも言い含まれていたことが顕れているといえるだろう。

つまり、漢学塾等で学習をするような層ではない層が、初学者として見られ、それらの初学者は「筆を執るに臨みて、はじめて」、美辞麗句集や作法書類を見ている、と推測しているのである。そして、その美辞麗句集に編まれた数々の美辞麗句のもととなった漢詩文や和歌等の基礎的教養がないままにそれらを用いていることに拒否反応を示しているのであろう。

烏水が示した評においても「是に於て改めていふ、かゝる形容詞、若くは譬喩なるものは、自然に会得したる時に限り」よいとしていたが、この天随の批評をつなげて読もうとすれば、「自然に会得したる時」とは、筆を執る前から学習の一貫として習得できていた層を指すことも可能ではないだろうか。

そうした、それまでの文学周辺の知識のない初学の青年文士たちがこぞって投稿している文章等を評する仕事が与えられた文壇の作家たちは、それらを「醜態」と見なしているというところが共通している。

この時期の作家たちのこうした批評には、文壇が〈文壇〉であることを守ろうとしているという態度があると見ることはできないだろうか。

四、文学の特権性

おおざっぱにいえば作家は作家であり、アマチュアはあくまでアマチュアである。作家が文筆業を生業としているとき、「初学」の「青年文士」たちはあくまで趣味として文章活動に携わっていたといえるかもしれない。

しかしこのとき、周知の通り、漢学塾等で学習できる層は決してありふれた存在ではなかった。そして、いわゆる文壇で活躍している作家たちは、基礎的教養を持った上でさまざまな文章を追い求めていたのである。

美辞麗句集が売れ、作法書類が売れ、雑誌に投書欄が乱立する。作者と読者というはっきり二分した構造は徐々に混乱していったといえよう。あくまで読者投稿欄であるかもしれないが、読者が表現者として雑誌に並び、〈作文〉が一躍人気文化となった。出版社はその売れ行きを見て、ここぞとばかりに美辞麗句集や作法書類、さらには古今東西の名文や名著を集めた文範書を売り続けている。売れるのであるから、次から次へと手を変え品を変え青年文士に売ろうとする。その中に作家は完全に巻き込まれているともいえるのだ。

売れるものに特化した出版社からの依頼で作法書類を書いた作家たちが、初学者に対する「醜態」とまで書く痛烈な批判を載せたところには、どのような意図があるのか。

〈文壇〉というもの、作家というものの特異性が失われつつあることに、作家たちは敏感に反応していたのではないだろうか。そして作家たちは、世の青年文士たちが美文に大きな反応を示し熱狂すればするほど、それは正規の美文ではない、とでも言いたげな言葉たちを連ねている。

このとき、〈文壇〉／〈裾野〉である一線を守ろうという動きが少なからずあったと読み取ることができる。そしてそれは、読者の熱狂と、そこに売れるという勝算を見いだした出版社等の動きがあってこそ、文壇ではそのような動きとなったといえないだろうか。

五、おわりに

文壇という場は、もちろん最先端に立ち文章文化を発信し続けた場であり、文化を創造していた場である。しかし、出版社という媒体によって文壇から裾野へ投げかけたものに変化が生じたとき、片方からの影響だけでは終わらないだろう。そこには相互作用が確実に生じたはずである。

美辞麗句集の流行は〈裾野〉の文章活動の一部と断じるのではなく、こうした動きが〈文壇〉に影響を与えた可能性を本章では示した。

〈文壇〉から美文が衰退したのは、〈文壇〉内部での写生文や自然主義への流れのみならず、〈裾野〉と混合されゆく文章活動からの逸脱を急務としたという理由が、無意識的にでもあったのではないか。

しかしながら、不思議なことに、〈文壇〉が紋切り型の表現を克服したかのように語られていく中で、美辞麗句は自身で好きなように選び好きなようにアレンジを加えていくという、ある意味では美辞麗句集によって紋切り型から離れていく動きが見えるのである。

もし〈文壇〉にいる作家だからこそ書ける文章を考えたとき、逆により青年文士たちがとっつきやすい方へと変化したともいえるかもしれない。

明治期を過ぎると、徐々に美辞麗句集の形式から文範の形式が増加していく。そしてそこには作家名が記され、その作家特有の文体という意識へと変わっていく。[*11]

美辞麗句集も、書くための題材ごとの構成から、読むための辞書的表現集へと移り変わっていくさまが看取できるのである。

書く側と読む側の構造に変化が起きるとき、そこにはさまざまな態度や思惑があらわれるといえる。それらを含め、言語文化史であると考える。このような発信者／受信者の問題は、SNSが発達した昨今において無関係な問題ではないだろう。この発信者／受信者の二分の構造が失われつつあるとき、その文化の担い手はあらゆる人に可能性があると考えるのか。誰もが発信者＝表現者になれるとき、どこにそれを生業とする者の線引きが行われるのか。明治期に起きた〈作文〉という文化を取り巻く環境は、現在にも重なるものがあるのではないだろうか。今後はこうした発信者／受信者について、さらに深く追究していきたい。

注

1 拙著『ことばにうつす風景』（水声社、二〇二〇年）。

2 注1に同じ。

3 注1に同じ。

4 野沢潤編『近世美文資料』（岡本偉業館、大正元〔一九一二〕年）などに見られるように、明治期が終わっても主流であったことが見て取れる。

5 西村義民編『作文必要記事論説文例』巻之上（中堀浅治郎、明治一三〔一八八〇〕年）などに見られる。

6 注1に同じ。

7 注1に同じ。拙著では烏水の用いている風景描写に美辞麗句があることも確認している。

8 小島烏水「紀行文に就きて」（『文庫』第一三巻第六号定期増刊、内外出版協会、明治三六〔一九〇三〕年八月）。

9 架蔵の博文館『通俗作文全書』の作法書では、田山花袋『美文作法』が明治三九（一九〇六）年一一月に刊行され、翌四〇（一九〇七）年一月に再版、四一（一九〇八）年六月に三版、四二（一九〇九）年六月に四版が刊行されており、その後一ヶ月後の四二（一九〇九）年七月にまた五版が刊行されていた。

10 田山花袋『小説作法』は博文館から明治四二（一九〇九）年六月に刊行され、その後翌四三（一九一〇）年五月には再版、四五（一九一二）年一月に三版、大正三（一九一四）年四月に四版が刊行され、注9『美文作法』と同じくいずれも順調に版を重ねていった様子がうかがえる。

11　大正期以降、たとえば京橋堂から叢書の形態で刊行された作家ごとの『内外文豪　美辞名句叢書』がある。これは全部で一八冊刊行されているが、いずれも作家の名を冠した美辞麗句集である。ここでは各作家の文学作品や文章の特徴を捉えた目次構成となっている。

参考文献

滑川道夫『日本作文綴方教育史一』明治編、国土社、昭和五十二（一九七七）年

中村明『日本語の文体　文芸作品の表現をめぐって』岩波書店、平成五（一九九三）年

中村明ほか編『表現と文体』明治書院、平成十七（二〇〇五）年

山本正秀『近代文体発生の史的研究』岩波書店、昭和四十（一九六五）年

小島憲之『日本文学における漢語表現』岩波書店、昭和六十三（一九八八）年

齋藤希史『幕末明治期における漢詩文系作文書の総合的研究』東京大学

北川扶生子『漱石の文法』水声社、平成二十四（二〇一二）年

藤井淑禎「森田思軒とスウィンホー『北清戦記』―〈紀行文とTRACE〉という問題をめぐって―」（澤田直編『移動者の眼が露出させる風景―越境文学論―』弘学社、平成二十六（二〇一四）年）

藤井淑禎「美辞麗句研究序説――森田思軒と啓蒙メディア――」（『文学』第七巻第二号、岩波書店、平成十八（二〇〇六）年）

進藤咲子「明治の美文」（『研究資料日本文法』第十巻、明治書院、昭和六十（一九八五）年）

進藤咲子「文章が近代化するということ　福沢諭吉と二葉亭四迷とを中心に（一九八〇年度始業講演短期大学部）」（『東京女子大学紀要論集』第三十一巻第一号、東京女子大学、昭和五十五（一九八〇）年九月）

進藤咲子「ことばの生存競争――明治初期の文化語をめぐって〈特集〉ことばのいのち）」（『言語生活』第三百三十五号、

筑摩書房、昭和五十四（一九七九）年
野山嘉正「明治美文の詩史的意義」（『国語と国文学』第六百十四号、至文堂、昭和五十（一九七五）年四月）
根岸正純「明治の美文」（『岐阜大学教養部研究報告』五号、岐阜大学、昭和四十四（一九六九）年）
嵯峨景子「『少女世界』読者投稿文にみる「美文」の出現と「少女」規範―吉屋信子『花物語』以前の文章表現をめぐって―」（『情報学研究　学環　東京大学大学院情報学環紀要』八十、東京大学、平成二十三（二〇一一）年三月）
嵯峨景子「明治末期の少女雑誌にみる投稿作文と文体形成　少女文化の美学と言葉の世界の再考へ向けて（特集「少女」の歴史、ときめきの軌跡）」（『コンテンツ文化史研究』七、コンテンツ文化史学会、平成二十四（二〇一二）年）
山本康治「明治期三十年代「美文」の流行と学校教育」（『東海大学短期大学紀要』四十二号、東海大学短期大学紀要委員会、平成二十（二〇〇八）年）

9

子どもの心に訴える国家的英雄の創造と変容
少年の秀吉を中心に

VAN EWIJK Aafke（ファン　エーワイク・アーフケ）

一、はじめに

ほとんどの子どもは生まれたときに名前だけではなく、国籍も付与される。ただし、その時点では自分が日本人だとか、韓国人だとか、オランダ人だとかいう認識はあるはずもなく、生まれた国への意識はアイデンティティーの一部として後発的に養われるものである。

国家という共同体は象徴的なものであるにもかかわらず、国民の信受を求めている、とベネディクト・アンダーソンが述べている。[*1] そのような共同体を養うのは明治中期の政府と知識階級の大きな課題であった。一八九〇年に発布された憲法と「教育ニ関スル勅語」は国家の理念を言語化したが、一般の人にとって聞いたこともない概念ばかりで、まして子どもが理解できるものではなかった。国家の系統と国民性を表すのにもっとも適切な材料は歴史である。それは、エリック・ホブズボームが「創られた伝統」と呼び、実際には過去と連続性がない、近代の人が築いた歴史である。[*2] 本章のテーマである明治時代の国家的英雄秀吉像も戦国時代の理念ではなく、近代日本にふさわしい歴史と望ましい国民性を表したものと考えられる。

国家のシンボルをもっとも受け入れやすい時期は子ども時代だという意識は、当時の政府に限らずに存在したが、どうやって子どもの心に訴えられていたのか。そして、必要とされた国民観とは具体的にどのようなものだったのであろうか。本章は、こうした問題を意識しながら、明治中期の小学校教科書と児童書に見る豊臣秀吉像の変容を分析する。また、教科書と少年雑誌・児童書を同一視せず、それぞれの描写に潜んでいる思想の比較にも取り組む。

児童文学に限らず、秀吉は明治期に「立身出世」の見本とされ、秀吉による「朝鮮征伐」は近代の帝国の前例として表象されるようになっていった。そうした「創られた伝統」は新しいものであったが、秀吉の伝は近世にすでに広く伝えられ、庶民たちに向けて脚色されてもいた。『太閤記』には秀吉の幼名が日吉とされ、江戸時代後期にはこの日吉丸についてのさまざまな伝説が発展した。史実と伝説の違いはすでに明治時代に問題にされており、現代の先行研究でも秀吉の歴史（史実）と伝説（文学）とを区別している。[*3] 中世・近世文学が描く子ども時代の叙述はほとんど後者に属しているので、秀吉の伝をどのように子どもに伝え、どの部分を書き換えるのか、その選択には作家（または挿絵を描いた画家）の思想がよく反映している。

本章では、第一に、江戸時代と明治初期の日吉丸像を紹介する。第二に、「教育勅語」と当時の教育学の理念を紹介し、教科書に見る日吉丸像を分析する。第三に、この理念と描写を少年雑誌に見る「理想的な男子」と雑誌・叢書にみえる日吉丸像と比較する。そこでは、依田学海、高橋太華、巌谷小波の描いた日吉丸を、挿絵を含めて事例として取り上げることにしたい。

二、秀吉の少年時代についての伝説

豊臣秀吉伝記の底本とされる小瀬甫庵の『太閤記』（一六二六年）によると、「母懐中に日輪入給ふと夢み、已にして懐妊し誕生しけるにより、童名を日吉と云しなり」とある。[*4] 家は貧しくても縁起のよい誕生の日吉は、八歳のときに尾張国の光明寺に入る。学問的才能がある稚児だったが、頑固で「勇道の物語」を好み、出家に向いていないと判断され、家に帰らされる。父の処罰を恐れた日吉は怒り狂って僧を殺し、寺に火をつける。その後、数年流浪して、二〇歳のときに松下之綱の手下になり、後に織田信長に仕え、木下藤吉郎秀吉という名を承る。

『太閤記』に見る秀吉の幼年期は数行しかないが、この筋に基づいたさまざまな伝説が現れた。江戸後期の秀吉像に大きな影響をもたらした読本『絵本太閤記』（一七九七～一八〇二年）には、日吉丸の性格と冒険がいかにも詳しく描いてある。非凡な人物には非凡な幼年期が付き物だという考え方がうかがえるとともに、読者を魅力する主人公を描こうとしているとも考えられる。

『絵本太閤記』にみる日吉丸は手習いと学問を怠り、戦ごっこに励んでいる。寺から追い出されることを知ると、稚児たちをけしかけながら乱暴をする。家に帰らされたあとは、商人・職人の家で奉公させられるが、どの主人も怒らせてしまう。子守の仕事をやらせると、預けられた小児を縄で井戸の垣根に結び、放置するといった始末である。

流浪していたある日、矢作橋（現在愛知県岡崎市）の真ん中で寝ていると、蜂須賀小六正勝という泥棒が主従とともに通る。その場面が次のように描かれている。

小六、通りさまに日吉丸が頭を蹴て行過る。日吉丸目をさまし、大きに怒り、「汝なに奴なれば不礼をなすや。我幼稚（稚）といへども、汝が為に恥しめをかうむるいはれなし。我前へ来り、礼をなして通るべし」といふ。小六驚き、立寄りみれば、十二三歳の小児なりければ、心に甚だ恐れ思はざりき。不礼を謝し、さてしも「汝何国いかなる者の子なるぞや。幼き身として不敵の一言感ずるに余りあり。我に随ひ奉公せば、厚く恵みて召つかふべし」と尋ねけるに、日吉丸しか〳〵の事を物語り、「元より行べき方もなく、仕ゆべき主人もなし。仰にしたがひ仕へ奉らん」といふ*5（第一の巻「日吉丸見小六」）

この場面が挿絵にも表現されている［図1］。泥棒たちを恐れずに応答した日吉丸は、それから誘いに乗って小六に付いていく。しかし、一年ほど経ったころ、母のもとに戻り、今度は今川家の松下加兵衛之綱のもとに奉公に出される。そして、昼は槍術・剣術・弓術・鉄砲の稽古、夜は軍学・兵書を学んで日々を過ごし、成人して中村藤吉郎高吉と名乗る。こののち、松下之綱に続いて織田信長の手下になった青年の秀吉（藤吉郎）に関する、その利口と忠義を表す話もいくつか紹介されていく。そして、これらの話は明治時代まで語り継がれていったのである。

『絵本太閤記』の出版後、秀吉の伝は講談、浄瑠璃・歌舞伎に取り上げられ、幕府の激しい反発を生んだ。にもかかわらず、栗原信充（くりはらのぶみつ）著『真書太閤記（しんしょたいこうき）』（一八五二〜一八五九年）をはじめ、幕末期には再度の「秀吉ブーム」が起こった。

『真書太閤記』はそれまで生み出された通俗的な話を紹介していると考えられる。そのなかのひとつである、日吉丸の光明寺での乱暴についての話も人気を集め、発展した。日吉丸は師のために準備された飯をつ

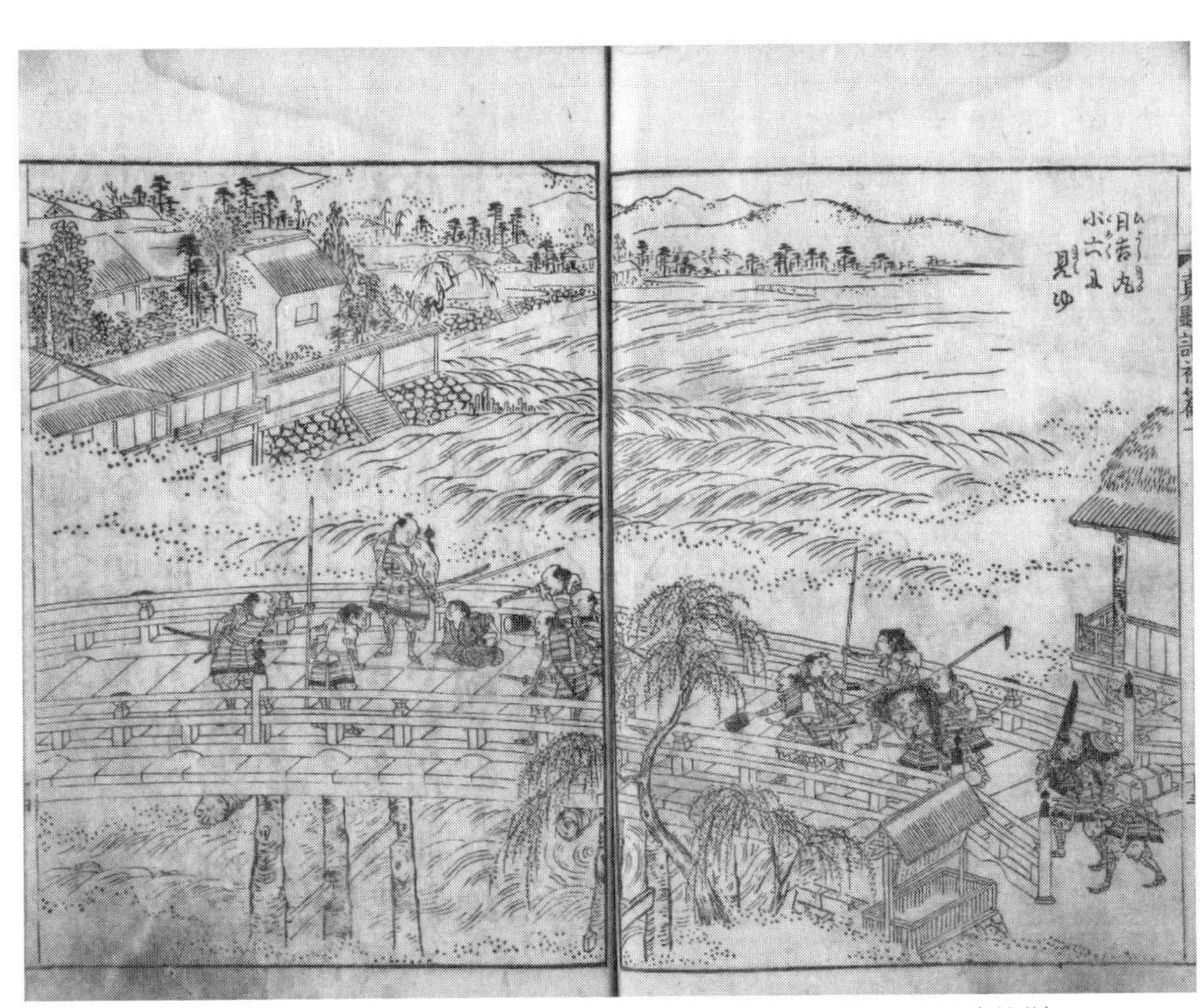

図１　法橋（岡田）玉山画『絵本太閤記』初（1787 年、早稲田大学図書館蔵）

まみ食いし、「師弟の差別をしるべし」と叱られ、その行為をやめはしたものの、寺の本尊にやつあたりをする。

> 十二歳の時なりとかや、本尊の供具を運び本堂に至り阿弥陀仏にむかひ、（中略）「汝は人の苦患を救ふ本願ありと聞。さぞかし疲もし飢もしつらん。我持来りし飯をすみやかに喰盡し養ふべし」と大音声に訇りて、しばし見居たりしが、頓て棒を持来り「汝いかなれば我進めし供養を受ざるや。あら奇怪や」と言さま、振上て、はたと打。何かはたまるべき本尊の御首を打落す。[*6]
>
> （巻之二）

日吉丸はこの事件の後、寺から追い出されるが、日吉丸がこののち武士の世界で出世する運命にあることを考え合わせると、これは英雄にふさわしい道への旅立ちを意味すると考えられる。このほか、明治初期の読本『絵本豊臣勲功記』や草双紙『かなよみ太閤記』（一八七一年）などでは、仏像破壊の話も注目されている［図2］。その図像の変容については後で詳しく分析する。

要するに、江戸時代後期に秀吉の少年時代についてさまざまな説が発展し、秀吉の一代記のなかに位置づけられた。そうした話は、牛若丸（源義経）、鬼若丸（武蔵坊弁慶）、曽我兄弟などという英雄の話題と同様に、若い読者を魅了したのであろう。『日吉丸誕生記』（一八六七年）は、その序によると秀吉の伝記を「御伽噺の老婆心」で「幼童衆がたに」再話し、一巻目には「矢作橋」など、日吉丸に関する話が絵と文で紹介されている［図3］。明治一七年～二四年、『絵本太閤記』と題する主に子どもを目当てにしていると考えられる銅版草双紙も大量出版された。いずれも「矢作橋」を紹介し、その図が表紙を飾っているのも多いが、残りの場面はたいてい大人の秀吉の武功を描いている。概念としては江戸時代の草双紙と大きく変わらない。しかし、この時代の教科書では秀吉の伝が新しく解釈されはじめ、その基本となる概念が少年文学の発展にも大きな影響をもたらしたことが注目される。

三、小学校教科書の秀吉

一八九〇年に「教育ニ関スル勅語」が発布された。そして、その翌年の「小学校教則大綱」（一八九一年）は、教育勅語の理念を小学校教育の規則に表したもので、第二条目に以下の指示がある。

修身ハ教育ニ関スル勅語ノ旨趣ニ基キ、児童ノ良心ヲ啓培シテ、其徳性ヲ涵養シ、人道実践ノ方法ヲ授

図2　歌川芳虎画『かなよみ太閤記』(1871年、早稲田大学図書館蔵)

図3『日吉丸誕生記』(1867年、立命館大学ARC提供(tgenコレクション、Tkg-269))

クルヲ以テ要旨トス。尋常小学校ニ於テハ孝悌、友愛、仁慈、信実、礼敬、義勇、恭倹等実践ノ方法ヲ授ケ、殊ニ尊王愛国ノ志気ヲ養ハンコトヲ努メ、又国家ニ対スル責務ノ大要ヲ指示シ、兼ネテ社会ノ制裁廉恥ノ重ンスヘキコトヲ知ラシメ、児童ヲ誘キテ風俗品位ノ純正ニ趨カンコトニ注意スヘシ。*7

ここにいう「孝悌、友愛、仁慈、信実、礼敬、義勇、恭倹」と尊王愛国などをどのように教えればいいのであろうか。その際には、修身科に限らず、その理念を国語・歴史・地理にも取り入れるべきとされたのであった。第七条目には歴史教育のかたちが次のように具体化されている。

日本歴史ハ本邦国体ノ大要ヲ知ラシメテ国民タルノ志操ヲ養フヲ以テ要旨トス。(中略)日本歴史ヲ授クルニハ成ルヘク図画等ヲ示シ児童ヲシテ当時ノ実状ヲ想像シ、易カラシメ人物ノ言行等ニ就キテハ之ヲ修身ニ於テ授ケタル格言等ニ照ラシテ正邪是非ヲ弁別セシメンコトヲ要ス。*8

つまり、歴史は人物を中心に教え、その人物を見本として、その行動と気質について考えさせるべきだというのである。「図画等」つまり絵や物語を通してわかりやすくすることも提唱されている。歴史という科目は正式に高等小学校一年から教えられていたが、国語教科書でもさまざまな歴史上の人物が紹介されていたので、尋常小学校でもこのように「国民タルノ志操」を養う素材としての歴史上の人物の話に触れていたことになる。

この教則は教育勅語だけではなく、明治中期の教育学の様相にも関連していると考えられる。一八八七年から一八九〇年まで、ドイツの教育者エミール・ハウスクネヒト(Emil Hausknecht, 1853-1927)が東京帝国大学で教え、ヘルバルト主義教育学を日本にもたらした。ハウスクネヒトは、主に中学校教育に集中していたが、小学校教育を専門にしたリンドネル（Gustav Adolf Lindner, 1828-1887）、ツィラー（Tuiskon Ziller, 1817-1882）の教育論が翻訳され、その思想が教育雑誌にも注目されていた。彼らは国民道徳を強調し、歴史と文学をとくに重視していた。ツィラーの教育理念によると、幼い子どもには歴史に先立って、メルヘン（童話）とザーゲン（民話）を紹介すべきであるという。ヘルバルト主義教育学者の森岡常蔵（もりおかつねぞう）の『小学教授法』（一八九九年）もその理念を強く反映していて、昔話が日本の「国民的性質」を表していると述べている。[*9] 森岡は、昔話に続いて、「勇士物語」を紹介すべきであるとするが、その理由と目的について次のように説明している。

本邦史上ノ人物ニハ彼等ハ強ク同情ヲ表シ、且其名ハ日常耳ニシツツアルモノナレバ、之ヲ探リヲ授クルハ、彼等ノ極メテ歓迎スルトコロナラン。猶且人品ノ模範ハ本国史中ニ具ハルモノニテ、特ニ国民ノ特性ハ益保存セザルベカラザルモノナレバ、此ニ関シテ本邦歴史ガ最良方便タルベク、更ニ共同精神ヲ発揮シテ国家ヲ愛スル念ヲ養フニハ本邦歴史モ適セリ。[*10]

つまり、生徒たちがすでに憧れている人物を見本として挙げ、日本人の精神を代表する者として解釈し、共同精神と愛国心を養うのが目的とされているのである。楠木正成（くすのきまさしげ）を事例に、ヘルバルト主義「五段階教育法」をもとにした教案もある。神戸湊川神社にある楠木の碑の写真を見せ、その碑文「嗚呼忠臣楠子之墓」を唱え、黒板に写す。人物像と歴史的背景を描いて、ほかの人物と比較し、続いて「楠木はどのような人だったのか」などと聞いて生徒たちと話し合う。質問のように見えても、じつは最初に紹介された碑文にその答えがあり、議論が目的ではない。実際には、教師がこの理想に従えない可能性もあるが、森岡が描くように養われる歴史的観念は国家的観念とほぼ同一なものといえる。

一方、昔話の教科書への導入と歴史との結びつきは、教育勅語の発布やヘルバルト主義教育論の普及に先立っていた。『尋常小学読本』(文部省、一八八七年)には、初めてさまざまな昔話が紹介されていた。編集局長の伊澤修二(一八五一〜一九一七)によると、昔話は幼い子どもの想像力と発達段階にふさわしい教材であった。[*11] 同年の金港堂発刊『日本読本』にも「昔話シ」と題するレッスンがある。読者が小さいときに楽しんでいた「桃太郎」などを思い出させ、「諸君ハ後ニ歴史ヲ読ミテ甚古キ話シヲ多ク知ルナラン」と、歴史の概念をわかりやすく紹介している。[*12] 次のレッスンは楠木正成を題材とするものである。また、九〇年代に入ると、牛若丸と弁慶を描く「五条の橋」の話が「桃太郎」などの昔話と並んで低学年の国語教科書に紹介され始め、国定教科書にまでに採用され続けた。要するに、昔話と歴史を結んで子どもの「想像力」に訴えるのが、子どもの発達をめぐる教育論的にも根拠があるとされ、ヘルバルト主義教育学の影響でさらに道徳と国家主義とが結ばれたものと考えられる。

豊臣秀吉の伝は歴史、国語と修身の教科書に取り上げられている。明治初期の歴史教科書は代々の天皇を中心に歴史を語っていたが、それが一八九〇年代に大きく変わった。『帝国小史』(一八九二年)は前年の「小学校教則大綱」に導かれ、その序によると「建国の体制、皇統の無窮、歴代聖主の盛業、忠良賢哲の事蹟、文化の由来等」を、「記憶し易からしむるを主とするが故に、力めて繁縟を避け、概ね其世に名高き人物を題とし」ている。[*13] 名高き人物とは、神武天皇、日本武尊、菅原道真、紫式部、平清盛、源頼朝、楠木正成などに続いて、戦国時代の大将も含んでいる。紫式部以外、全員男性である。

こうした傾向は、教則と教育論そのものだけではなく、一九世紀中期から欧米で広がったグレート・マン・セオリー(Great Man Theory)を反映してもいる。この論によると、歴史は偉人の業績によって転回し、偉人の偉大さは生まれつきである。明治後期に、その代表的な論を立てたイギリスの歴史家トーマス・カーライル（一七九五〜一八八一）の作品が山路愛山（一八六五〜一九一七）によって翻訳されて日本にも紹介されたが、一八九〇年代に教科書によって、すでに普及していたと考えられる。

『帝国小史』巻之二・第二〇課としてあげられた秀吉の伝は次のように始まる。

秀吉は尾張国愛知郡中村の百姓の子にて、幼き時の名を日吉丸といへり。其家甚だ貧しかりければ、十二三の頃より他人の家の奉公せり。身のたけ短く、其顔猿に似たりければ、人皆猿冠者と呼べり。成長の後、自ら木下藤吉郎と名乗り、織田信長に奉公して草履を勤めたり。藤吉郎萬事にかしこくて、又甚だ正直なりしかば、大に信長に愛せられて、次第に立身し、遂に一方の大将に取立てらるゝに至れり。[*14]

日吉丸の家の「貧しさ」は立身の出発点であり、明治初期から流行していた立身出世の理念を反映している。青年の藤吉郎は正直で賢い。毎日どんな手下よりも早く起きて主君の草履を準備していた話にも触れ、その立身の要因は信長への忠義のためであると解釈できる。この課の残りは秀吉の武勇と大志に集中しており、加藤清正と小西行長らに命じて朝鮮に攻め込み、勢いが盛んだったことが誇らしげに語られている。要するに「秀吉卑しき民より起りて、遂に天下の政権を執り、威名を支那朝鮮までにかゞやかしたるは、誠に古今無双の英雄ならずや」という人物評そのままの内容となっているのである。

信長の奉公に関する話は、修身教科書の『修身教典』（一九〇〇年）に詳しく紹介されている。本書の最初のページは教育勅語を引用していて、その内容がさまざまな人物伝を事例に紹介されている。目次によると、五つの章に分けられた秀吉の伝が表しているのは立志、精勤、交友、勤王、大志である。貧しいだけではなく、八歳のときに父を失ったものの優れた才知のある日吉丸が、その後、武の道を志して織田信長の奉公人になったことを語るのが、「立志」の章。続いて、「精勤」の章では信長の草履取りになった藤吉郎の話を紹介している。ある寒い冬の朝、信長が出かけようとしているときに、玄関で待っているのは藤吉郎だけである。

その時、信長公は「汝の外に、人はなきか。」と問はれたれば、公は「御いでたちの時刻、いつもより早くおはせば、いづれも、いまだ、まゐり候はず。」と答へられたり。信長公は、さらに「汝はいかにしてまゐりたるぞ。」と問はれたるに、公は、かしこまりて、臣は、毎朝一時間前に、出仕つかまつるゆゑ、毎朝のごとき時にも、後るること候はず。」と答えられたり。信長公、これを聞きて、「汝一人、けさの寒さにおそれもせず、早く出仕せること、神妙なり。」と仰せられたれば、公は「苦しきつとめも、わが身のためと思ひ候へば、苦しからず候ふ。この身は、主君にささげ奉りしものにて、わがものにあらず（中略）かへつて、心はづかしく候ふ。」と申されたりとぞ。[*15]

この話によると、青年の秀吉は誰よりも精勤で忠義者であり、言葉遣いも丁寧である。しかし、日吉丸が志した「武の道」は本人の「武」の実践とほとんど関係づけられていない。「大志」を表す章では、「朝鮮征伐」が天皇に対しての「勤王」であったとされ、その章の挿絵も鎧姿ではなく、狩野光信の有名な画に基づいた烏帽子姿の秀吉が描かれている。

歴史教科書に先立って、秀吉の伝は伊澤修二（いさわしゅうじ）編集の『尋常小学読本』（一八八七年）にも紹介されていた。同書巻之七第七課は、秀吉が尾張国の貧しい百姓息子として紹介され、そのあだ名は「猿之助」だと、子どもを喜ばせるように面白く語っている。[*16]しかし、猿之助が次の段落にすでに二〇歳になっており、第八課で「矢

図4　伊澤修二編（画家不明）『尋常小学読本』（1887年）
（『日本教科書大系　近代編第五巻　国語第二』
講談社、1964年、150頁より）

作橋」を再話している。猿之助が橋の上に休んでいるときに、領主の松下之綱に会う。家族について聞かれると、猿之助が「自分は尾張の国の者なるが、善き主取りせん為に来れり」と答えると、松下が猿之助を気に入って、仲間に入れることになる。その場面の挿絵では、猿之助が丁寧に言葉を返している様子で、松下もきっちりと裃を着て、流浪している子どもと泥棒集団の出会いという旧来の光景からはかけ離れている［図4］。今回確認できた教科書の中で「矢作橋」の話を取り上げているのはこの国語教科書だけである。その上、江戸時代の資料が描いていた乱暴なやりとりとは大きく異なり、野暮な小六の代わりに領主の松下之綱を前面化して描いている。

前に紹介した歴史・修身教科書と違って、伊澤の『尋常小学読本』は「朝鮮征伐」にあまり注目していない。逆に、後で小学校教科書に見られなくなる明智光秀の謀反と秀吉の敵討ちが紹介されている。源頼朝と義経の不和も同じように次第に注目されなくなっていることを考え合わせると、そのような出来事はよい見本として扱えなかったのであろう。

要するに、明治後半期の小学校教科書にみる秀吉像は、若い時の貧困を強調し、青年時代の性格と行動（才知、立志、正直、精勤、忠義）に焦点をあわせるかたちで取り上げられている。武を志しているといっても、少年時代の話を通じて、彼自身の武的な活躍は表されていない。日吉丸時代の話で、秀吉は丁寧な少年に見える。同時代のイギリス歴史教育を研究したピーター・イーンデルが指摘したように、英雄を教材に使うことに限界があった。[*17]イーンデルによると、一九世紀末のイギリスの歴史読本に登場する英雄たちは、勇気、不動心、犠牲心などを体現している。しかし、子どもは英雄たちを単に格好よく思って、その行動だけを表面的に真似しようとする恐れがあるので、それを避けるためのさまざまな工夫が施されている。たとえば、主人公は配下の者たちと一緒に国のために戦って、個人的な名誉には無関心であるとしているのである。つまり、英雄伝を通じて若い人の想像力をかき立てるのが効果的な手段だとしても、憧れと熱狂だけでは政府が望むよい国民になることはできない。そのような考え方と工夫は日本の教科書にも表されている。秀吉が兵士とともに戦い、「朝鮮征伐」は天皇の望みを叶えるためだったなどと念を押している教科書もあり、後の国定教科書もこの戦いを「わが軍」の功績にしている。また、立身出世という思想の基盤にあったサムエル・スマイルズの自助論によると、偉人の偉大さは生まれつきであるという。しかし、教科書には秀吉の少年時代についての具体的な情報が少ないのである。つまり、当時の学校教育を通して必要とされたのは兵士と忠実な国民であり、将軍や革命者ではなかったということになる。

四、明治中期の少年雑誌にみる男子像

教育勅語発布前後、『少国民』（学齢館、一八八九年）、『幼年雑誌』（博文館、一八九一年）の発行が開始したが、いずれも主に男子の（高等）小学生を対象にする雑誌であった。この時期に、「少年雑誌」と「少年文学」の概念が欧米から導入され、その教育的役割と国民性を養える可能性が教育専門家以外でも注目されるところ

となった。『少国民』の読者は「若き国民」や「第二の日本国民」として歓迎され、同誌は補助教育と娯楽の役割を担うほか、愛国の精神を育てることも意図されていた。[*18]『幼年雑誌』も同じ思想に基づいていたが、ライバル雑誌の言葉を使わずに読者を単なる「幼年」または「少年」と呼んでいる。つまり、戦前の「少国民」という単語がまだ一般化しておらず、この新しい（男子に偏った）「子ども像」をまだ探っているような状態であったといえる。

『少国民』一巻二〇号と『幼年雑誌』一巻一号に、教育勅語が載せられており、説明文もつけられていた。勅語に導かれたテキストはほかにもいくつかあり、たとえば『幼年雑誌』一巻三号に載せられる「幼年の心得」によると、一番大事な心得は親と祖先への孝行、天皇陛下を敬うこと、そして天皇の祖先にあたる神々を敬うこととされている。[*19] それに続く記事は「国民の二大義務」とされている「兵役」と「租税」を取り上げている。『幼年雑誌』は読者にさまざまな課題もだしていた。その中に「男子トハ如何」という題があり、「甲賞」となった作文は一巻二三号に収められている。静岡県の高等小学生である投稿者によると、男子は日夜勉強にはげみ、身を立て、上国君を奉り、父母に対して孝を尽くすべきである、とある。[*20] 投稿者がその上に「日本帝国ヲ万世無窮ニ伝へ以テ欧米各国ニ我国の赫々タル光威を輝カシ以て深厚ナル恩沢ニ答ヘントスルコソ日本男子ノ本務ナル」と述べている。つまり、「男子＝日本男子」とし、教育勅語にみる孝・忠君、そして立身出世の理念のほかに、世界の中の日本の立場を示すことも男子の任務とされている。

『少国民』と『幼年雑誌』の始発期には、教科書と同様に、孝、忠、勤勉などを強調している。日本の愛すべきところとして、天皇と国民の長い系統と世界に誇る風景なども挙げられている。しかし、日清戦争の影響でとくに海軍への関心が増え、少年雑誌は教育勅語の理念よりも武勇と軍事を称え始めるようになっていく。

『幼年雑誌』を一八九五年から継いだ『少年世界』に載せられた「日本国男児」（一巻二四号）と題する記事によると、日本国男児には「亜細亜の半面を双肩に荷ふの大責任」がある、という。[*21] それを一番よく果たせる職業は、「第一、海軍々人タル事」と「第二、船海に従事する事」であり、続いて貿易、工業、学術でもそれができるとされている。しかし、この記事の筆者は貿易のためには海上権が必要だとしているところから第一の「大責任」に話題が戻り、工業と学術の役割ついての説明はなされていない。「日本男児」（一巻五号）と題する記事も「勇と義と、是れ日本男児の特性なり」としている。[*22] 筆者によると、男子にふさわしい教科書は「独立自治冒険の気象」を養う「頼光大江山の鬼退治」「かちかち山」「ロビンソン・クルーソー」などであるという。筆者の名は明示されていないが、『少年世界』の編集者であった巌谷小波の思想が反映していると思われる。

歴史読み物の有益性が少年雑誌で論じられ、愛国との結びつきが早くから示されている。「歴史思想」の筆者によると、忠君愛国を養うには若い時より歴史思想を「感想脳髄」に染み込ませたらよいのだという。[*23] ここでいう歴史思想とは、日本の英雄豪傑についての話を意味する。「幼年社会」にとくにふさわしいのは「下等社会」の好みでもある落語講談と英談美録だとする。しかし、明治中期の少年雑誌の読者は若くても中・上流階級に属していて、講談そのままでは飽き足りなかった。

少年雑誌は教科書と同様に、歴史的人物の伝を通じてその理想的な国民性を伝えようとしていた。初めには教育勅語の忠と孝などを表す人物伝のほかに、出世への関心も強い。その理念をとくに厳しくたたき込んでいるのは、『少国民』に載せられる「牛若丸の気質」である。[*24] 軍人になろうと決心した牛若丸は天狗などと稽古しないで、山の中で体を鍛え、「金石のごとく」丈夫になった。文章の末尾に「男児と生まれてからは、たとひ其身は野山の末に果てるとも、世人の眼をおどろかす、大事業を仕とげヤウとする豪気を常々に仕込まなければ、人と生まれた甲斐がありません」という言葉があり、身を立てようともしない男子は人間として生まれた意味がないとする。

こうした牛若丸と違って、豊臣秀吉（日吉丸）は『幼年雑誌』に「大事業家」として挙げられてはいるが、あまり注目されていない。それが次第に変わっていく変容の様相をつぎの節で分析していく。

五、依田学海の『豊臣太閤』と日吉丸の出世

谷崎潤一郎（たにざきじゅんいちろう）は『幼少時代』（一九五五～五六年）に、『少年世界』を思い出しながら、「依田学海の「豊臣太閤」も、そのころのこの雑誌に長い間連載されていたもので、私が歴史物に興味を抱くようになったのは、あの作品あたりが始めであった」と述べている。*25 谷崎は小さい時から歌舞伎観劇に連れられ、大和田建樹の叢書『日本歴史譚』（一八九六～一八九九年）も愛読した。一二、三歳のときに先生に紹介された『太平記』の原文なども手に入れ、カーライルの作品も読んでおり、谷崎の自伝は秀吉に限らず国家的英雄と少年文学の思い出に満ちている。

依田学海の作品に先立って、秀吉が数回『幼年雑誌』と『少国民』に紹介されたが、学海の描いた秀吉像はそれまでの作品とは異なっていた。右に述べたように『幼年雑誌』一巻四号（一八九一年）に、秀吉が「大事業家」として紹介されている。文字が小さく文語体で書かれており、主に政治と忠義というテーマに話題が集中していて、実録風なものである。『少国民』五巻（一八九三年）に連載された高橋太華の「本朝五将軍伝」には、初めて日吉丸の冒険が描かれ、若い読者を感動させようとしている。この伝によると、日吉丸は寺で

学問をするよりも餓鬼大将の遊びに興味があって、恐れずに二王という村の餓鬼大将に挑戦する。まだ子どもといえども大胆不敵な性格を見せていた。いじめっ子ともいえる餓鬼大将についてのエピソードは江戸時代の秀吉伝説ではなく、太華自身が創作したものだと思われる。放火や仏像破壊などという乱暴より、近代の若い読者にとって面白くふさわしい、日吉丸の勇気と正義感を証明するエピソードである。次の節ではさらに同年博文館に出版された太華の児童書『太閤秀吉』を分析するが、依田学海の「豊臣太閤」と巌谷小波の『日吉丸』にも作者なりの創作的認識があり、興味深い展開の様相をみせている。

依田学海の「豊臣太閤」は『少年世界』第三巻（一八九七年）一号から一年間連載された。学海の序によると、「豊臣太閤」が主に小瀬甫庵の『太閤記』に基づいていて、同じく歴史的事実を反映しているとされている『川角太閤記』からも引いている。しかし、「ただ幼童の為にものする書なれば。本書をとき和らげて。聊か潤色を加えたれども」[*26]とあって、学海は、この潤色を加えた再話はそれでも『絵本太閤記』や『真書太閤記』などという俗書と異なり、実録に近いものだとする。

秀吉の少年時代を描いている第一課によると、秀吉のお母さんは妊娠中、日輪が空に昇り、お腹に入るという不思議な夢を見た。父は、この赤ん坊はきっと「光明が四方を照らす」だろうと信じている。その「立身出世」を実現するために、日吉丸を八歳のときに光明寺に入れる。日吉丸は猿に似ていて背が低くても、たくましくて賢く、眼差しが鋭い。しかし、経文を心に留めず「武道功名の物語」にしか興味がない。そこで日吉丸は次のように決心している。

出家は乞食と同じもののじゃ。身に麗はしい袈裟衣を着ても。何の是が立身出世といふものであるぞ。まして。かやうな山寺に朽果るは男子の望ではない。いで我等は武家奉公して。まことの立身出世をせねばならぬぞ。乞食には。えなるまい。[*27]

日吉丸は両親と同じように立身出世を目指しているが、両親が思い描いた僧侶・学問の道ではなく、武士の世界のほうがふさわしいと考えている。「男子の望」という表現は、特別な子どもである日吉丸自身のことだけを述べているのではなく、「本当の男であれば誰でも武の道を望むべき」というふうに解釈すべきものと考えられる。

続いて、日吉丸は計画的にいたずらをし始め、寺から追い出されるように努める。そのいたずらははじめは「子どもらしい」ともいえる朝寝坊と果物盗みなどであったが、ついに寺に火をつけるぞと僧たちを脅すに至って、家に帰されることとなった。挿絵は、日吉丸が木に登っていて、果物を食いながら逃げている子どもに果物を投げている場面を描いている。一六歳のとき、浜松牽馬川のほとりで松下之綱に出会って、前にあげた教科書と同様に丁寧な口ぶりで奉公を頼む。以上のように、学海の描く日吉丸像は、教科書より「立身出世」の決心と「武勇」に満ちている。『少年世界』の読者が楽しんでいたのはこの第一課だけではなかろうが、これが主人公の最初の印象を形づくる記事であるという意味で、きわめて重要な設定であると思われる。

学海は、歴史上の話を語っているという理由から、日吉丸の気質を描くにあたって通俗的な話で脚色していない。とはいえ、日吉丸が寺に実際に放火したとする小瀬甫庵の『太閤記』の設定も書き換えて、自分なりの創作を近世の創作以上に重んじた表現を成り立たせている。軍記物語に描かれた伝説と歴史的事実との違いは明治時代になると盛んに論じられるようになり、そうした視点は少年雑誌と歴史読本のなかにも反映している。しかし、「子どものための読み物だから」という前提が、近代的と思われない説や典拠や史実を離れた作家自身の独自の創作に正当性を与えて、軍記や英雄伝が改作される可能性も増えることとなったのである。

六、高橋太華が描いた「太閤の幼時」

新しい少年雑誌のほかに、「少年文学」（多作者）や「家庭教育歴史読本」（池辺義象・落合直文）をはじめ、一八九一年から少年向けの叢書がいくつか出版されたが、そのなかには歴史物が圧倒的に多かった。日清戦争後、谷崎が愛読した大和田建樹の「日本歴史譚」と巌谷小波の「日本お伽噺」（共に一八九六〜一八九九年）は高等・尋常小学生を対象にしたものであったが、いずれも博文館発行で、明治・大正期に版を重ね続けた。この叢書の中に、もっとも注目すべき日吉丸像が、高橋太華の『太閤秀吉』（一八九三年、「少年文学」第一七編）と巌谷小波の『日吉丸』（一八九八年、「日本お伽噺」第一八編）にみられる。

勝尾金弥の分析よると、これらの叢書は思想的に主に「忠君愛国」と「富国強兵」を表出している。*[28] ただし、このような表現は明治時代当時のキャッチフレーズでもあり、一八九〇年代には国家に関する抽象的な概念を解釈し、具体的に表現するこそが作者の課題であったと思われる。忠君愛国・軍国主義の傾向を否定することなく、作家が子どもの心にどのように訴えようとしたのか、その様相にも注目すべきと考えられる。

『少国民』に載せられた太華の秀吉伝は前節で触れたが、同年の『太閤秀吉』には秀吉の少年時代がさらに詳しく描いてある。太華はその序に、もっとも古い、かつ事実に近い本を参考したと述べているが、それは「事実に害なくして少年の心を楽しめんを主とすればなり」という考えに基づいていた。また、歴史上の事実と俗書の伝えとの違いにはいちいち注をつけず、「煩しき考証の議論は少年の眼を娯ましむるものにあらず」とし、文体も簡単にしたと述べている。つまり、太華は事実より、読者の年齢と把握力を重んじているのである。そして、その内容に納得できない読者と勉強好きな人は、第一章に先立つ「発端：秀吉の事跡を記せし古書」を参考できるようになっている。

第一章「太閤の幼き時」の最初の段落で、太華は一つの筋を提示することを優先せず、「このような説がある」というふうに母の夢、秀吉の幼名とあだ名などを紹介しており、最初から「日吉丸」ではなく、「秀吉」という名だけを使っている。また、少年の秀吉は頭が大変よいが、預け入れられた寺では学問に集中しないで「武勇の物語」を好んで読み、「出家は乞食の徒を離れざるものなり」と罵って、ほかの子どもを集め、竹をもたせて一緒に戦うという話も紹介されている。このエピソードは分量としてはわずか数行だけだが、挿絵にも生き生きと描かれているので、きわめて印象的である［図5、後に分析］。

その後、寺から追い出された秀吉は草狩りなどをさせられる。そして、『少国民』に載せられた秀吉伝と同様に、村の餓鬼大将を撃ち負かす話が紹介されたのちに「矢作橋」の話が取り上げられている。本話は『少国民』所収の伝には収められていないものであり、特徴的な内容となっている。

> 橋の中央に身を投げ出し、大の字に打臥せしが、日中の疲れに眠気忽ち催ほし、程なく前後も知らず夢中に入りぬ。夜も丑満（二時）を過ぐる頃か、河風寒く肌に徹る時、夢の中にも遠く人音響くと思ふ間に、何者やらん秀吉が頭にハタと触るゝものあり。秀吉驚き覚めてカッパと飛び起き、眼を開いて月明りに之を見れば、手々に槍薙刀弓鉄砲を提げ居るもの二三十人過ぎ行くなり。秀吉声あらゝげて『汝等何奴なれば、無礼にも我が頭を蹴て過きつるぞ、我幼稚けれとも汝等如き奴原に辱しめを蒙ふる謂れな

図５　富岡永洗画　高橋太華作『少年文学　第十七編　太閤秀吉』口絵（架蔵）

図６　富岡永洗画　高橋太華作『少年文学　第十七編　太閤秀吉』戦ごっこ（架蔵）

し、犬畜生ならば兎も角も、人たる道を知る者ならば、我前へ膝をつき、首を垂れて無礼の段を謝り入るべし』と罵り[*29]（後略）

橋を通り過ぎているのは蜂須賀小六正勝主従である。小六は反論もせずに無礼を謝り、自分たちが掠奪をしながら生活していることを明かし、許しを請うて立ち去った。これは『絵本太閤記』をもとに改作した場面だが、日吉丸の寝ている様子と口ぶりを面白くわかりやすく書き換えて、その勇ましい態度がよく伝わるようにしている。その上、矢作橋のこの場面は多色摺の口絵に描かれている［図6］。つまり、太華の日吉丸像が教科書に描かれている丁寧な姿勢をとる日吉丸とまったく異なっていることがわかる。学海の描いた日吉丸と同様に、自信たっぷりで無礼な男の子だが、太華は日吉丸の行動を計画的な出世に結びつけようとはせず、子どもの時の性格を表すものとして、俗的な説を優先して用いているのである。

七、巌谷小波の『日吉丸』——腕白者の日吉丸

日吉丸の幼時を描くことにさらに念を入れたのは巌谷小波である。小波は「日本昔話」（二四冊）の評価が高かったので、続いて「日本お伽噺」を執筆した。後者は主に歴史的人物の伝を紹介したもので、第一八編『日吉丸』は秀吉の伝を取り上げている。小波が初めて歴史人物を取り上げたのは『日本昔話　二十三編　牛若丸』であり、タイトルにも示されるように、主に源義経の若い時を中心とした人物伝を語っている。牛若丸の話は昔話に近いものとして扱われており、武蔵坊弁慶とともに子どもに人気があった人物であり、すでに

昔話と歴史の間の世界に属していた。小波は日吉丸もこのような角度から書き換えたわけだが、太華の『太閤秀吉』にも影響されたと思われる。太華も先に既存の義経伝を改作して、主に「幼時の有様」を書き換えていた。両作家は牛若丸を「練習」の題材のように使ったといえるのではないかと思われる。[*30]

小波は『日吉丸』に、自由に『絵本太閤記』や草双紙に伝えられた説を引いて、秀吉の少年時代の性格を描き出した。この叢書の刊行趣意は、第一冊目の序に「読んで面白く、聞きて慰楽に相成候」、「日本お伽噺はお伽噺にて、決して歴史話には御座なく候」とする。[*31] しかし、日本の神代を語る『八咫烏』を初め、源平、南北朝、戦国時代、明治維新、日清戦争の英雄を紹介しており、今でいう歴史小説にあたる体裁である。

『日吉丸』の前半は元服までの幼時を語っている。日吉丸は若い時から将軍になりたくて、戦ごっこに励んでいる。そこでは、「気の荒い児」、「いたずら者」「乱暴」などと呼ばれている。以前に挙げた作例と違って、小波は「仏像破壊」と「矢作橋」を中心的な場面にしているが、そこで次のように語っている。両話とも一二、三歳の時の出来事とされている。

其中(そのうち)に日吉丸も十二に成ました。すると、或日日吉丸は、本堂の阿弥陀様に、御供物を供へる時、大きな声で、「こら阿弥陀、さア飯を喰へ!」と、云ひましたが、元より金で拵へた阿弥陀仏、何んで御飯が食べられましやう。手も出さずにぢつとして居りますから、日吉丸は腹を立てゝ、「この横着者奴(わうちやくものめ)、折角やつたこの飯を、何だつて喰はないんだ?失敬極まる。」と云ふが早いか、太い棒を持つて来て、突然(いきなり)阿弥陀様の頭を撲ち落とし、「こいつは面白い〳〵。」と、続け様に棒を振り立てゝ、めちや〳〵に壊してしまひました。[*32]

> 或晩の事（中略）矢矧の橋の中央で、大の字形に成つて臥ておりますと、誰とも知らず、突然足を踏む者があります。『こら、失敬な奴だ。』と、日吉丸は起き返つて見ますと、具足を着た一人の武士が、大勢の家臣を連れまして、悠々として通つて行きますから、手を伸ばして刀の鞘を捕へ、『待て〳〵！』と云ひますので、其男は振り返つて、『小僧、何だ？』と云ひますと、『乃公が好い心地で寝てる処を、貴様は足を踏んで通つたな。さァ、謝罪れ！』と、威張つて居ります。*33

両場面には小峰大羽の挿絵が添えられており、橋の場面は表紙も飾っている［図7・8・9］。供え物をしても食べてくれないからといって仏像を壊してしまう日吉丸は、乱暴者として描かれているだけではなく、子どもらしい想像力を持っていることも読み取れる。また、日吉丸の言葉遣いに面白さと勢いがある。*34

しかし、こうした秀吉にも、指導者はまったく要らないわけではない。矢作橋で無礼な口ぶりで小六と喧嘩した際には、小六は日吉丸を「怜悧さうな面白い小僧」だということで、家来にする。二年後、日吉丸は家族のもとへ返されたが、また奉公先で失敗する。結局、ある僧に預けられて一緒に東海道を旅しているときに、松下之綱に紹介され、今度も「怜悧さう」に思われるというので、その家来になる。今回はもう一五歳なので「以前の様な悪戯は」せず、立派な侍になりたいので、剣術だけではなく、本も読み始め、以後は手柄をあげ、立場がどんどん上がっていく。信長の元でさらに偉くなって、「朝鮮征伐」を行ったことを記して、「これほど出世した人がありましやうか。あの朝鮮人は云ふに及ばず、西洋人も支那人も、この太閤の話を聞いて、肝を潰さない者はありません。めでたし〳〵」というふうに話を結ぶ。

ここで語られているのは、勉強しないで、悪さばかりをしていた気の強い子どもが成長するにつれて態度を変えていき、ついには日本第一の英雄になったという話である。小波はその後、「家庭と児童」（一八九九年）

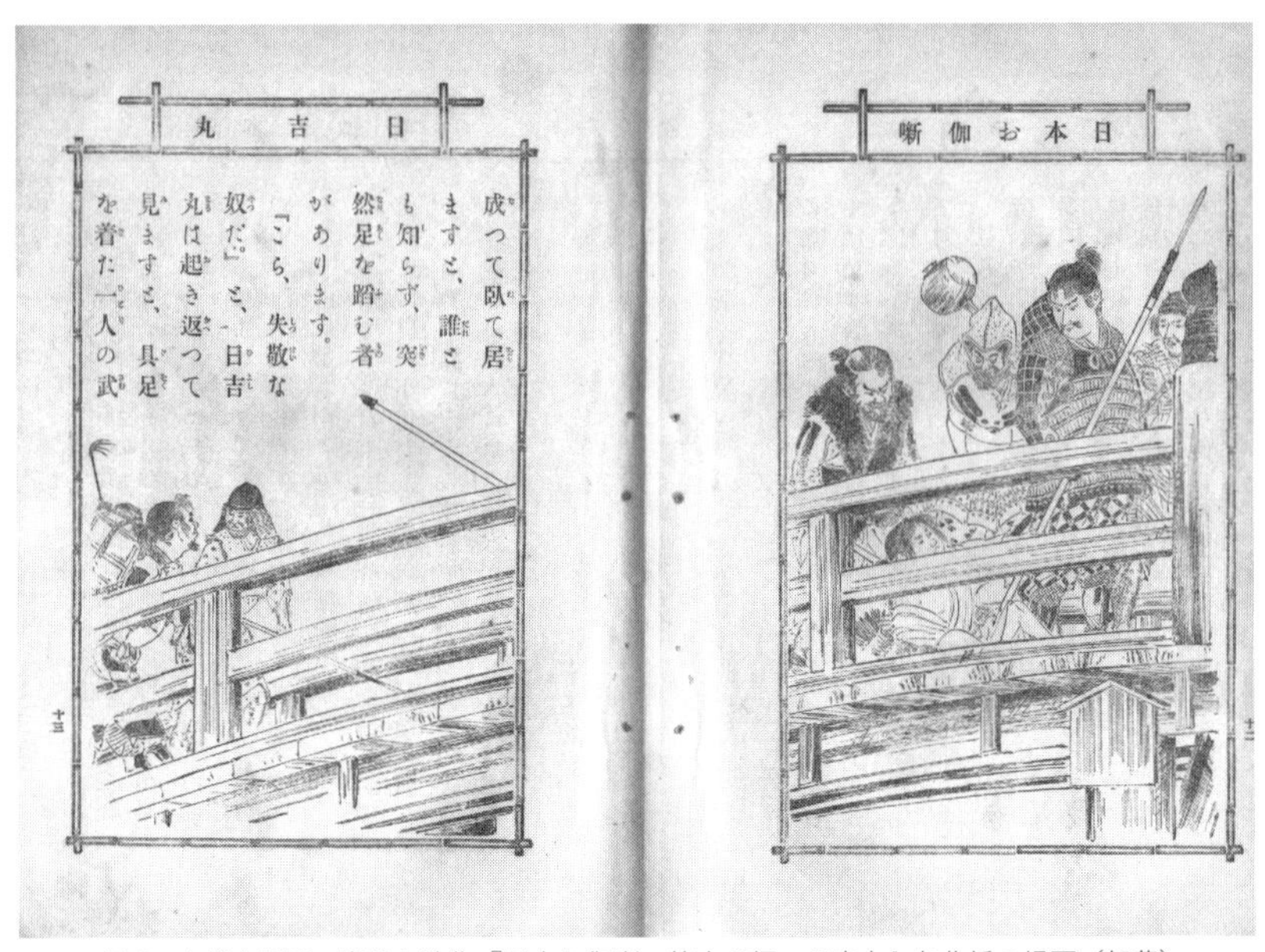

図７　小峰大羽画　巌谷小波作『日本お伽噺　第十八編　日吉丸』矢作橋の場面（架蔵）

図９　小峰大羽画　巌谷小波作『日本お伽噺　第十八編　日吉丸』仏像破壊の場面（架蔵）

図８　小峰大羽画　巌谷小波作『日本お伽噺　第十八編　日吉丸』の表紙（架蔵）

に「日本の児童ほど、因循な児童はありません」と厳しく述べている。[*35] それは子どもを厳しく育てようとしている親の姿勢ゆえであり、その結果として子供らしく、無邪気でない子どもになり、「ねじくれたいじけた人間」を作ってしまう。小波は、子どもをなるべく自由にして、想像（空想）力をお伽噺で養えるべきだという立場をとっている。少年のコロンブスも想像力が大変豊かで、それゆえに成長したら冒険に出かけたと考えているのもそうした考えの根拠になっている。また、『日吉丸』の発行と同年に雑誌『太陽』に載せられた「メルヘンについて」（一八九八年）に「忠孝仁義等のみの道徳主義を採らず、寧ろ尚武冒険等の腕白主義に依らんと欲する者に御座候」と述べている。[*36]「父兄がおとなしくさせんとする小供を、小生はわんぱくにさせ、学校で利巧にする少年を、此方は馬鹿にするようなものに御座候」と、学校の教育を批判している。つまり、小波の描く日吉丸は、学校教育のありようを対照しながら作られた像なのである。この日吉丸像（ひいては英雄の若い時の人物像）は長年のお伽噺執筆の結果であり、「腕白主義」論より先に生まれたものと考えられる。

八、日吉丸の図像

前節までに紹介してきた書には、いずれも挿絵がついていた。「仏像破壊」と「矢作橋」の図像はもとは『絵本太閤記』と『豊臣勲功記』に由来するが、草双紙にもみられる。図1・3にみえる日吉丸の口は「へ」の字の形をして、威張っている様子である。相手は鎧姿の小六主従である。「矢作橋」の図像は日吉丸の少年時代のもっとも代表的な図像であり、絵師だけではなく、文を拵えた作家たちの目の前にもこうした場面が思い浮かんでいたはずである。しかし、文と同様に、絵もそれぞれ解釈が異なっており、文によるメッセージを強めたり、または加えたりしいる。たとえば、『尋常小学読本』に取り上げられた矢作橋の挿絵［図4］では、日吉丸の顔は見えないが、姿勢がよくて、相手も裃を羽織るきちんとした殿様にみえる。一方、太華と小波の作品には、近世の絵と同様に、日吉丸が勇ましい表情をしている。富岡永洗（とみおかえいせん）［図6］はその視点を正面にし、小峰大羽［図8］はローアングルに変えて、日吉丸と小六の間で交わされる目線がさらに強調されている。『日吉丸』には「仏像破壊」の絵もある［図7］。そこでは『絵本太閤記』や『かなよみ太閤記』と違って、壊した後の様子を描いているが、ここもまた大人の上からの目線が意識されている。また、もう一人の稚児がいて、和尚に向かって何かを言っているように、日吉丸を指している。この稚児は文章には登場しない人物だが、絵師が日吉丸と対照的なよい子をつけくわえたと考えられる。

太華の『太閤秀吉』には「戦ごっこ」の挿絵もある［図5］。日吉丸の話に特化された図像ではなく、江戸時代の寺子屋の絵などにもみえる武者遊びを想起させる図様である。日吉丸にあたるのは、右に描かれている餓鬼大将であろう。手習書で大将の鎧を作っており、その前・右にいる三人は全力で喧嘩をしていて、生々しい場面である。永洗の描いた似たような挿絵が『幼年雑誌』二巻八号（一八九二年）にもあり、そちらは少年の楠木正成と遊び相手七人を描いている。つまり、「大人の戦争」を描く名場面ではなく、読者が日常的な生活とのつながりで親しみを感じる「戦ごっこ」を挿絵にして取り入れていたのである。

九、おわりに

一八九〇年代の小学校教育では歴史的人物が歴史を教えるためだけではなく、あるべき国民性の見本としても使われた。そのような考え方は新しい少年雑誌と叢書にも取り込まれた。初めはいずれも「教育勅語」を標識にしたが、日清戦争前後にはすでにそこからの変化がみられる。雑誌で論じられていた男子像では、積極的な性格が必要とされた。一方、教科書では、秀吉像の場合、近世後期の通俗的な説をほとんど紹介することはなく、勤勉で丁寧な少年として描かれていた。高橋太華の「豊臣太閤」と『太閤秀吉』では、「若い読者にふさわしく面白い」ことを目指して、初めて少年時代の話を改作し、日吉丸の強い性格を示している。その後、依田学海も秀吉の幼児時代を描くが、俗書を批判している。日吉丸の乱暴な行動には「出世」への強い意義付けがなされており、出家（または勉強）より、武勇を優先させて強調している。

巌谷小波は、一八九八年の『日吉丸』で限界なく通俗的な説から引いて創作し、小波の描いた日吉丸像は当時の学校教育と親の育て方への強い批判を映しだしている。「童話」と「歴史」の間に橋をかけたわけだが、二〇世紀初期にはこうした考え方が普及し、たとえば、絵雑誌などに描かれた「矢作橋」は秀吉の幼時を代表する図像になった。二〇世紀に入ってから、「日本お伽噺」は重版を重ねただけではなく、新しい世代の作家もそれにならって軍記物語と英雄伝を改作し続け、それらもまたそれぞれの時代の国民観と子供像を反映しているのである。

なお、これからとくに注目すべきは、これまでほとんど位置を与えられなかった女性の歴史的人物についての問題である。その様相はもちろん国定教科書とも関わるが、少女雑誌を作り上げ、「俗書」の説を踏まえつつも新たな創作を求められるようになった作家たちの、教科書の内容を相対化していく活動が注目される。その具体的な様相の検討については今後の課題としたい。

注

1 ベネディクト・アンダーソン『定本 想像の共同体：ナショナリズムの起源と流行』（白石隆・白石さや訳、書籍工房早山、二〇〇七年）。

2 エリック・ホブズボーム『創られた伝統』（前川啓治・梶原景昭訳、紀伊國屋書店、一九九二年）。

3 堀新・井上泰至編『秀吉の虚像と実像』（笠間書院、二〇一六年）は秀吉の像を「実像編」と「虚像編」に分けている。渡邊大門『秀吉の出自と出世伝説』（洋泉社、二〇一三年）も伝説と史実を照らし合わせながら、秀吉の実像を明らかにしようとしている。津田三郎『秀吉英雄伝説の謎―日吉丸から豊太閤へ』（中央公論社、一九九七年）は『梵舜日記』などを引いて秀吉を記念する場所や祭りに注目し、近代における再興も論じているが、文学史の問題については近世の『太閤記』ものの概要の形を示しているだけで、その内容と変容を論じていない。Susan Westhafer Furukawaは『The Afterlife of Toyotomi Hideyoshi』（Harvard University Press、二〇二二年）に、戦後の秀吉変容史を分析しているが、秀吉の子供時代と児童文学には触れていない。

4 小瀬甫庵『太閤記』新日本古典文学大系六〇（一九九六年）、一二・一三頁。

5 岡田玉山『絵本太閤記』一の巻（大阪 玉栄堂、一七九七～一八〇二年）、一四・一五頁。
早稲田古典籍データベース https://www.wul.waseda.ac.jp/kotenseki/html/he13/he13_01833/

6 栗原信充『重修真書太閤記』巻之二（江戸 知新堂、一八五二～一八五八年、六オ）。
https://www.wul.waseda.ac.jp/kotenseki/html/he13/he13_00459/index.html

7 法令全書 明治二四年（内閣官報局、一九一二年）、三四五頁。
8 法令全書 明治二四年（内閣官報局、一九一二年）、三四八貞。
9 森岡常蔵『小学教授法』（一八九九年）、六五・六六頁。
10 森岡常蔵『小学教授法』（一八九九年）、二三二頁。
11 Lincicome, Mark. *Principle, Praxis, and the Politics of Educational Reform in Meiji Japan* (Honolulu, HI: University of Hawaii Press、一九九五年)、二二七頁。
12 海後宗臣『日本教科書大系 近代編第五巻 国語第二』（講談社、一九六四年）、三八三頁。
13 海後宗臣『日本教科書大系 近代編第十九巻 歴史第二』（講談社、一九六三年）、一八五頁。
14 海後宗臣『日本教科書大系 近代編第十九巻 歴史第二』（講談社、一九六三年）、二一〇頁。
15 普及社編輯所『修身教典 高等小学校用』巻二（普及社、一九〇〇年）、一〇・一一頁。
16 海後宗臣『日本教科書大系 近代編第五巻 国語第二』（講談社、一九六四年）、一四九・一五〇頁。
17 Yeandle, Peter. *Citizenship, Nation, Empire: The Politics of History Teaching in England, 1870-1930*. (Manchester University Press、二〇一三年)、一二三・一二四頁。
18 続橋達雄『児童文学の誕生—明治の幼少年雑誌を中心に』（桜楓社、一九七二年）、六三・六四頁。
19 内藤耻叟「幼年の心得」、上田信道監『幼年雑誌 復刻版』一巻（柏書房、二〇一一年）、一一三〜一一六頁。
20 続橋達雄『児童文学の誕生—明治の幼少年雑誌を中心に』（桜楓社、一九七二年）、一二四・一二五頁。
21 松井柏軒「日本国男児」（『少年世界』一巻二四号、博文館、一八九五年、一四二五・一四二六頁。『少年世界 復刻版』一巻、名著普及会、一九九〇年）。
22 作者不明「日本男児」（『少年世界』一巻五号、一八九五年、四二一・四二二頁。『少年世界 復刻版』一巻、名著普及会、一九九〇年）。

23 内山正如「歴史思想」（上田信道監『幼年雑誌　復刻版』一巻、柏書房、二〇一一年）、六三二～六三五頁。

24 作者不明「牛若丸の気質」（『少国民』一巻九号、一八九〇年、一～四頁。上田信道監『少国民　復刻版』一巻、不二出版）、一九九九頁。

25 谷崎潤一郎『幼少時代』（岩波文庫、二〇一六年）、三二一・三二二頁。

26 依田学海「豊臣太閤（英雄伝）第一」、『少年世界』三巻一号（博文館、一八九七年）、一〇頁。

27 依田学海「豊臣太閤（英雄伝）第二」、『少年世界』三巻一号（博文館、一八九七年）、一二頁。

28 勝尾金弥『黎明期の歴史児童文学』（アリス館、一九七七年）。

29 高橋太華『少年文学　第十七編　太閤秀吉』（博文館、一八九三年）。

30 高橋太華『九郎判官義経』、『少国民』三巻（学齢館、一八九一年）。

31 桑原三郎『日本児童文学大系　第一巻』（一九七七年）、三四八頁。

32 巌谷山人『日本お伽噺　第十八編　日吉丸』（博文館、一八九八年）、八～九頁。

33 巌谷山人『日本お伽噺　第十八編　日吉丸』（博文館、一八九八年）、一一～一四頁。

34 巌谷小波の文体については藤本義則の『〈小波お伽〉の輪郭―巌谷小波の児童文学』（二〇一三年）第二章を参考。

35 巌谷小波口述・黒田湖山手記「家庭と児童」（『大人国』一八九九年三月。菅忠道編『日本児童文学大系1』三一書房、一九五五年）、三五〇～三五五頁。

36 巌谷小波「メルヘンに就いて」（『太陽』一八九八年五月、菅忠道編『日本児童文学大系1』三一書房、一九五五年）、三四四～三四六頁。

参考文献

巖谷山人『日本お伽噺　第十八編　日吉丸』（博文館、一八九八年）。

巖谷小波口述・黒田湖山手記「家庭と児童」（『大人国』一八九九年三月、菅忠道編『日本児童文学大系1』三一書房、一九五五年）、三五〇～三五五頁。

巖谷小波「メルヘンに就いて」（『太陽』一八九八年五月、菅忠道編『日本児童文学大系1』三一書房、一九五五年）、三四四～三四六頁。

内山正如「歴史思想」（上田信道監『幼年雑誌　復刻版』一巻、柏書房、二〇一一年）、六三二～六三五頁。

エリック・ホブズボーム『創られた伝統』（前川啓治・梶原景昭訳、紀伊國屋書店、一九九二年）。

岡田玉山『絵本太閤記』一の巻（大阪玉栄堂、一七九七～一八〇二年）

早稲田古典籍データベース　https://www.wul.waseda.ac.jp/kotenseki/html/he13/he13_01833/

小瀬甫庵『太閤記』新日本古典文学大系　六〇（一九九六年）。

海後宗臣『日本教科書大系　近代編第十九巻　歴史第二』（講談社、一九六三年）。

海後宗臣『日本教科書大系　近代編第五巻　国語第二』（講談社、一九六四年）。

勝尾金弥『黎明期の歴史児童文学』（アリス館、一九七七年）。

桑原三郎『日本児童文学大系第一巻』（一九七七年）、三四八頁。

栗原信充『重修真書太閤記』巻之二（江戸知新堂、一八五二～一八五八年）　https://www.wul.waseda.ac.jp/kotenseki/html/he13/he13_00459/index.html

作者不明「日本男児」（『少年世界』一巻五号、一八九五年、四二一・四二二頁。

『少年世界復刻版』一巻、名著普及会、一九九〇年）。

作者不明「牛若丸の気質」（『少国民』一巻九号、一八九〇年、一～四頁。上田信道監『少国民復刻版』一巻、不二出版）、一九九九頁。

Susan Westhafer Furukawa『The Afterlife of Toyotomi Hideyoshi』（Harvard University Press、二〇二二年）。

高橋太華『少年文学　第十七編　太閤秀吉』（博文館、一八九三年）。

高橋太華『九郎判官義経』、『少国民』三巻（学齢館、一八九一年）。

谷崎潤一郎『幼少時代』（岩波文庫、二〇一六年）。

津田三郎『秀吉英雄伝説の謎―日吉丸から豊太閤へ』（中央公論社、一九九七年）。

続橋達雄『児童文学の誕生―明治の幼少年雑誌を中心に』（桜楓社、一九七二年）。

内藤耻叟「幼年の心得」、上田信道監『幼年雑誌復刻版』一巻（柏書房、二〇一一年）。

ベネディクト・アンダーソン『定本想像の共同体：ナショナリズムの起源と流行』（白石隆・白石さや訳、書籍工房早山、二〇〇七年）。

藤本義則『〈小波お伽〉の輪郭―巌谷小波の児童文学』（二〇一三年）。

普及者編輯所『修身教典高等小学校用』巻二（普及者、一九〇〇年）。

『法令全書』明治二四年（内閣官報局、一九一二年）。

堀新・井上泰至編『秀吉の虚像と実像』（笠間書院、二〇一六年）。

松井柏軒「日本国男児」（『少年世界』一巻二四号、博文館、一八九五年、一四二五・一四二六頁。『少年世界復刻版』一巻、名著普及会、一九九〇年）。

森岡常蔵『小学教授法』（一八九九年）。

Yeandle, Peter『Citizenship, Nation, Empire: The Politics of History Teaching in England, 1870-1930』（Manchester University

Press、二〇一三年)。

依田学海「豊臣太閤（英雄伝）第一」、『少年世界』三巻一号（博文館、一八九七年）。

Lincicome, Mark『Principle, Praxis, and the Politics of Educational Reform in Meiji Japan』(Honolulu, HI: University of Hawaii Press、一九九五年)。

渡邊大門『秀吉の出自と出世伝説』(洋泉社、二〇一三年)。

10 『日本歌学全書』とその周辺

平田英夫

一、はじめに

明治二〇年代から三〇年代にかけての「和歌」の消長を追う。御歌所の設置から和歌の復興・再定義・正続性の強化といった動きの中で、本章では、和歌にまつわる「全書・全集」類を通して、明治前期の和歌の位相を考えたい。

具体的には、佐々木弘綱・信綱が編纂した『日本歌学全書』をその「続編」（佐佐木信綱編纂）も含めて取り扱う。そのさいに和歌の全集ではない『日本文学全書』や『袖珍名著文庫』といったその周辺の全集類にも留意する。和歌に近代国家の文化・文学の中枢を担わせようとする動きの中で、和歌にまつわる全集・全書が、どのような理念をもって統一・整理されるのかを和歌文学の消長が意識される時代背景を押さえながら考えていく。明治三〇年代は和歌終焉の時代であり、明治に入って改めて権威化されたはずの和歌が一転して消えていく、その黄昏の風景を、一側面からではあるが眺めてみたいと思う。

二、関連年譜から

明治二〇年から三〇年代にかけて、本章にかかわる年譜をまず示しておきたい（番号を便宜上、付ける）。

①明治二一（一八八八）年　御歌所設置。

②明治二三（一八九〇）年　佐々木弘綱・佐佐木信綱編『日本歌学全書』（第一編～第一二・博文館）〔明治二四年まで〕。
　『日本文学全書』（博文館）〔明治二五年まで〕。

③明治二七（一八九四）年　日清戦争はじまる。
　『歌学全集』（交盛館）。　※創作を目的とした近世期の和歌手引書の袖珍本。

④明治三〇（一八九七）年　佐佐木信綱編『続日本歌学全書』（第一編～第一二編・博文館）〔明治三六年まで〕。

⑤明治三一（一八九八）年二月　佐佐木信綱、『こころの華』創刊。
　正岡子規「歌よみに与ふる書」。

⑥明治三三（一九〇〇）年　与謝野鉄幹『明星』創刊。

⑦明治三四（一九〇一）年　『国歌大観』二冊〔歌集部・索引部〕（松下大三郎　渡辺文雄・大日本図書）〔明治三六年まで〕。

⑧明治三六（一九〇三）年　『袖珍名著文庫』（冨山房）〔大正元年まで五〇冊、刊行〕。

⑨明治三七（一九〇四）年　日露戦争はじまる。

②『日本歌学全書』の編纂・刊行については、『日本文学全書』と同時期であるが、和歌だけを別枠として扱うのは、その分野を特別視しているからであり、それは明治二一年に御歌所が設置された点（①）と直接的な関係はないにしても、何らかの影響はあろう。ここで和歌がどのように体系化されているのか、というのが一つ目の視点であり、またそれを成した佐々木弘綱・信綱の意識をどのように位置づけるのかが二つ目の視点で、どちらも国学との関係が問題となろう。

さらに明治三〇年に佐佐木信綱が、続編である『続日本歌学全書』を編纂している（④）。この続編は近世期の和歌、そして明治前期の和歌を和歌史に包摂しようとする意欲的な試みで、信綱が、歌道の永続性、そしてその正統性とどのように向き合い、形づくろうとしたのかを考えるうえで重要な資料である。この時期、『こころの華』『明星』の創刊（⑤⑥）や、正岡子規「歌よみに与ふる書」（⑤）が刊行され、短歌の急速な隆盛にともない、和歌の伝統性への批判が出てくる時代であった。そのような中で「国歌」という名を冠した『国歌大観』（⑦）において改めて勅撰和歌集を中心とした和歌の収集が、索引・ナンバリング付で行われている。そして明治三六年には、『日本歌学全書』『日本文学全書』とはかなり質の異なる『袖珍名著文庫』が刊行されている（⑧）。この文庫では、和歌の収載作品が『山家集』だけで、和歌をめぐる風景が大きく変化したことを示唆しており、留意される。*1

三、『日本歌学全書』の編纂

本編纂は、佐々木弘綱（一八二八～一八九一）、佐佐木信綱（一八七二～一九六三）による。佐佐木家は、以下に掲載した系図にあるように、国学の流れを汲む歌道家として自家の存在を見いだしていた。国学者であり、桂園派であった井上文雄も弘綱の師として知られる。また弘綱自身は帝国大学最初期の教授にもなっており、このような点も、全書の編纂を企画することにつながっていよう。

賀茂真淵―本居宣長―本居春庭―足代弘訓―佐々木弘綱

（『和歌よゝのあと』〔和歌伝統図〕より）

佐佐木信綱は、『日本歌学全書』刊行後に以下のような回想を残している。『佐佐木信綱　作歌八十二年』から引用する。[*2]

明治二十三年　十九歳

この年は、自分にとっても忘れがたい年である。――すなわち、四月には、萩野、落合、小中村三氏の協力によって博文館から日本文学全書が刊行され、十月には父と自分との日本歌学全書が出たのである。この十二冊の編者に、自分は父を援けて若い心血を注いだのであった。いまだ類書もなく、それだけに世に弘く用いられもしたが、顧みて、自分の長い学究生活への出発は、この叢書のための研究によって踏み出されたように思われるのである。しかるに、第八篇の校正中に父は世を去ったので、九篇以下は自分が標註もし校訂もした。

散文の古典作品を中心とした『日本文学全書』を意識しながらも、それとは分けるかたちで和歌の全書が企画されたことがうかがえる。弘綱は途中で亡くなるのであるが、すでに八編までかかわっており、信綱はまだ一九歳という若さ、そして文中の「父を援けて」といったところからも弘綱中心の企画であったことがわかる。歌学全書と文学全書の関係性とその意味について鈴木貞美氏は以下のように述べている。*3

> 西欧において、今日の「文学」概念が成立し、定着するのは、一九世紀を通じてのことである。それが日本列島に輸入されて、文芸の世界にまず起こったことは、漢詩や和歌が西欧の「詩」にあたるものと考えられ、文化伝統を誇る意識によって盛んになったと推測される。なるほど漢詩や和歌は、南欧とは異なり、どう遡っても中世までの西欧の詩より遥かに古い。とりわけ和歌は、「純粋の国語」でつくられたものとして、ナショナリズムによる武装をなした。
>
> これは、開国を迫られて「復古革命」が起こったことと並行する現象で、もちろん「改良」の意識も盛んになるが、とにもかくにも小説より詩歌の動きが先行している。
>
> たとえば佐々木弘綱・信綱父子の『日本歌学全書』が明治二十三年から二十四年にかけて出ている。これは、大概の文学年表にも出ているが、これだけ見ても、どういう意味があるのかわからない。
>
> …『日本歌学全書』を皮切りにして、謡曲から都々逸、御伽噺の類まで、明治二十年後代にはみな揃う。『日本歌学全書』と対になるのは散文類の『日本文学全書』である。まず和歌全集が出て、そのあとで散文類も、という発想のあり方である。この「文学」は、「歌」に対する「文」を名づけたものである。

明治二〇年代において「和歌」がまずナショナリズムと連動する役割を担い、諸文学がこれに追随した。その点において『日本歌学全書』の役割は重要であったことがわかる。これだけのボリュームをもつ和歌の存在は、世界的に見ても際立っていると思えただろうし、日本の文化力を示すには適切なものとして捉えられたのであろう。和歌が、文学における日本的優位性を示威できるという思考をもって、和歌の全書を編纂したのであれば、それは間違いなく国学者としての位相であろう。

以下、便宜上『日本歌学全書』「正編」のリストを示す（「続編」があるので、便宜上、ここでは「正編」と呼称しておく）。

第一編　古今和歌集　貫之集　躬恒集　友則集　忠岑集
第二編　後撰和歌集　元輔集　能宣集　順集　天徳内裏歌合
第三編　拾遺和歌集　公任集　紫式部集　清少納言集
第四編　後拾遺和歌集　相模集　経信卿母集　高陽院歌合
第五編　金葉和歌集　詞花和歌集　堀河院御時百首和歌
第六編　千載和歌集　永久百首　忠度集　後京極摂政百番自歌合
第七編　新古今和歌集　鴨長明集　自讃歌
第八編　林下集　頼政集　山家集　金槐和歌集
第九～十一編　万葉集　巻第一～二十
第十二編　悦目抄　無名抄　邇飛麻那微　新学異見　歌かたり　歌袋　しらべの直路

収集作品から見る「正編」の特徴を見ておきたい。まず勅撰和歌集を、いわゆる八代集まで収集する。中世和歌の主流をなした二条家が理想とした『新勅撰和歌集』（九番目）、『続後撰和歌集』（一〇番目）は外す。『古今和歌集』から和歌文学史を形づくろうとする構想を改めて示し、明治前期における『古今和歌集』の重要さが明確化されている。この点、明治になって『古今和歌集』の権威が復活するといった指摘があることと一致していよう。[*4] 勅撰和歌集を中心に当代の私家集（紀貫之といった撰者詠等）を同じ編に収集するが、俊頼・俊成・定家・慈円・後鳥羽院といった和歌史上の重要歌人の私家集は収載しない。千載・新古今期、また鎌倉以降の中世和歌はほとんど重要視されておらず、私撰集類も収載しない。

その中で私家集においては、平忠度・源頼政・鴨長明・西行・源実朝といった武家歌人や遁世歌人を評価している。和歌史を個人の創作に重きを置いて評価する意識も働いている。勅撰という天皇の公の撰として和歌を捉える姿勢が見える中で、個の力量が強い歌人の創作が評価される。この点は佐佐木家独自の価値観をもって収集しているようで、私家集のみで構成した第八編は特に注目できる。第八編の編纂途上で弘綱が亡くなっていて、信綱にとっては思い入れがある編でもあろう。西行評価は、堂上派や国学者の評価とは一線を画す佐佐木家歌学によるもので、[*5] 信綱は、鴨長明も最晩年の詠にて「大人」と称し賞翫していて、[*6] このあたりも国学者系の歌人評価とは異なるものであろう。『金槐和歌集』を入れているのは、賀茂真淵の評価以来、国学の影響があろうが、武家歌人詠については実朝に特化したかたちではなく、平忠度や源頼政に留意している点が重要であろう。忠度、頼政、長明は『百人一首』にも入らず、その評価軸の変遷には注意すべき歌人である。とくに忠度・頼政の作品を残そうとしたのは『平家物語』の影響があろう。とすれば『平家物語』において貴族層を象徴する役割を担う後徳大寺実定も同じ視点から選ばれた可能性があり、軍記物語側から和歌を見る姿勢がある。

なお『万葉集』については、第九編から一一編においてすべて収載する。[*7] 時代の流れ的には妥当だが、特別視とまでは言えず、八代集までの勅撰和歌集を和歌史の核として編集している。万葉を除くと時代順には並んでいるので文学史的観念はあるものの、最低限の収集であり、和歌のアーカイブ・整理といった点がどこまで意識されていたのかは疑問である。百首歌・歌合もきわめて少なく、和歌を詠む伝統的な型や形式には注目しない。

四、『続日本歌学全書』の編纂

「続編」は、信綱の意図によるが、近世期の和歌に特化したものになっている点が注目でき、さらには明治前期の歌人詠まで包摂する。和歌文学の正編に連動するかたちで、近世和歌の存在意義を問うという強い責任が認められる。そして、それを井上文雄（いのうえふみお）、高崎正風（たかさきまさかぜ）といった明治期の和歌に接続させようとする動きには注意が必要であり、明治期の和歌は今、現在のこととして提示されている。和歌を和歌として詠んでいこうとする人たちとの連動性が意識されている構成となっている。煩雑になるが、「続篇」については作者名も含めて、そのリストを示しておきたい。

第一編　「賀茂真淵翁全集 上巻」　自撰晩花集（下河辺長流）　自撰漫吟集（契沖）　春葉集（荷田春満）　賀茂翁家集（賀茂真淵著 村田春海編）　歌意考（賀茂真淵）　にひまなひ（賀茂真淵）　十二番歌合（賀茂真淵判）　国歌八論（荷田在満著 本居宣長評）　国歌八論斥非（大菅公圭著 本居宣長評）　国歌八論余言（田安宗武）　国歌八論余言拾遺（賀茂真淵）

第二編　「賀茂真淵翁全集 下巻」　さき草（賀茂真淵）　うけらが花（橘千蔭）　真幸千蔭歌問答（長瀬真幸問、橘千蔭答）　答小野勝義書（加藤千蔭）　琴後集（村田春海）　稲掛の主へまゐらせる書（村田春海）　村田君の御許に参らせる返事（稲垣大平） 稲掛の君の御返事に更に答へ参らす書（村田春海） 楫取魚彦家集（楫取魚彦） 志づやの歌集（河津美樹） 高豊をぢ集（日下部高豊） 筑波子家集（土岐筑波子） 県居門人録 賀茂翁家集板本正誤（村田春海）

第三編 「本居宣長翁全集」 自撰歌（本居宣長） 石上私淑言（本居宣長） 後鈴屋集（本居春庭） 稲葉集題詠（本居大平詠） 歌のしるべ（藤井高尚） 詩歌論（横井千秋） 詠歌大概評（藤原彦麿） 海士の囀（抄）（足代弘訓）

第四編 「香川景樹翁全集 上巻」 桂園一枝（香川景樹） 桂園一枝拾遺（香川景樹） 新学異見（香川景樹） 古今和歌集正義総論（香川景樹） 桂園遺文（香川景樹） 中空の日記（香川景樹） たまぬ青葉（香川景樹） 六十四番歌結（香川景樹判） うすごほり（香川景樹判） 大ぬさ（中川自休） 歌学提要（内山真弓輯）

第五編 「香川景樹全集 下巻」 随所師説（香川景樹著 門人輯） かるかや集（松波資之輯） 景恒翁歌集（香川景恒著 高橋古道編） 須磨日記（香川景周） 古今集正義総論補註（熊谷直好） 古今集正義総論補註論弁（八田知紀論 熊谷直好弁） 古今集正義序註追考（熊谷直好） 浦のしほ貝（熊谷直好） 桂の下枝（佐佐木信綱編）

第六編 「小沢蘆庵翁全集」 六帖詠草（小沢蘆庵） 六帖詠草拾遺（小沢蘆庵） 蘆かび（小沢蘆庵） ちりひぢ（小沢蘆庵） 或問（小沢蘆庵） ふりわけ髪（小沢蘆庵） 藤簍冊（上田秋成） 閑田百首（伴蒿蹊） 垂雲和歌集（抄）（垂雲軒澄月） 夢宅和歌集（桃沢夢宅） 杉のしづ枝（荷田蒼生子）

第七編 「近世名家家集 上巻」 千々廼屋集（千種有功） 和漢草（千種有功） 詠比叡山百首（千種有功） 天降言（抄）（田安宗武） 三草集（松平定信） 常侍集（抄）（小野忠邦） あづまうた（抄）（加藤枝直） 柿園詠草（加納諸平） 柿園詠草拾遺（加納諸平） 亮々遺稿類題（木下幸文）

第八編 「近世名家家集 下巻」 常山詠草（徳川光圀） 季吟子歌（北村季吟） 新玉津島月次百首和歌（北村

季吟）　岡の屋歌集（藤原土満）　小野古道家集（小野古道）　村田春郷家集（村田春郷）　大船楫取魚彦雑集（楫取魚彦）　泊栢全集（抄）（清水浜臣）　松屋棟梁集（抄）（小山田与清）　五家園家集（抄）（沢田名垂）　柳園詠草抄（石川依平）　五十槻搔葉集（原久胤）　佐喜草（畠山常操）　葎園倭歌集（河辺一也）　苔清水（抄）（神山魚貫）　橿園歌集（抄）（中島広足）　草径集（清原言道）

第九編　「近世長歌今様歌集」　近葉菅根集（清水浜臣輯）　藤垣内集（本居太平）　奴弖乃舎長歌集（長谷川菅緒編）　寛居長歌集（抄）（足代弘訓）　山斎長歌集（鹿持雅澄）　由良牟呂集（弁玉）　稲舎長歌集（抄）（日下田足穂）　桜園長歌集（抄）（渡辺重春）　今様歌集（抄）（佐佐弘綱輯　佐佐木信綱補）

第十編　「桂園門下家集」　しのぶぐさ（八田知紀）　浦の塩貝拾遺（熊谷直好）　斐雄歌集（菅沼斐雄）　六帖題和歌（妙泉寺亜元）　残の夢（高橋残夢）　箭園和歌集（抄）（竹内享寿）　桂蔭（渡忠秋）　桂芳院遺草（抄）（柳原安子）　稲の嶺（香川景樹）　五番自歌合（香川景樹詠　木下幸文判）　舟路日記（熊谷直好）　船路のゆきき（熊谷直好）　厳島日記（熊谷直好）　春日侍天満宮影前詠百首和歌（児山紀成）　調の説（八田知紀）　桂の下枝続編（内山真弓等）

第十一編　「明治名家家集　上巻」　野鴈集（安藤野鴈）　真爾園翁歌集（大国隆正）　調鶴集（井上文雄）　海人の刈藻（大田垣蓮月）　和歌禅話（伊達千広）　月舎集（横山由清）　寄居百首（近藤芳樹）　由良牟呂集拾遺（抄）（弁玉）　麦の舎集（高畠式部）　わすれ貝（村山松根）　樅の下枝（抄）（猿渡容盛）　桜園自撰歌集（渡辺重春）　なつごろも（抄）（伊能頴則）　長恨歌句題和歌（伊能頴則）　詠史百首（加藤千浪）　続詠史百首（加藤千浪）　落穂集（山田武甫）

第十二編　「明治名家家集　下巻」　梨のかた枝（三条実美）　岩倉贈太政大臣集（岩倉具視）　釈教百首（行誠）　落葉集（抄）（行誠）　進講筆記（高崎正風）　墨水余滴（抄）（黒川真頼）　あさぎぬ（小出粲）　花仙堂家集（松

波遊山）花仙堂家集拾遺（抄）（松波遊山）御垣の下草（税所敦子）柳の露（小池道子）竹柏園家集（佐々木弘綱）

収集作品から見る「続編」の特徴として、近世期の和歌は歌学・歌論書等を含めて幅広く・網羅的に収集している点が「正編」と比して注目される。正編に比べて、収集意識の高さが際立つ。記録性を重視する姿勢は、信綱の研究者としての成長があろうか。そして賀茂真淵・本居宣長・香川景樹等、近世期の重要歌人を各編の中心に据えていて、信綱その人の近世和歌史の整理が行われている。例えば第一編に、自撰『晩花集』、自撰『漫吟集』とあるように信綱の自撰や抄出が施されいる作品も多くあり、家集すべてを収載したものでない作品もある。

「続篇」の最終編一二の最後には父、弘綱の家集『竹柏園家集』が置かれている。信綱は、第一編の緒言に「父の遺志をつぎ、続日本歌学八巻（ママ）を、世にいださむとす」とし、また第一二編の解題に「歌学全書前編続編に載せつる書百八十七部、紙数一萬一千三百七十頁にわたりぬ。こゝに前後二十四巻成りて、亡父の十年祭の前月、霊前にさゝぐる事を得しは、いとも喜こばしき限になむ」と記していて、これが「正編」を企画した父、弘綱の意思を継ぐ編集であったことが明確に示される。弘綱の追悼、そして弘綱の遺志を継ぐという点を考慮すると、「続編」においても歌の家としての佐佐木家という意識を強く持っていたことは明らかである。多少、信綱のこの撰集意識に分け入ってみると、歌の家の矜持として、歌道の継続性・歴史性を形作ろうとしたか、と思われる。そして弘綱の家集にて和歌の大系を閉じているところはかなり意図的な意識の働きを見てよいところであろう。

またもう一つの視点として触れておきたいのが、小林幸夫氏が、御歌所設置の影響について指摘した「勅撰集の復活」といった点との関連である。*8

しかし、御歌所が復活、設置されて始動したこと自体には大きな意義と影響があった、と私見では考える。注目すべき第一点は、御歌所の成立は、長い歴史的空白を経て、和歌が天皇の下にあることを改めて位置づける宣言を為したことである。それは、和歌の公における復活であった。その影響の一つは、歌人の間において勅撰集の復活を予感し、入集を夢みて歌集を出す歌人もいたことである。おそらくは歌人はにわかに活気づいたものと思われる。注目すべき第二点は、この御歌所の設置が天皇親政の政治体制とリンクしており、その強化の一環と考えられることである。

このような小林氏の見解は、この「続篇」の編纂について考えるうえで示唆的であろう。これは信綱の中の国学者としての一面、また佐佐木家という最後の歌道家とも言うべき意識と関係があるが、近世和歌の再評価を意図した企画であったのではないか、ということである。近世和歌、そして明治期の「個」の家集は、勅撰和歌集を再度つくることで、「公」、天皇の文化のもとに包摂されるわけで、勅撰和歌集の撰集は、国学者の生き残りでもあった明治前期の歌人たちにとっては近世和歌を救済する意味合いを持つかと思われる。近世和歌を包摂した明治期の勅撰集の母胎として本編集を夢想した微証はなく、すでに明治三〇年になってはいるが、これだけの近世期の和歌を整理し、可視化した背景には記録化・大系化といったこと以外に何かしらの意欲的試みを想起してみたくはなろう。そしてさらに言うのであれば、この時期は「こころの華」創刊期と重なっていて、信綱の意中には、父、弘綱をもって歌道の終焉を示す意図を見ておきたいのである。

五、『袖珍名著文庫』の登場

明治三六（一九〇三）年から刊行された『袖珍名著文庫』（五〇冊）は、文学の全集として見た場合、和歌の作品をほぼ収載しないという特徴があり、その点において本章としては逆に注目される。周辺の全集類として『袖珍名著文庫』を取り上げて、比較、考察してみたい。本文庫には、近世期の作品が多く、それ以前では『山家集』『和漢朗詠集』『今昔物語選』『保元物語』『平治物語』『海道記』『廻国雑記』『神皇正統記』『謡曲』の九作品を収載する。『日本文学全書』との重なりも『保元物語』『平治物語』だけである。[*9] ただし当初は一〇〇冊の刊行を意図していたとされるのでその点には注意が必要である。

以下、巻末出版案内に興味深い記述があるので掲載する（ここには百編とある）。

> 一、饗庭篁村、上田万年、幸田露伴、関根正直、芳賀矢一、藤岡作太郎、宮崎三味、尾崎紅葉（五〇音順）の八先生が校訂編輯せらるゝものにして全部百編寸珍美装の冊子也。本文庫の収むる所詩歌、小説、戯曲、紀行、史伝、随筆、雑論等一として日本文学の精髄ならざるはなし。真に是れ家庭娯楽の一大源泉！紳士淑女愛玩の珍書！室内の装飾品！銀行諸会社応接所並に倶楽部の備付品！最も廉価なる文学的読物。

ターゲットにしている層が全書とは異なり、装飾品という視点も見られる。家庭の教養・娯楽としての読みものとして編集され、経済的利益と密接に結びついて出版されたものと思われる。作品の享受層も限定的な階層ではなく、大きく拡大していよう。

国学者による「国家」「公」「天皇」といったものによる権威付けではなく、「袖珍」「名著」「文庫」というそれぞれの要素を利用し、当代の作家の力も借りて、また研究的側面も補強したかたちで編集されている。『袖珍名著文庫』については、「袖珍」「名著」「文庫」、それぞれどのような背景があるのか考えてみる必要があろう。「袖珍本」については、『日本古典籍書誌学辞典』の「袖珍本」の項目より引用する。[*10]

特小本の異称。袖珍とは漢語で、袖の中に入れて携帯できるほどの小型の物の謂である。そこから、大きさには一定の規準がなく若干の違いはあるが、小本よりさらに小型の本を指し、…要するに携帯に便利であるという点から、どこでもすぐに繙ける簡略版の実用書や啓蒙書は歓迎されたということである。明治期になってからも、ゲーテ詩集など、愛唱歌集類にこの袖珍本の名称が残されており、江戸期の評判小説の袖珍本化が明治期には盛んであった。その延長線上に、今日のいわゆる文庫版や新書版といった小型本が存在しているといってよかろう。（棚橋正博氏執筆）

また『袖珍名著文庫』について論じた鈴木徳三氏は以下のように説き、日本最初の文庫本として評価をしている。[*11]

これらを皮相的にみるならば、文庫本の発生に関する議論は、諸説あって、近年では、「袖珍名著文庫」説に落着いたかの印象を与える。（中略）この刊行（＊『日本家庭百科事彙』明治三九年一〇月刊）に先立ち出版され始めた『袖珍名著文庫』も、「これも芳賀博士が洋行土産の一つであったから、独のレクラム、英のカッセルなどに範をとったとおもはれる旅行用携帯用の小古典叢書」（「冨山房五十年」（冨山房・昭十二）よりの論文内引用）であると言われている。もし、そうであるとするならば、後年の赤城正蔵『アカギ叢書（大正3年）』、さらに『岩波書店（昭和2年）』よりも、遥か先に、日本レクラムの先鞭として存在したことになろう。

「袖珍」「文庫」の概念は、「江戸」的なものに「西洋」の文庫本的要素が加わり成立したものかと思われる。[*12] 先述したように内容的には、近世期のものが多く、和歌は、『山家集』のみが選ばれている。国歌としての「和歌」は排除され、娯楽性をもった近世期の読み物類に焦点が当てられているように見える。『金槐和歌集』などが入っていないのも参考になろう。

そして落語などにおいても知られていた西行は、正統な和歌のラインからは外され、人気作家、あるいは人気キャラクターとして明治中期には存在していたのであって、ここにも顔を出すことが可能であったと思われる。ただし『西行物語』や『撰集抄（せんじゅうしょう）』ではなく、それが和歌の集であった『山家集』である点には留意しておきたい。[*13]

その多彩で雑多な作品構成を積極的に評価するとすれば、先にも言及したが『日本歌学全書』『日本文学全書』とは質が異なる、「国家」や「公」と連動しないかたちでの文学の大系化の試みがはじめてなされたということなのではないだろうか。またこれはもっと収載作品を検討してみなければ安易には言えないことであるが、『源氏物語』や『平家物語』の名もないことから「古典」という評価軸もなかった可能性がある。一〇年近く前の『日本文学全書』と作品名があまり重っていないことも留意される。「名著」といった選定基準が多様性も持った作品の収集を可能としたのであろう。

六、結びにかえて

明治三〇年代半ばには『国歌大観』（明治三四年～三六年）が編纂される。歌人ではない文法学者、松下大三郎が編纂に関与するなど、歌学全書とは一線を画する性質があるが、歌学全書が示した『古今和歌集』を起点とする勅撰和歌集史となっている。自明のことではあるが、収載作品を少し見ていくと、二十一代集はすべてを収集し、そこに『新葉集』と『万葉集』を加えていて、和歌文学史の核がデータとして示されている。近代短歌へと移行する時代に入り、代々の秀歌撰でもある勅撰和歌集の保存・記録こそが意識されている。国史・日記・物語等に収載される和歌を収集していて、丹念にいろいろなところから和歌を収集しているように見えるが、一方で、私家集、私撰集、歌合、百首歌類は未収集（続編で不完全ながら補う）である。勅撰和歌集偏重ではあるが、歌集部の和歌に番号を付け、歌句による索引部を加えたのは大きな特徴で、やはり和歌のデータベースとしての意識があろう。これまで類題で和歌を検索していたのを歌句からたどるようにしている。和歌の創作のために用意・整理されたものとも思えず、研究対象、知的文化財としての整理の初歩的な試みとして評価できよう。創作のための和歌とはすでに地続きではない。『続日本歌学全書』が力を注いだ近世和歌が和歌史から除外されているのは注意が必要で、個的な視点はほぼなく、和歌を「国歌」として呼び改めるところにはやはり「公」という権威の付与が認められるが、それはすでに創作としては消滅した、保存されるべき古典としての名称に切り替わっている。

明治期の和歌の消長を全集類の編纂から考えるという視座を置いたが、もう少し射程を広げて丁寧に考察していく必要があったかと思う。そもそも天皇・国家・公、そして国学といった強い要素と改めて密接に連動させることによって、和歌を日本の正統な文学表現として再び機能させようとしたにもかかわらず、短歌の隆盛と和歌批判があったとしても明治三〇年代になって容易にその役割を終えていく背景についてはもっと慎重に説かれ続けられるべきであろう。『古今和歌集』の仮名序にて天地開闢の起源において始まったとされる敷島の道が断絶してしまうことは、思想的に言えば「日本的なもの」から和歌を捨象したことになり、近代日本のイデオロギーの構成史においてもそれ相応の問題を残そう。

注

1 『袖珍名著文庫』における和歌を含む作品には「和漢朗詠集」も収載されている。

2 『佐佐木信綱　作歌八十二年』（人間の記録一一二、日本図書センター、一九九九年）。

3 鈴木貞美氏「文芸史におけるメディアの意味—ひとつのプロブレマチックとして—」（特集メディアという視座『日本文学』四三巻二号、日本文学協会、一九九四年二月）。

4 小林幸夫氏「明治初期・中期における古今集の復活」（『古今集・新古今集の方法』笠間書院、二〇〇四年）。

5 拙稿「佐佐木信綱と西行」（佐佐木信綱研究創刊0号、笠間書院、二〇一三年六月）参照。

6 「西上人長明大人の山ごもりいかなりけむ年のゆふべに思ふ」（『短歌』佐佐木信綱追悼号、昭和三九年二月号、角川書店）。

7 『日本歌学全書』における『万葉集』収載の意義については、鈴木健一氏『佐佐木信綱　本文の構築』「第一章　文献学への視点」（近代「国文学」の肖像第3巻、岩波書店、二〇二一年）参照。

8 小林幸夫氏「新題歌のイデオロギー」『和歌をひらく第5巻　帝国の和歌』岩波書店、二〇〇六年）。また小林氏は、

注4の論考にて、明治初期・中期の歌人がいかに古今集を尊重したのか、その時代の歌人の歌集の序や跋がいかに古今集を擬しているのかを検討した結果、「明治において勅撰集を編む意識・意図の存在が認められるのである。そして、それを支えているのが、今上天皇つまり明治天皇に対する忠敬の意識なのである」とする。

9　『日本文学全書』（落合直文等、校訂、博文館、明治二三～二五年）の収載作品を示しておく（『袖珍名著文庫』と重なる作品には傍線を付ける）。

第一編　竹取物語　伊勢物語　紫式部日記　住吉物語　徒然草
第二編　土佐日記　枕草子　更科日記　方丈記
第三編　十六夜日記　落窪物語　弁内侍日記
第四編　堤中納言物語　とりかへばや物語　四季物語
第五編　中務内侍日記　讃岐典侍日記　和泉式部日記　蜻蛉日記
第六編　浜松中納言物語　大和物語　唐物語
第七編　宇治拾遺物語　多武峰少将物語
第八～十二編　源氏物語
第十三～十五編　栄花物語
第十六～十八編　太平記
第十九編　保元物語　平治物語　秋夜長物語　鴉鷺合戦物語
第二十編　平家物語
第二十一編　古今著聞集
第二十二編　十訓抄　公事根源

第二十三編　水鏡　大鏡
第二十四編　増鏡

10 『日本古典籍書誌学辞典』（井上宗雄等編集、岩波書店、一九九九年）。

11 鈴木徳三氏「明治期における文庫本考㈠―冨山房：袖珍名著文庫を中心に―」（大妻女子大学文学部紀要一一、一九七九年三月）。なお本論考によると、本のサイズは「縦15、1㎝、横10、1㎝」である。

12 近世には和歌の手引き書としての類題集的な「袖珍本」がつくられ、明治二七年に発刊された『歌学全集』⑶にも「類題和歌鴨川集・桂園一枝・類題和歌鰒玉集・増訂掌中類題怜野集」として、「題詠」によって検索する類題和歌集が出版されている。これらは創作のために手許に置いておく実用書として利用されていたものであり、『袖珍名著文庫』とは性質が異なる。

13 明治期の『山家集』享受については、注5の論考、および拙稿「西行研究史の一齣―藤岡作太郎と梅澤精一の「鴫立つ沢」論」（『日本文学』「子午線」六七巻五号、日本文学協会、二〇一八年五月）参照。『袖珍名著文庫』の『山家集』の冒頭の版画には『西行物語』の、西行が出家するさいに娘を縁から蹴落とす絵巻からの描写が掲載されていて、『西行物語』の西行が詠んだ『山家集』といった位置づけである。

〔付記〕本稿は、二〇二二年三月一九日に「第4回　東アジア文化権力研究学術フォーラム　東アジアの文化権力の研究〈伝統と正統性、その創造と統制・隠滅〉」（翰林大学校日本学研究所・立教大学日本学研究所）にて発表した「『日本歌学全書』（一八九〇～一九〇三）とその周辺」を基にしたものである（オンライン開催）。発表の折、さまざまな貴重なご意見をいただいたことに深謝したい。

11

今・ここにある古典学習から考える

「言語文化」を土台にして

菊野雅之

一、今・ここにある古典学習から探る

二〇二〇年六月にＩＣＵ高校の生徒たちが主催したオンラインシンポジウム「高校に古典は本当に必要なのか」は注目を集め、さまざまな反響を起こした（長谷川凜ほか編、二〇二一年）。シンポジウムの参加者へのアンケート結果については、ウェブ上でも全文が公開され、今後の古典学習を議論する際に、踏まえておきたい重要な情報源ともなっている（文学通信ＨＰ）。そのなかの感想の一つに次のようなものがあった（以後、引用の際の傍線は稿者による）。

高校生になって、古典勉強の初期段階で、一つ一つの単語の活用と文法を暗記するのではなく、古典の文章自体に慣れ、文章のモラルに触れることが合理的な学びかただと思う。そうしなければ授業がとてもつまらない。古典を学ぶことに疑問を持っているのではなく、勉強の方法に納得がいかない。もし今

の古典教育の方針が変わらないなら古典を高校で学ぶ必要もないし学びたくもない。

古典を学ぶのが嫌なのではない。現在の学習方法に強い疑義を感じている学習者の強い憤りがここには現れている。同様のことを教員の立場から反省的に述べている者もいた。

> わたしは、現状のままの訓詁注釈、ないし古典語のための古典語学習ならば、もうやめた方がよい、と考える。（中略）
>
> わたしがこういうことをいうのは、実はあおむいて天につばきするものにほかならないことは、戦後二十年の歳月をかけて、わたしたちが、そういう古典文学教育の状況を、内部からどう改革してきたか、なぜ、それができなかったかの、自己批判を抜きにして論じるわけにいかない。わたしもまた、ささやかながら国語教師の一員でありつづけたからである。慚愧に耐えず、痛恨のほかないが、わたしたちは、〈古典〉の概念、〈古典文学教育〉の概念をなにほども変更しえなかった。わたしも十分戦わなかったし、わたしたちのなかまも、巨視的にいえば、ぐちり、悩み、それだけであった。〈古典教育〉はなんら動揺しなかったし、その点において、それはみごとに「古典」主義的なあり方を貫き通してもいる。

戦後の古典学習論を牽引した第一人者であった益田勝実（ますだかつみ）（一九六七）の言葉である。先のアンケートの回答を見ると、我々は今も益田と同じところで、反省をせざるを得ないように思う。ただ一方で、現在、使用されている高校国語科教科書には、〈古典〉の概念、〈古典文学教育〉の概念が変容しようとしている胎動を確認することもできるのではないか。戦後八〇年近くが経過し、〈古典教育の〉の何が変容し始めているのかを本章では確認してみたい。

二、「言語文化」の指導事項、言語活動例、内容の取扱い

平成三〇年告示高等学校学習指導要領では、これまでの「国語総合」が「現代の国語」と「言語文化」の二科目に分離される形で必履修科目となった。「話すこと・聞くこと」、「書くこと」に関する指導を重視し、実用文等を教材として位置づけた「現代の国語」、「読むこと」に関する指導を重視し、古典を中心に文学作品を教材として位置づけた「言語文化」の二科目である。では、古文漢文をこれまでと同様に指導すればよいのかと言えば、そうではない。学習指導要領に示されている指導事項、言語活動例、内容の取扱いを精査すると、その変更内容は小さくないことがわかる。その変更は国語教科書編集にも影響を及ぼす。また、高校国語科における単元構想においても構想の際の起点の一つになるべきものである。「現代の国語」と「言語文化」については、すでに実施二年目に入っているところだが、今後の古典学習のあり方を議論していくために、改めて確認しておきたいと思う。

「高等学校学習指導要領比較対照表【国語】」では、平成二一年告示の学習指導要領と平成三〇年告示の学習指導要領を併置する形で、指導事項等の関係を対照させている。それによると、「国語総合」の指導事項一二項目、「現代文A」の指導事項一項目、「古典A」の指導事項二項目が、「言語文化」の指導事項一八項目と対照されている。つまり、「国語総合」の一二項目から指導事項は六項目増加しているのである。これは指導内容の増加と言えるものもあれば、これまでも古文・漢文の指導において行われていたものが明文化・

明確化されたと言えるものもある。また、言語活動例も大幅に増加し、内容の取扱いにおいても注意すべき文言が入っている。その特徴的なものとして考えられるものを以下に列記してみよう。

〔知識及び技能〕

（一）言葉の特徴や使い方に関する事項

ア　言葉には、文化の継承、発展、創造を支える働きがあることを理解すること。

エ　文章の意味は、文脈の中で形成されることを理解すること。

オ　本歌取りや見立てなどの我が国の言語文化に特徴的な表現の技法とその効果について理解すること。

（二）我が国の言語文化に関する事項

イ　古典の世界に親しむために、作品や文章の歴史的・文化的背景などを理解すること。

エ　時間の経過や地域の文化的特徴などによる文字や言葉の変化について理解を深め、古典の言葉と現代の言葉とのつながりについて理解すること。

オ　言文一致体や和漢混交文など歴史的な文体の変化について理解を深めること。

〔思考力・判断力・表現力等〕

B読むこと

エ　作品や文章の整理した背景や他の作品などとの関係を踏まえ、内容の解釈を深めること。

オ　作品の内容や解釈を踏まえ、自分のものの見方、感じ方、考え方を深め、我が国の言語文化について自分の考えをもつこと。

〔言語活動例〕

B読むこと

ア　我が国の伝統や文化について書かれた解説や評論、随筆などを読み、我が国の言語文化について論述したり発表したりする活動。

ウ　異なる時代に成立した随筆や小説、物語などを読み比べ、それらを比較して論じたり批評したりする活動。

エ　和歌や俳句などを読み、書き換えたり外国語に訳したりすることなどを通して互いの解釈の違いについて話し合ったり、テーマを立ててまとめたりする活動。

〔内容の取扱い〕

（一）授業時数について

ウ　「B読むこと」の近代以降の文章に関する指導については、二〇単位時間程度を配当するものとし、計画的に指導すること。その際、我が国の伝統と文化に関する近代以降の論理的な文章や古典に関連する近代以降の文学的な文章を活用するなどして、我が国の言語文化への理解を深めるように指導を工夫すること。

（四）教材について

ア　内容の〔思考力、判断力、表現力等〕の「B読むこと」の教材は、古典及び近代以降の文章とし、日本漢文、近代以降の文語文や漢詩文などを含めるとともに、我が国の言語文化への理解を深める学習に資するよう、我が国の伝統と文化や古典に関連する近代以降の文章を取り上げること。また、必要に応じて、伝承や伝統芸能などに関する音声や画像を用いることができること。

以上に示したものは、「国語総合」の指導事項等を踏まえつつも、その内容を大きく更新したものや事実上の新設・追加と判断されるものである。傍線部分に着目してみると、古典学習に関わる教材範囲が拡大していることがわかる。また、言文一致体を始めとした文体への着目、作品と作品を読み比べる言語活動、書き換える言語活動、内容の把握にとどまらない解釈と自身の考えの形成の指導事項の配置などにも着目したい。これらの内容を踏まえ「言語文化」の教科書は編集され、教室ではその教科書を使用した学習が、現在展開されている。

三、「言語文化」の教科書から見る今・ここにある古典学習

先述の「言語文化」の特徴を、教科書ではどのように具体化しているだろうか。「言語文化」教科書九社のもののうち特徴的な単元や教材を確認し、今・ここの古典学習の可能性について考えてみたい。今回分析の対象としたのは、九社九種の「言語文化」教科書である。

筑摩書房『言語文化』には、冒頭、大岡信「言葉の力」が用意されている。［知識及び技能］(一)ア「言葉には、文化の継承、発展、創造を支える働きがあることを理解すること。」が位置づけられている本教材は、古典学習の意義、あるいは古典不要論への反論が提示される。これから「言語文化」での学びが学習者にとってどのような意味があるのかをわかりやすく説明している。三省堂『精選言語文化』には、水村美苗「日本

語の表記法」において書き言葉についての学びの意味が説明され、その上で「古文の世界へ」において、古人との対話の価値が述べられている。大修館書店『言語文化』では、冒頭、吉岡乾「世界を見わたす窓」で、言葉を通じて世界を見わたすことの可能性を示し、若松英輔「文字の神秘」において、読書の価値を説いている。明治書院では、古典単元に入る冒頭に、小川洋子「小石を集める」を置き、読書の価値を説く。そのほかの教科書においても、古文の学習に入る前に、その学習の意味を簡単に説明する文章を置くことが多い。これまで以上に、古文漢文を学ぶ価値を丁寧に学習者に説明しようとする姿勢が顕著である。

「読むこと」の言語活動例ウは、「異なる時代に成立した随筆や小説、物語などを読み比べ、それらを比較して論じたり批評したりする活動」である。他作品を読み比べる単元設定は、大学入学共通テストにおける複数教材の読み比べの設問設計がされていることもあり、各社でさまざまな新しい単元開発が見られる。東京書籍『精選言語文化』は、桜に関する各時代の韻文や散文（万葉集、古今和歌集、新古今和歌集、岡本かの子、馬場あき子、俵万智、室生犀星、三好達治、角田光代）を集め、読み比べを行った上で、その気づきをまとめる単元を構成している。また、漢文単元では、論語の注釈書である朱熹（しゅき）『論語集注』、伊藤仁斎（いとうじんさい）『論語古義』を教材化し、読み比べ言語活動を設定している。漢文の注釈書を教材化し、教材観の拡大を具体化している点に注目がいく。数研出版『言語文化』は、「古典と注釈」という単元において、在原業平の「ちはやぶる神代も聞かず竜田川からくれなゐに水くくるとは」の「くくる」の注釈（宗祇『百人一首宗祇抄』、賀茂真淵『うひまなび』）の比較を設定している。漢文単元においても、論語の注釈書である『論語集解』、『玉勝間』、『論語集注』、『経典釈文』、『論語徴』を取り上げ、注釈書や口語訳の本などの表現を比較することを言語活動として設定している。大修館書店『言語文化』では、「木曽の最期」（平家物語）と『吾妻鏡』の記述を比較する学習を設定し、物語ることの意味を捉えさせようとしている。第一学習『精選言語文化』と明治書院『精選言語文化』では、『伊勢物語』「筒井筒」とそれに対応する『大和物語』を比較し、どちらにより魅力を感じたか意見を述べ合う比較単元を設定している。明治書院は、月が詠まれた和歌（大江千里、壬生忠見、清原深養父）を比較し、鑑賞する活動も設定している。桐原書店『探求言語文化』は、『徒然草』の「花は盛りに」と『玉勝間』の「兼好法師が詞のあげつらひ」を比較する活動を設定している（この玉勝間との比較は、筑摩書房『言語文化』でも教材化されている）。また、『列仙伝』と、それを翻訳した『唐物語』の二作品、あるいは、『竜城録』、それを翻案した『伽婢子』を比較し、その描写の違いを検討する活動を設定している。漢文単元では、白居易と元稹の詩を比較し、境遇の違いを比較しながら二人の心情を読み取る活動を設定している。筑摩書房『言語文化』は、頼山陽『日本外史』の「那須宗高」と『平家物語』の「那須与一」との比べ読みや、白居易の「香炉峰下」と『枕草子』との比べ読みを設定している。三省堂『精選言語文化』では、『徒然草』の第一〇段と第一一段との比較、『奥のほそ道』「旅立ち」と『土佐日記』「門出」との比較などが設定されている。

四、教材観の拡大

学習指導要領の文言（指導事項と言語活動例）を視点に教科書の様相を抽出してみた。指導事項ア「言葉には、文化の継承、発展、創造を支える働きがあることを理解すること。」に対応させる形での、古文漢文を学ぶ意義について理解する単元設定。言語活動例ウ「異なる時代に成立した随筆や小説、物語などを読み比べ、それらを比較して論じたり批評したりする活動」あるいは、大学入学共通テストの傾向も見越した比較単元と比較教材自体の開発・発掘。古典学習観、古典教材観に大きな変化が起きていることを確認できるだろう。翻訳・注釈の読み比べを通した実践は熱心な教員によって実践されてもいたが、それが各社教科書のほとんどに実装されたことは大きな変化である。かつて益田勝実（一九七〇）は次のように述べていたことがある。

語学主義がこのまえの「指導要領」改訂にもたらしたものが、「現代国語」と「古典」の分化に際しての、古典原文主義の強調だった。総合「国語」時代の教科書に多く載っていた古典の鑑賞や評論は、そこで姿を消した。学習者に予断や先入観を与えず、かれらの力で原文を読み、かれらの力で感じ、考えさせる、という現場の指示も多かった立派な名分が、どれほどのものをもたらしたかを、わたしはむしろ疑う。ひとつの作品を、ああ読み、こう読む先人の読みを見比べて問題意識を触発されることや、その読みの深さ・ゆたかさに教わることがあっては、なぜいけないのか。「学習指導要領」は別に原文主義を謳っていない。しかし、教科書検定では鉄則になっており、それが古典文学の学習の方向と内容を限定している面も大きい。教師こそが読みとりの深さ・ゆたかさの手本であり、導き手であるはずだ、というのは、結局は遁辞ということになると思う。先人の読みからの刺激、という内容本位の学習で不可欠な要素が、語学本位の学習では重視されないことになる。

一九七三年に施行されることになる高等学校学習指導要領の改訂案が中間発表されたことを受けての益田の言葉である。一九六〇年に施行された高等学校学習指導要領以来、語学主義に偏った結果、「先人の読みを見比べて問題意識を触発される」機会がなくなったことを批判している部分である。また、益田（一九八一）は、同様のことを法政大学の『国語科教育法』というテキストにおいても述べている。

また、現在の高校の現場では、古典文学の学習においては、原典主義がとられています。これは、戦後の「現代国語」と「古典」の分離制採用以前の総合「国語」時代に、教科書上に原文と鑑賞・評論の文章が並べて置かれることが多かった状況に対する反作用の効果です。分離制が採られることになった「学習指導要領」の場合は、そういう原文以外のものを媒介させることを、むしろ啓蒙主義と見ていたようです。同時に、そのころ、文学教育の方法としての純粋鑑賞の提唱があったことも、大いに影響したように思います。仲介を排して原典へ、というのですが、それが真に主体的な読み方を育てるための捷径といいきれるかどうか、わたしは疑問を抱いています。他人の読みを吸収して、それに安住するのは論外ですが、すぐれた現代的視点からの作品に対する批評や、相互に相反する読みの実例を提出することは、学習者が素手で作品に対する場合よりも、学習者の読みを活発化し深化させます。それらの読みに刺激されて、自分で作品と格闘し、その一部を自分に同化させたり、自分を作品の一部に異化したりする作用が強まるからです。そういう触媒を排することが主体的な読みというのなら、主体的な読みとは、学習者を最初の素朴な我流の読みに釘づけするたくらみとさえいえないこともありません。

ここで益田は、原文とともに掲載されていた鑑賞文・批評文を併せて読むことの必要性を述べているわけだが、古典そのものの受容の歴史である注釈史・受容史の中で積み重ねられてきた言葉もまた、学習者の問題意識を刺激する言葉（教材）になり得ることに反論はないだろう。

本章では、主に読み比べ単元について言及してきたが、それ以外にも日本漢文（貝原益軒、夏目漱石の漢詩など）の教材化、和歌や漢詩を始めとした翻案（書き換え）の言語活動の設置、言文一致運動を中心とした文体の変遷を扱った単元など、言語文化の教材範囲・単元の多様性は大きく拡大・伸張した。その上で、この拡大・伸張が学習者の問題意識を刺激しうる教材化がなされているのかを検討・錬磨し続けていくことが必要になっていくだろう。

引用文献

長谷川凜ほか編（二〇二二）『高校に古典は本当に必要なのか』（文学通信）

文学通信HP『高校に古典は本当に必要なのか　高校生が高校生のために考えたシンポジウムのまとめ』刊行記念★当日のアンケート全公開　https://bungaku-report.com/blog/2021/06/post-968.html（二〇二三年五月一三日閲覧）。

益田勝実（一九六七）「古典の文学教育」『文学教育の理論と教材の再評価』明治図書出版（幸田国広編（二〇〇六）『益田勝実の仕事五　国語教育論集成』筑摩書房　所収）。

益田勝実（一九七〇）「古典文学教育の問り角で」『国語通信』一二七。

益田勝実（一九八一）『国語科教育法』法政大学通信教育部。

参考文献

清田朗裕「「現代の国語」と「言語文化」の問題点—第4回「論理」と「文学」の二項対立を乗り越えたい！「言語文化」の問題点」（ひつじ書房ウェブマガジン　https://www.hituzi.co.jp/hituzigusa/2023/02/08/kokugo-04/　令和五年五月一四日閲覧）
幸田国広（二〇〇三）「益田勝実国語教育論の軌跡：文学教育における「戦後」」『日本文学誌要』六七。

あとがき

本書の「はじめに」で徐禎完さんが記しているように、本書は翰林大学校日本学研究所で取り組んできたプロジェクト〈ポスト帝国の文化権力と東アジア〉の一環にある研究活動のなかから生み出されたものである。以下、そうした「形」を支えてきた力について、私なりに感じたことを記すことで、あとがきとしたい。

二〇一九年九月からの一年間、私は研究休暇をいただき、はじめの半年は韓国・ソウルを拠点にして資料調査や学術交流に取り組み、そのあいまに各地の史蹟や芸能などの見学に出かけるなどして、これまでに体験したことのない時間を過ごすことができた。ただし、その時期は日韓関係の悪化がきわめて深刻な状況に陥っていた。運航便が大幅に減らされており、九月末に私が渡航した際にも、急遽機体が国内線用に変更されることとなった。渡航者がそれだけ少なかったということであろう。ソウル市内でさえ、街中でも著名な観光地でも、日本人らしき姿はほとんど見かけることがなかった。かわって、欧米や東南アジアからの旅行客が大半で、それまでに経験していたのとはまったく異なる風景が広がっていた。コロナ禍の体験を挟んで、すでに多くの人にとっては記憶の彼方へと消え去っていることかもしれないが、私としては今なお忘れがたい目撃体験である。

滞在中、幸いにもいくつかの大学で講演の機会をいただいたのだが、共編者である徐禎完さんからもお声がけいただいて、春川（チュンチョン）市にある翰林大学校日本学研究所にもうかがった。また、四泊五日のスケジュールで行われた東アジア次世代研究者国際フォーラムにも、コメンテーターとしてお誘いいただいた。徐さんとは初めてお会いしてから一五年ほどになるが、折々の雑談の中で、「文化権力」というテーマで翰林大学校日本学研究所の長期プロジェクトが続いていることは、だいぶ前からお聞きしていた。私自身は日本の中世文学、とくに軍記物語や説話などの研究を専門としているが、近代・現代に至るまでの物語の享受・受容・変容の様相を、時代状況や社会環境、地域社会の生活実態とのかかわりを踏まえながら把握する作業に取り組んでいる。そのため、「帝国」「文化権力」をめぐる問題は、自分のテーマ・関心と地続きであることを感じていた。徐さんとの会話は、たとえ短い時間のやりとりであっても、いつも熱量の高いものだった。そしてこの年、これまでにないほどの時間をかけて徐さんとじっくり話をする機会を得た。そうしたなかで、共に動き出そうという気持ちが強くなっていったように思う。

新型コロナウィルスの感染が韓国・日本でも拡大し、渡航が実質的に閉ざされることになる寸前に、滞在期間の予定を切りあげて帰国することにした私を、徐さんはソウル郊外の見学へとお連れくださった。本書「はじめに」で徐さんが「意気投合」したと記したのは、このときのことである。

そのときにはすでに、私の念頭には数名の方々の顔が浮かんでいた。その方々に順にフォーラムでお話しいただくことにした。今回の論集にご執筆いただいた日本のみなさんと、当時オランダ・ライデン大学で博士論文を執筆していたアーフケさんである。

榊原千鶴さんは、私にとっては軍記研究の先輩で、御著書『平家物語　創造と享受』（三弥井書店）の内容はもちろん、その「あとがき」に記された言葉と向きあう姿勢に心打たれた。その後、自分の研究テーマの関係上、当時はまだ吹田市の万博記念公園内にあった大阪府立国際児童文学館に通うようになり、そこで何度もご一緒する機会があった。中世文学研究と近代社会の問題をつなげて考えるテーマについて、先達として私を鼓舞してくださる存在である。その榊原さんのご紹介で、松澤俊二さんとは、まだ名古屋大学の後期課程の大学院生だったころに初めてお会いした。和歌と短歌とに誠実に向き合い、瑞々しい感性にあふれた言葉で語ってくださった印象が強く、いつか機会があればご一緒したいと願い続けていた方であった。

平田英夫さんと菊野雅之さんともそれぞれに印象的な出会いがあり、忘れがたい思い出もあるのだが、それにも増して今回ご参加いただいた背景にあるのは、いつの間にか一〇年以上続けている、一六〇〇年以後の三五〇年間の問題を扱うことを共通課題として掲げ、専門分野の異なるメンバーが集まる小さな研究会で、折々に意見交換を続けてきたことが大きかった。湯本優希さんは、私が立教大学に着任した際には日本近代文学を専攻する前期課程の大学院生であった。その後も着実に研究を進め、二〇二〇年に博士論文をもとにした単著『ことばにうつす風景――近代日本の文章表現における美辞麗句集』(水声社)が刊行されたタイミングで、その後の展望も含めてお話しいただこうと、フォーラムへの参加をお願いした。アーフケさんは、二〇一八年九月から一年間、博士論文の完成をめざして来日し、立教大学で学んだ留学生である。前述した次世代研究者国際フォーラムに参加してもらった縁もあり、オランダから時差を乗り越えて、オンラインのフォーラムに参加していただいた。その後、無事に博士論文を提出したのだが、本書編集中の二〇二三年一一月から、日本学術振興会の外国人特別研究員として来日し、ふたたび立教大学を拠点としてともに研究に取り組むことができるようになった。

徐禎完さんがご紹介くださった韓国の宋錫源さん、李鍾淑さん、台湾の呉佩珍さんとは、私はフォーラムで初めてお会いした。画面越しでもお人柄とその実力はただちに諒解できる方々で、たいへん刺激的なありがたい出会いであった。その後、二〇二三年六月に、資料調査と本論集の打ち合わせ等を兼ねて韓国に短期渡航した際、宋さんとは直接お会いすることができ、そのウィットに富んだ会話と振る舞いに魅了されてしまった。呉さん、李さんとはまだ直接にはお会いできていないのだが、いつかその機会が来ることを楽しみにしている。また、本論集にはご事情があってご執筆いただけなかったのだが、呉佩珍さんからご紹介いただくかたちで、台湾・国立政治大学台湾文学研究所博士研究員の李思漢さんに、学術フォーラムで、植民地台湾における義太夫節浄瑠璃についての報告をしていただいたこともここに記しておきたい。

くだくだと述べてきたのは他でもない。人との出会いが人を動かし、積み重ねた時間と交わした言葉は、無理に力を加えずともおのずとどこかで交叉し、引き寄せ合ってひとつの塊をなす。そのことを、編者の一人として今回あらためて実感したということを申し添えさせていただきたいのである。

今回できあがったこの塊は玉か石か、はたまた黒ダイヤ（石炭）か。読者各位の厳しいご批正を請う。そして、編者の一人として、その先に生まれる新たな出会いの機会を心から待望している。

（鈴木　彰）

「韓国と日本は隣り合う隣国である以上、善意の競争と協力によって共存しなければならない運命にある。よって、我々は日本・日本人を研究し知る必要がある。これが日本学研究所設立の理由である。」

一九九三年の春、翰林大学校学内に日本学研究所設立委員会が発足した時、まだ三二歳だった筆者が委員会の末席で拝聴した本学設立者の尹德善博士の開会の辞の一部である。当時、委員には歴史学・哲学・韓国文学などの領域で韓国の人文学を代表する巨星が並ぶなか、唯一日本研究者であった無名の若輩が筆者であった。このような面々を有する委員会が日本学研究所の初代所長として招いたのは、ペンネーム「T．K生」で『韓国からの通信』を発信した池明観先生であった。池所長は在任中に〈日本植民地統治の終焉と大韓民国建国に関する調査研究〉や〈韓国近代知識人の民族的自我形成の研究〉など「民族我」という視点からいわゆる脱植民地を念頭に置いた研究プロジェクトを進める一方で、旺盛な出版事業によって日本学研究所を韓国の日本学を先導する研究所へと発展させた。翰林日本学叢書は日本研究の必要性は説かれるものの基本的な入門書すらなかった荒地の時代に恵みの雨となり、今の四〇～五〇代の韓国の日本研究者には、この叢書で勉強を始めた人も多い。

二代目所長に赴任されたのは前・外交部長官（外務省大臣）の孔魯明先生で、二〇〇四年に研究所設立一〇周年記念行事として李進熙、姜在彦、安宇植の三先生を招いた学術会議〈在日同胞一世学者に聞く〉が記憶に新しい。

二〇〇七年からは筆者が三代目の所長を務めているが、二〇〇八年から二〇一七年までの九年間、「文化権力」という新たな視点で〈帝国日本の文化権力：学知と文化媒体〉なる研究に取り組んだ。ここには従来の植民地研究が政治・経済の領域中心に進められているが、この流れをいわゆる「政治権力」「資本権力」研究と見ることができるならば、支配と被支配の構造の下で支配される側の生活者の生活と精神を支配する「文化権力」へのアプローチが欠けていることへの指摘であり主張であった。例えば一九四五年に三五歳になる「朝鮮人」は生まれた時から帝国日本が統制する文化の下で生活や思惟が営まれ、それ以降は旧帝国の支配を排除し批判することで自主性を回復しようとする社会のなかで自らの立ち位置を決めなければならない。生活者を支配する帝国、そしてポスト帝国の「文化権力」というものへ注目することは、構造化を要求する権力の前で屈服・服従、あるいは抵抗・転覆を試みる生活者、つまり国民国家の「民」への眼差しと言える。

一方、「帝国日本」の文化権力研究の成果を継承して一九四五年以降の「ポスト帝国」へと発展させたのが二〇一七年一一月から二〇二四年一〇月までの七年間の計画で取り組んでいる〈ポスト帝国の文化権力と東アジア〉研究である。このプロジェクトは、帝国日本の敗戦と解体後の空間に新たに建設された国民国家による境界線とその混沌のうえにさらに民族的優越性なるものを全面に押し出す支配者への抵抗によって強化されてきた民族主義・「民族の対立構造が結び付いた強力なナショナリズムが渦巻く磁場の「東アジア」という空間に帝国日本の文化権力がどのように受け入れられ、拒否され、またどのような変容を経て潜在し、どのような様相にて再生産されているのかを明らかにすることで、東アジアの脱(Post)・植民地化、脱・帝国化の現状とその滞りを「文化権力」なる視座から見つめ直す試みである。さらには、この「ポスト」が「脱(post)」を成し遂げ得るのか、あるいは脱することができず「後期(post)帝国」へと続くのかという危機意識をもはらんでいることを付言しておきたい。

振り返ってみれば、二十数年前、世界は「ミレニアム」ということばに希望を託して新たな世紀を迎える準備をした。二度の世界大戦、アジアだと帝国日本の植民地支配やアジア・太平洋戦争による深い傷跡を癒す余裕もないまま冷戦体制の下で多大な苦痛を余儀なくされたことへの反動としての「希望」であった。ところが、帝国は解体されたものの、帝国的欲望は決して消滅したわけではなく、むしろ隠蔽され潜んでいた欲望が再びうごめいて浮上してはその根の深さを見せつけている。この研究アジェンダの構想をはじめた当時、米国は「America First」をかかげ、中国は「奮発有為」の旗を振り、日本は「戦争のできる国家」を叫んでいた。その後の香港とミャンマーにおける民主主義への要求と挫折、現在進行中のロシアによるウクライナ侵攻とそれに続く中近東での紛争、その一方でテクノロジーの覇権をめぐる米中の欲望の衝突に見るごとく、覇権主義＝帝国主義的欲望の怒濤が世紀を越えて世界をのみこみつつある。「ミレニアム」という名の下で新たな世紀に抱いていた人々の希望は、少なくとも四半世紀を目前に控える現時点では忘却の彼方に追いやられるであろう対象となっているように見える。このような状況のなかで、人文学はいったい何ができるのか、韓国の日本学は何ができるのか、何をしなければならないのかという重い問いがこの研究アジェンダの背景にある。そしてこの自問への小さな実践が〈ポスト帝国の文化権力と東アジア〉であった。そしてそのなかの一つの重要な柱として本書が扱う文学・芸能を中心とする「伝統・正統性」の問題がある。

翰林大学校日本学研究所は、二〇〇八年から二〇二四年までの一六年間、「文化権力」研究に専念することになる。そして、それからさらに約二〇年後の二〇四五年、東アジアは帝国日本の敗戦と解体から一〇〇年を迎えることになる。二〇四五年、どのような時代を迎えているのだろうか。「東アジアの和解と協力、共存」にこの文化権力研究が微力であれ何らかの役に立てればと願う。

（徐　禎完）

執筆者一覧

徐　禎完（そ・じょんわん）
翰林大学教授、日本学研究所所長。専門は能楽史。
主な著書・論文に『アジア遊学〈植民地朝鮮と帝国日本〉』（徐禎完・増尾伸一郎、勉誠社、二〇一〇年）、『歌舞音楽略史』（小中村清矩著・徐禎完韓国語翻訳注、SoMyung、二〇一一年）、「植民地朝鮮と能・謡―一九一〇年代の京城を中心に―」（能楽研究叢書6『近代日本と能楽』宮本圭造編、法政大学能楽研究所、二〇一七年）など。

榊原千鶴（さかきばら・ちづる）
元名古屋大学教授。専門は日本中世文学および中世から近代に至る女性教育史。
主な著書・論文に『平家物語　創造と享受』（三弥井書店、一九九八年）、『烈女伝　勇気をくれる明治の8人』（三弥井書店、二〇一四年）、『皇后になるということ　美子と明治と教育と』（三弥井書店、二〇一九年）など。

宋　錫源（そん・そぐぉん）
韓国・慶熙大学校政経大学政治外交学科教授。専門は日本政治学。
主な著書・論文に「佐久間象山の海防論と対西洋観―幕末における'攘夷のための開国'の政治思想」（『韓国政治学会報』三七―五、二〇〇三年）、『帝国日本の文化権力3：学知・文化媒体・公演芸術』（共編著、小花、二〇一七年）、『韓日関係の緊張と和解』（共著、ボゴサ、二〇一九年）など。

松澤俊二（まつざわ・しゅんじ）
桃山学院大学社会学部准教授。専門は近現代の和歌・短歌。その文芸を文化や社会とあわせて論じている。
主な著書・論文に『「よむ」ことの近代：和歌・短歌の政治学』（青弓社、二〇一四年）、『プロレタリア短歌』（笠間書院、二〇一九年）、「「和歌革新」を進める力：「女子文壇」誌による「新派」和歌啓蒙と読者たち」（「国語と国文学」九九―八、二〇二二年）など。

吳　佩珍（ご・はいちん）
国立政治大学台湾文学研究所教授兼所長。専門は日本近代文学、日本統治期日台比較文学、比較文化。主な著書・論文に『福爾摩沙與扶桑的邂逅―日治時期台日文學與戲劇流變』（台湾大学出版センター、二〇二二年）、「松本清張「或る『小倉日記』伝」と「両像・森鷗外」、そして森鷗外の知られざる台湾体験」（『松本清張研究』二四、二〇二三年三月）、「女性解放と恋愛至上主義との間―大正・昭和期のコロンタイ言説の受容」（共著『女性と闘争 雑誌「女人芸術」と一九三〇年前後の文化生産』青弓社、二〇一九年）など。

李　鍾淑（い・じょんすっく）
韓国伝統楽舞研究所所長。専門は韓国舞踊史。主な著書・論文に『宗廟祭礼楽 佾舞の歪曲と実際』（李鍾淑、民俗苑、二〇一二年）、『人物から見た新舞踊芸術史：崔承喜から崔賢まで』（李鍾淑、民俗苑、二〇一八年）、『韓国チュム通史』（金伶姫・金采嫄・金采賢・李鍾淑・趙京児、BOGOSA、二〇一四年）など。

鈴木　彰（すずき・あきら）
立教大学文学部教授。専門は日本中世文学。主な著書・論文に『平家物語の展開と中世社会』（汲古書院、二〇〇六年）、『いくさと物語の中世』（共編著、汲古書院、二〇一五年）、『島津重豪と薩摩の学問・文化―近世後期博物大名の視野と実践―』（共編著、勉誠出版、二〇一五年）など。

湯本優希（ゆもと・ゆき）
立教大学日本学研究所研究員兼日本体育大学桜華高等学校教諭。専門は日本近代文学、日本語学、文章表現論、文体論。

主な著書・論文に『ことばにうつす風景―近代日本の文章表現における美辞麗句集』(水声社、二〇二〇年)、立命館大学・国文学研究資料館「明治大正文化史研究」プロジェクト編『近代文献調査研究論集　第二輯』(共著、国文学研究資料館、二〇一六年)、「大町桂月にみる美文―『花紅葉』と『黄菊白菊』を中心に―」(『表現研究』第一〇七号、二〇一八年)など。

VAN EWIJK Aafke(ファン　エーワイク・アーフケ)
日本学術振興会外国人特別研究員(受入機関:立教大学)。専門は日本文学・文化史・児童文学。
主な著書・論文に『Memory, modernity and Children's Literature in Japan : Premodern Warriors as National Icons in Nineteenth and Early Twentieth Century Literature and Curriculum』(博士論文、ライデン大学、二〇二一年)、「Premodern Warriors as Spirited Young Citizens : Iwaya Sazanami and the Semiosphere of Meiji Youth Literature」(『Japan Forum』三五―三、二〇二三年九月)、「1830年12月、帰国したシーボルトへ其扇が送った最初の手紙」(『鳴滝紀要』二九、二〇一九年三月)など。

平田英夫(ひらた・ひでお)
藤女子大学文学部教授。専門は日本中世和歌文学。
主な著書・論文に『御裳濯河歌合　宮河歌合　新注』(青簡舎、二〇一二年)、『和歌的想像力と表現の射程　西行の作歌活動』(新典社、二〇一三年)、「「法楽和歌」とその周辺―西行の役割をめぐって」(HERITEX3、名古屋大学人類文化遺産テクスト学研究センター、二〇二〇年三月)など。

菊野雅之(きくの・まさゆき)
早稲田大学教育・総合科学学術院准教授。専門は国語科教育学。
主な著書・論文に『古典教育をオーバーホールする』(文学通信、二〇二二年)、『国語科教育学の成果と展望Ⅲ』(共著、渓水社、二〇二二年)、『もう一度読みたい日本の古典文学』(共著、勉誠社、二〇二一年)など。

ま

や

ら

わ

た

な

は

さ

書名・作品名

あ

か

や

ら

わ

は

ま

た

な

さ

か

索引

人名・神仏名

あ

編 者

徐　禎完

鈴木　彰

執筆者

徐　禎完、榊原千鶴、宋　錫源、松澤俊二、呉　佩珍、李　鍾淑、

鈴木　彰、湯本優希、VAN EWIJK Aafke、平田英夫、菊野雅之

This work was based on the Humanities Korea Plus Program (HK+) conducted by the Institute of Japanese Studies of Hallym University, supported by the National Research Foundation of Korea Grant funded by the Korean Government(MOE) (2017S1A6A3A01079517)

文化権力と日本の近代

——伝統と正統性、その創造と統制・隠滅

2023（令和5）年12月15日　第1版第1刷発行

ISBN978-4-86766-027-0　C0095

発行所　株式会社 **文学通信**

〒114-0001　東京都北区東十条1-18-1 東十条ビル1-101

電話 03-5939-9027　Fax 03-5939-9094

メール info@bungaku-report.com ウェブ https://bungaku-report.com

発行人　岡田圭介

印刷・製本　モリモト印刷

ご意見・ご感想はこちらからも送れます。上記のQRコードを読み取ってください。

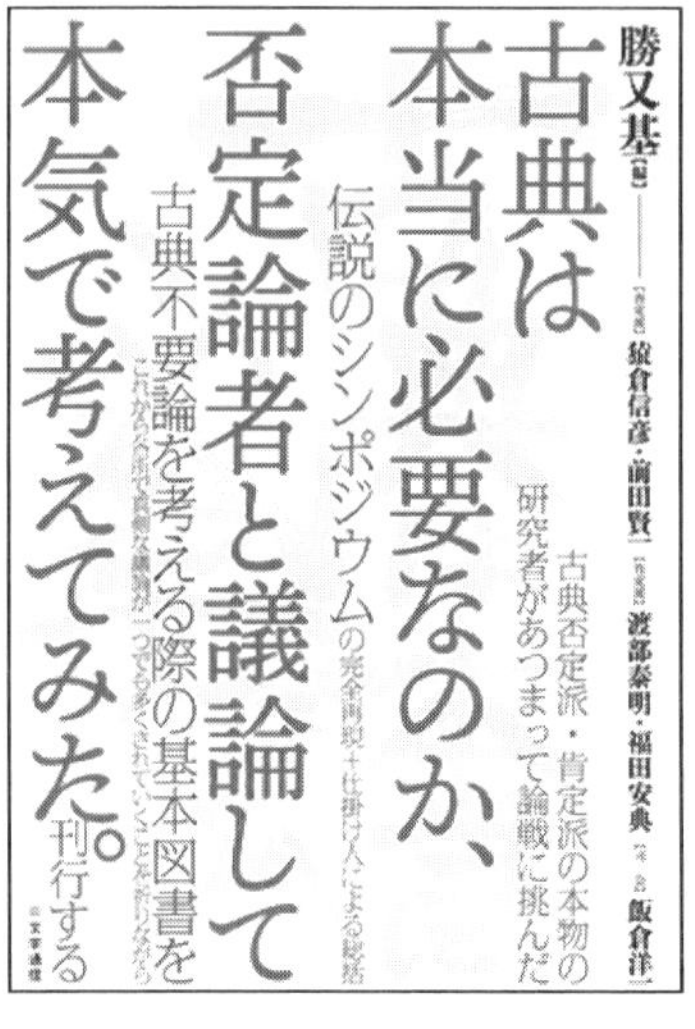

勝又基 編

古典は本当に必要なのか、否定論者と議論して本気で考えてみた。

古典否定派・肯定派の本物の研究者があつまって論戦に挑んだ、2019 年 1 月の伝説のシンポジウム「古典は本当に必要なのか」の完全再現＋仕掛け人による総括。古典不要論を考える際の基本図書となった本書を、これから各所で真剣な議論が一つでも多くされていくことを祈りながら刊行します。

ISBN978-4-909658-16-6 ｜ A5 判・並製・220 頁
定価 : 本体 1,800 円（税別） ｜ 2019.09 月刊

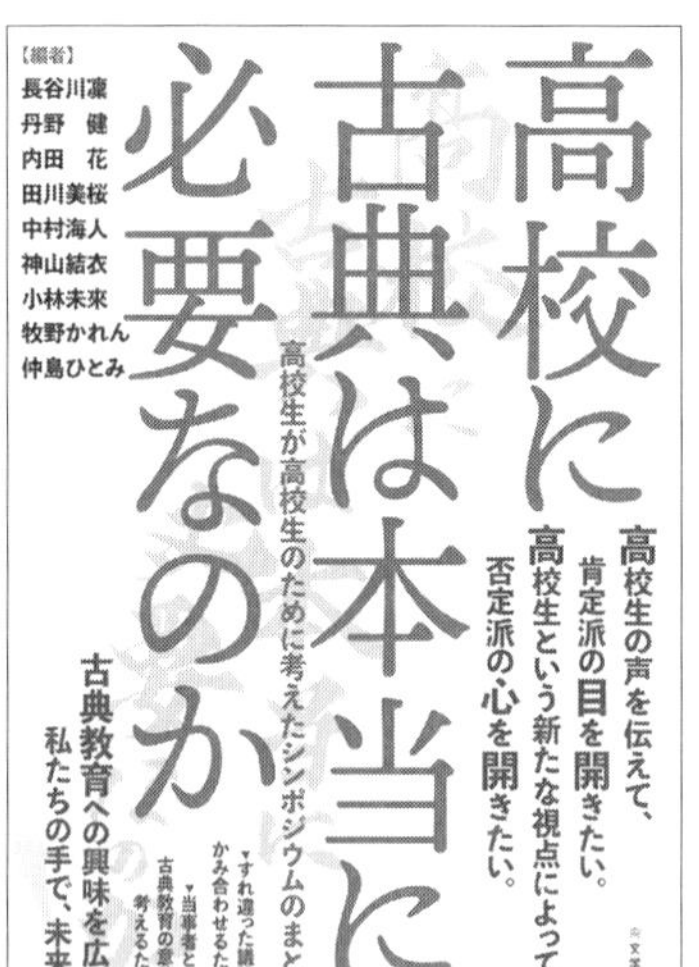

長谷川凜ほか 編

高校に古典は本当に必要なのか

高校生が高校生のために考えたシンポジウムのまとめ

現役高校生が、当事者として高校生にアンケートを実施し、議論の場を作り、考えたことは何だったのか。2020 年 6 月 6 日にオンライン開催された、高校生が高校生のために考えたシンポジウム「高校に古典は本当に必要なのか」の完全再現＋終了後のアンケート＋企画に至るまでの舞台裏＋編者による総括。

ISBN978-4-909658-36-4 ｜ A5 判・並製・304 頁
定価 : 本体 1,800 円（税別） ｜ 2021.06 月刊

U-PARL・荒木達雄 編

なぜ古い本を網羅的に調べる必要があるのか

漢籍デジタル化公開と中国古典小説研究の展開

「そんな古臭いものを研究することに何か意味があるのか」。語学、文学、歴史学、社会学、各方面に広く及ぶ本を調べ尽くす意味と、そこに資料のデジタル化がいかに貢献できるかを、第一線の中国古典小説研究者とともに探る。
2020年に開催されたオンラインシンポジウム「漢籍デジタル化公開と中国古典小説研究の展開」を書籍化。

ISBN978-4-909658-64-7 | A5判・並製・192頁
定価：本体2,000円（税別） | 2023.12月刊

菊野雅之

古典教育をオーバーホールする

国語教育史研究と教材研究の視点から

本書は、従来、戦後から唐突にはじまってきた古典教育史を見直し、教材研究のあり方を問い、現在そして未来の国語科教育の理論を形成するための基盤を整えようとする。「なぜ古典を学ばなければならないのか」という生徒たちの声にどう応えていくのか。これからの古典学習論のために、国語教育に携わるすべての人の必読書。

ISBN978-4-909658-87-6 | A5判・並製・280頁
定価：本体2,700円（税別） | 2022.09月刊